Né en 1973 à Annecy, Franck Thilliez, ancien ingénieur en nouvelles technologies, vit actuellement dans le Pas-de-Calais. Il est l'auteur de *Train d'enfer pour Ange rouge* (2003), *La Chambre des morts* (2005), *Deuils de miel* (2006), *La Forêt des ombres* (2006), *La Mémoire fantôme* (2007), *L'Anneau de Mœbius* (2008) et *Fractures* (2009). *La Chambre des morts*, adapté au cinéma en 2007, a reçu le prix des lecteurs Quais du Polar 2006 et le prix SNCF du polar français 2007. L'ensemble de ses titres, salués par la critique, se sont classés à leur sortie dans la liste des meilleures ventes.

Plus récemment, Franck Thilliez a publié *Le Syndrome E* (2010), *GATACA* (2011) et *Atomka* (2012) – trois enquêtes réunissant Franck Sharko et Lucie Henebelle – ainsi que *Vertige* (2011) et *Puzzle* (2013), tous chez Fleuve Éditions. Son dernier roman, *Angor*, a paru en 2014 chez le même éditeur.

Retrouvez toute l'actualité de l'auteur sur :
www.franckthilliez.com

PUZZLE

FRANCK THILLIEZ

PUZZLE

Pocket, une marque d'Univers Poche,
est un éditeur qui s'engage pour la préservation
de son environnement et qui utilise du papier fabriqué
à partir de bois provenant de forêts gérées
de manière responsable.

© 2013, Fleuve Éditions, département d'Univers Poche.
ISBN : 978-2-266-24644-6

Mais, quand d'un passé ancien rien ne subsiste,
après la mort des êtres, après la destruction des choses,
seules, plus frêles mais plus vivaces, plus immatérielles,
plus persistantes, plus fidèles,
l'odeur et la saveur restent encore longtemps,
comme des âmes, à se rappeler, à attendre, à espérer,
sur la ruine de tout le reste, à porter sans fléchir,
sur leur gouttelette presque impalpable,
l'édifice immense du souvenir.

Du côté de chez Swann, Marcel Proust

LÀ-BAS C'EST LE CHAOS MAIS AU SOMMET, TU TROUVERAS L'ÉQUILIBRE, LÀ SONT TOUTES LES RÉPONSES.

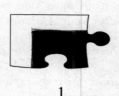

1

Toute l'équipe médicale qui suivait Lucas Chardon s'était réunie autour de son lit. Dès son réveil, on avait retiré les différentes électrodes de l'électroencéphalogramme fichées sur son cuir chevelu. L'électrocardiogramme et les divers appareils encore reliés à son corps témoignaient d'un état parfaitement stable.

Le patient sanglé aux poignets et aux chevilles manifesta son exaspération.

— Je ne parlerai qu'à ma psychiatre. Les autres, sortez, s'il vous plaît.

La chambre d'hôpital se vida rapidement. Lucas Chardon essaya de redresser la tête mais en fut incapable.

— N'essayez pas, lui dit Sandy Cléor. L'épreuve a été longue et difficile, vos muscles vont avoir besoin de plusieurs jours de rééducation, peut-être même des semaines.

— Et heureusement, les sangles sont là pour m'empêcher de me faire mal, n'est-ce pas ?

La psychiatre s'assit au bord du lit et écarta la mèche châtaine qui masquait le regard de son patient. Pour une fois, cette belle femme aux courts cheveux bruns, d'à peine trente ans, était habillée en civil, *débarrassée de cette blouse blanche trop officielle. Cet hôpital public se trouvait à une petite centaine de kilomètres de l'Unité pour Malades Difficiles où elle exerçait.*

— *Vous savez bien que nous ne pouvons pas faire autrement, Lucas.*

— *On peut toujours faire autrement.*

— *Comment vous sentez-vous ?*

Le jeune homme tourna la tête vers la seule fenêtre de la chambre. Le ciel était chargé, menaçant. Ses yeux revinrent vers ceux, très bleus, de sa psychiatre.

— *Combien de temps avez-vous essayé de me soigner avant mon arrivée ici, docteur Cléor ?*

— *Vous ne vous le rappelez pas ?*

— *Comment le pourrais-je ? Ne suis-je pas censé être fou ? Difficile, pour un fou, d'avoir des notions de réalité et de temps, non ?*

Cléor ne répondit pas sur-le-champ. Pour une fois, le discours de son patient lui paraissait extrêmement clair et cohérent. Et non agressif.

— *Quatre mois. Vous êtes resté quatre mois à l'UMD... jusqu'à présent.*

— *Et vous jugiez les électrochocs vraiment nécessaires ? Vous rendez-vous compte de la douleur que vous m'avez infligée durant toutes ces semaines ? Savez-vous ce que ça fait de recevoir des centaines de volts dans l'organisme ? On a l'impression que les yeux vont vous sortir de la tête, que toutes vos veines vont exploser. Vraiment. Il faudrait que vous essayiez, un jour, vous comprendriez. Les psys devraient toujours tester leurs traitements sur eux-mêmes avant de les faire subir aux autres.*

Sandy Cléor observa brièvement les sangles qui immobilisaient son patient aux poignets. Il était capable

12

d'agresser quelqu'un en une fraction de seconde. Il l'avait déjà fait, à maintes reprises. La psychose était une maladie perverse, destructrice. Les malades qui en étaient atteints souffraient de sévères hallucinations, d'idées délirantes, et vivaient la plupart du temps dans une réalité parallèle, ce qui rendait toute forme de traitement extrêmement délicate. D'autant plus que Lucas Chardon, paranoïaque même dans ses moments de lucidité, prenait toute tentative de soin ou d'approche du personnel pour une persécution ou une conspiration contre lui.

— Grâce à l'électrothérapie, certains souvenirs ont refait surface. Votre mémoire s'est rouverte à votre passé. Cela vous a aidé, quoi que vous en pensiez.

— Arrêtez, docteur ! Vous n'avez fait qu'accroître ma peur et ma souffrance. Vous pensiez me soigner, mais vous avez seulement aggravé les choses.

Le bip de l'électrocardiogramme s'affolait. Le cœur battait désormais à cent vingt pulsations par minute. Le jeune homme fixa l'aiguille de la perfusion dans son avant-bras et respira avec calme.

— Vous avez eu de nombreuses conversations, ici même, avec ce grand fumeur de pipe qu'est le Dr Paul Gambier, alors que vous me croyiez « absent ». Savez-vous que vos mots ont failli me rendre, chaque jour, un peu plus fou ?

— J'avoue avoir du mal à comprendre.

Il eut une amorce de rire qui finit en un mauvais rictus lorsque sa poitrine se contracta. Il reprit la parole :

— Parlez-moi de Cécile Jeanne. Comment va-t-elle ? Continue-t-elle à voir des morts errer dans son sillage ?

— Oui. Les morts sont toujours là, auprès d'elle.

— *Et s'arrache-t-elle toujours la peau dès que vous lui ôtez sa camisole de force ?*

— *Elle ne va malheureusement pas beaucoup mieux.*

— *Elle n'ira jamais mieux. Ces morts qu'elle voit en permanence continueront à la harceler tant qu'elle restera enfermée dans votre hôpital. (Il soupira.) Quel dommage. C'est une belle femme. Elle a de si jolis cheveux noirs. Ils tombent jusqu'au creux de ses reins ; j'ai toujours aimé les regarder, les toucher. Cécile Jeanne est quelqu'un qui compte beaucoup pour moi, vous savez ?*

— *Je sais, oui.*

Il eut une absence dans le regard avant de revenir vers son interlocutrice.

— *Il s'est passé quelque chose pendant tout le temps où j'étais allongé dans ce lit d'hôpital, docteur Cléor. Quelque chose qui, je crois, pourrait remettre pas mal de vos pratiques barbares en question.*

La psychiatre ne voyait pas sur quel terrain il voulait l'emmener mais elle ne se laissa pas déstabiliser, elle avait l'habitude de ce genre de comportements et de propos agressifs.

— *Si vous avez la solution miracle, je vous écoute,* se contenta-t-elle de répondre.

— *J'ai une question auparavant. Vous êtes une brillante psychiatre. Pensez-vous que l'esprit est capable de se guérir lui-même ? De se purger de sa propre pourriture sans intervention extérieure, sans médicament, sans médecin ? Vous savez, un peu comme ces blessures que l'on se fait aux genoux quand on est enfant, et qui, même sans Mercurochrome, finissent par disparaître d'elles-mêmes.*

Elle hocha la tête.

— Guérir, c'est aller à la rencontre d'une partie de soi-même, celle qui a été volontairement occultée par l'esprit. La plupart du temps, les patients sont incapables d'aller seuls à cette rencontre, parce que la maladie les en empêche. Nous, psychiatres, sommes justement là pour les aider à briser les barrières.

Le jeune homme attendit qu'elle le fixe, il voulait qu'elle prenne la pleine mesure de ses propos.

— Je connais la vérité. Je sais exactement ce qui s'est passé, ce jour-là, le 22 décembre, docteur. Je sais qui est l'assassin de ces huit joueurs. Je vois son visage, comme je vous vois, vous.

Sandy Cléor se redressa. Jamais son patient n'avait prononcé de telles paroles. Pour lui, elle n'était d'ordinaire qu'une persécutrice, elle faisait partie du complot visant à le détruire. Elle essaya de garder un ton neutre, mais l'excitation brûlait en elle.

— Et qui est-il ? Que savez-vous sur la journée du 22 décembre, précisément ?

Lucas Chardon regarda l'horloge fixée au-dessus d'un poste de télévision.

— Sortez donc votre petit Dictaphone gris, docteur, vous savez, celui auquel vous confiez toutes vos déductions et vos analyses à deux sous.

— Je l'ai laissé à l'UMD.

— Ça tombe bien. Prenez la route avant qu'il neige, retournez dans la chambre que j'occupais avant d'arriver ici. Il y a quelque chose que j'ai caché, à l'intérieur de l'un des barreaux métalliques du lit. J'aimerais que vous le rapportiez avec votre Dictaphone, ça en vaut vraiment la peine. Et j'espère que vous avez tout votre temps. Parce que l'histoire que je vais vous raconter dépasse tout ce que vous pourriez imaginer.

2

Le 22 décembre

Il faisait froid et sec ce matin-là, au cœur des Alpes.
Le genre de météo mordante mais idéale pour chausser
les raquettes et partir se promener, ce que s'apprêtait à
faire l'adjudant-chef Pierre Boniface s'il n'y avait pas
eu ce terrible appel en toute fin d'astreinte. À l'autre
bout de la ligne, le guide avait peiné à s'exprimer,
encore sous le choc de sa découverte.

L'hélicoptère de la gendarmerie nationale qui
transportait Boniface et son coéquipier survolait à
présent une forêt de mélèzes. Devant, les premiers
rayons du soleil jouaient avec les montagnes, leurs
pointes soyeuses se perdaient à l'infini, jusqu'en
Suisse d'un côté, et en Italie de l'autre. En vingt-deux
années de carrière, Boniface ne s'était jamais lassé de
ce spectacle, différent chaque jour et aussi subtil que
les couleurs sur la palette d'un peintre. Ce matin-là,
pourtant, il n'y prêtait guère attention. Son esprit était
ailleurs.

L'hélicoptère bleu et blanc dépassa un lac et se
posa dans une petite clairière, à plus de mille quatre
cents mètres d'altitude. Les rotors en mouvement

soulevèrent des nuages de neige. Courbés, le nez enfoui dans le col de leur parka bleu nuit et des raquettes dans les mains, les deux gradés coururent jusqu'à l'homme engoncé dans une chaude tenue de montagne. Ils se saluèrent, chaussèrent leurs raquettes et s'éloignèrent rapidement.

— Vous n'avez touché à rien ? demanda Boniface.

Le guide rebroussa chemin en suivant ses propres traces. C'était un gaillard costaud, large d'épaules, et qui faisait un pas quand Boniface en faisait deux. Heureusement, cet endroit de la forêt était relativement plat, à mi-chemin entre la vallée et les pentes qui zigzaguaient jusqu'aux sommets.

— Non. J'ai immédiatement appelé la gendarmerie.

— Vous avez bien fait. À présent, racontez-nous plus précisément ce qui s'est passé.

Au loin, le pilote de l'hélicoptère avait coupé le moteur, rendant aux montagnes leur calme blanc. La forêt se densifiait, les troncs se resserraient tellement autour d'eux que la lumière filtrait dans les feuillages comme des paillettes d'or. En cette matinée d'hiver, la nature tout entière semblait retenir son souffle.

— Dès qu'on aura rejoint le sentier, on trouvera le refuge du Grand Massif, une ancienne bâtisse qui appartient aujourd'hui à la ville. Il s'agit d'un lieu de repos, sans eau courante, sans chauffage, où une petite dizaine de randonneurs peut passer la nuit à l'abri des intempéries. Elle est située au milieu d'une petite île, sur un lac.

— Je connais, fit Boniface. J'ai déjà eu l'occasion de randonner dans le coin avec ma famille, il y a un bout de temps. L'endroit est magnifique.

Le guide se frayait un chemin à travers les arbustes.

— Magnifique, oui, on peut dire ça... La semaine dernière, des marcheurs ont signalé à l'office de tourisme une petite fuite dans le toit. J'ai monté quelques outils hier matin, il y avait un colmatage à faire et des tuilettes à cimenter. Un couvreur devait finir de réparer aujourd'hui.

Boniface et son subordonné respiraient de plus en plus difficilement. Le froid extrême prenait à la gorge et le guide progressait toujours aussi vite. Ce type semblait fait de granit.

— Le refuge est plein toute l'année, même pendant cette période aux conditions météo difficiles. Les randonneurs arrivent et, s'il n'y a plus de place, se rendent à un autre refuge, payant celui-là, situé un peu plus en altitude.

Les trois individus se baissaient, écartaient les branches chargées de cristaux avec leurs gants. Ce blanc, partout, offrait un décor surréaliste. La nature présentait ses plus belles parures, mais elle restait dangereuse dans cette partie de la montagne, incitant à une vigilance de chaque seconde.

— Il a neigé jusqu'à minuit environ, avant que les températures chutent. Quand je suis arrivé ce matin au refuge, j'ai tout de suite su que quelque chose clochait, parce qu'il n'y avait aucune trace de pas ou de raquettes dans la neige, aux alentours. Pourtant, des gens étaient arrivés la veille, ce qui signifiait que...

— Personne n'en était sorti.

Les hommes quittèrent la forêt de mélèzes quelques minutes plus tard. La lumière réapparut, aveuglante au ras des cimes. Boniface chaussa ses lunettes de soleil. L'absence de nuages annonçait une journée d'exception. Le gendarme regrettait de se retrouver ici, surtout un dimanche. En tant que pre-

18

mier intervenant sur une scène de crime, il savait qu'il aurait des comptes à rendre et beaucoup de paperasse à régler.

Le lac et son île étaient en contrebas, encore dans l'ombre glaciale des montagnes. Le guide continuait à parler :

— Il y avait du sang partout. Sur les lits, les murs, le plancher. J'ai vu au moins trois corps, à gauche de l'entrée. Presque tous avaient dormi habillés et portaient encore leurs chaussures de randonnée – il a fait tellement froid cette nuit. Ils ont été frappés dans le dos, comme si… comme si une pluie de grêle les avait transpercés. Je ne suis pas rentré là-dedans. J'ai couru et j'ai passé des coups de fil. J'en ai oublié mon sac dehors.

Il s'arrêta et fixa Boniface.

— Cette fuite, c'était sans doute stupide. J'aurais dû vérifier s'il y avait encore des survivants.

— Vous avez bien agi. Au moins, la scène de crime est restée intacte, c'est l'essentiel.

Boniface économisait ses mots, concentré sur la descente périlleuse. Marcher avec des raquettes demandait de la technique et de l'attention. Assez rapidement, ils atteignirent le lac et la passerelle qui permettait d'accéder à l'île. Après avoir marché quelques minutes dans une petite forêt, ils parvinrent enfin à l'imposant abri de pierre, contre lequel reposait le gros sac du guide. Le gendarme s'arrêta net, l'œil rivé au sol. Par instinct, il dégrafa le bouton de son holster situé à sa ceinture.

— Ces traces de pas…

Des empreintes sortaient du refuge, en plus de celles que le guide avait laissées une ou deux heures plus tôt. Elles partaient sur la droite, puis vers l'arrière de l'habitation. L'individu qui les avait faites avait auparavant marché dans du sang.

— Elles n'y étaient pas, fit le guide.

— Sûr ?

— Certain. Ce matin, la neige était immaculée, toute fraîche de la nuit.

Ils se turent. L'adjudant-chef scruta attentivement les alentours. Le guide était-il arrivé au moment où l'assassin venait de commettre ses crimes et s'apprêtait à s'enfuir ? Il n'osa imaginer ce qui se serait passé si leur accompagnateur était entré dans le refuge.

Avec des gestes rapides il ôta ses raquettes, les planta dans le sol, puis enleva ses gants. À présent, chacun tenait son Sig Sauer bien serré entre les mains. Le gendarme fit signe à son collègue de suivre les traces, tandis que lui-même se dirigeait vers la porte d'entrée restée à demi ouverte. Il la poussa complètement à l'aide du coude, l'arme braquée devant lui.

Boniface ôta lentement ses lunettes de soleil. Il avait déjà vu une dizaine de scènes de crime dans sa vie, mais il sut d'emblée que celle-ci le marquerait jusqu'à la fin de ses jours.

En avançant de quelques pas à l'intérieur, il dénombra cinq corps à droite, puis trois à gauche. Certains surpris dans leur sommeil, encore lovés dans leur duvet et le visage tourné vers le mur. D'autres, au sol, vêtus et chaussés, ayant essayé de se raccrocher à un pied de lit. L'un deux, complètement nu, devait avoisiner les cent trente kilos et n'avait pas, à l'évidence, réussi à se défendre.

Boniface enfouit son menton dans le col de sa parka, de manière à contaminer le moins possible l'endroit avec ses traces biologiques. Il s'approcha avec prudence des formes immobiles qui lui tournaient le dos, pour s'assurer qu'il n'y avait aucun survivant.

Morts. Tous morts.

Le gendarme imaginait déjà les huit corps, alignés les uns à côté des autres sur des tables d'autopsie. Il voyait le visage des proches, à qui il faudrait annoncer la nouvelle. Curieusement, à ce moment-là, il eut envie d'appeler sa femme et de lui dire combien il l'aimait.

À ses pieds gisait une fille qui ne devait pas avoir trente ans. Elle fixait le plafond, les yeux grands ouverts, les bras en croix comme si elle s'offrait au ciel. Elle non plus n'avait pas été épargnée.

Alors qu'il se redressait, Boniface remarqua le tournevis au manche orange ensanglanté, situé contre une plinthe, à côté d'une caisse à outils. Peut-être l'arme du crime, avec laquelle le tueur avait frappé au cou, dans la poitrine, dans le dos. Les randonneurs présentaient tous, sans exception, des trous dans différentes parties du corps.

Ces cinq hommes et trois femmes s'étaient endormis avec l'assassin à leurs côtés, si on en croyait l'absence d'empreintes de pas en direction du refuge.

Il y eut soudain des cris dehors. Son coéquipier braillait : « Bouge pas ! Bouge pas ! »

Dans un état de tension extrême, Boniface se rua à l'extérieur, fit signe au guide de rester immobile et contourna la bâtisse. Le soleil commençait à se refléter sur la neige, tout autour, et les montagnes tendaient leur masse de granit vers le ciel, comme pour protéger ces hommes qui découvraient l'horreur absolue. Le gendarme aperçut son subordonné qui tenait en joue un type couvert de sang. L'homme était assis contre le mur, chaudement vêtu, bonnet vissé sur la tête, les genoux regroupés contre le torse. Il leva des yeux humides de larmes vers les deux gendarmes et lâcha, d'un ton effroyablement neutre :

— Je m'appelle Lucas Chardon, je n'ai rien fait de mal. Dites-moi juste : d'où vient tout ce sang ? Et qu'est-ce que je fiche ici, au milieu des montagnes ? Je ne me souviens de rien..

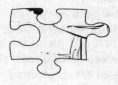

3

Quatre mois plus tard

Le jeune homme était assis en tailleur au bord de son lit.

— Ça veut dire quoi, « II AN 2-10-7 » ?

— Lâche-moi une bonne fois pour toutes avec ça. Bonne nuit.

— Bonne, je ne sais pas. Elle sera surtout longue.

— Qu'est-ce que tu veux dire par là ?

— Oh rien. Rien du tout. Bonne nuit de la part du gars de la chambre 27.

L'infirmier s'apprêtait à refermer.

— Alexis Montaigne ? fit le jeune homme.

— Quoi ?

— Avec Cécile Jeanne, t'es le seul que j'aimais bien, ici. Le seul qui ne me voulait pas de mal.

— Personne ne te veut de mal. Ça fait quatre mois que t'es ici, et il faut que tu te rentres ça dans le crâne, maintenant.

La carrure imposante de l'infirmier finit par disparaître. Dès qu'il entendit la porte se refermer, le patient retourna vers son lit et en tira le drap, qu'il étala bien à plat sur le linoléum de sa chambre.

— Sept, huit, neuf…

Personne n'avait jamais pu lui expliquer ce que signifiait l'inscription bleue, brodée en haut à gauche du drap : « II AN 2-10-7 ». Les médecins connaissaient un tas de noms compliqués, ils étaient capables de sortir des phrases savantes, mais ils calaient devant une bête inscription sur du tissu. Peut-être un code secret ? La combinaison magique pour ouvrir une porte de cet hôpital ? Ça l'avait interpellé pendant tous ces mois et, finalement, il allait mourir sans savoir.

Avec précaution, il arracha le morceau de drap qui portait l'inscription et glissa ce dernier à l'intérieur de l'un des barreaux du lit qu'il avait mis des semaines à dessouder. Le prochain patient qui occuperait bientôt cette chambre aurait peut-être la chance de comprendre, s'il lui venait à l'idée de déplacer le barreau et de regarder à l'intérieur.

Au fil du temps, il était parvenu à dévisser le lit du sol. Faisant le moins de bruit possible, il le mit en position verticale et le cala contre le mur. Puis il roula le drap aussi serré qu'il le put, et le noua aux barreaux métalliques les plus élevés à l'aide d'une chaise.

— Cent huit, cent neuf, cent dix…

Il vérifia une dernière fois par le minuscule hublot de sa porte que personne n'arrivait. Il avait environ trois cents secondes pour agir avant la première ronde. Il se couvrit la tête avec la taie d'oreiller. Ça risquait d'être difficile, mais cette scène, il se l'était répétée des centaines de fois mentalement : il allait y arriver.

Autour, la chambre était grise, neutre, spartiate. La seule chose qu'on lui avait accordée était ce jeu de tarot divinatoire, posé sur la petite table de nuit. Cécile Jeanne était une spécialiste, elle prétendait y lire l'avenir et lui avait annoncé une destinée « incertaine ».

Lui, il aimait essayer de deviner les cartes avant de les retourner. L'une de ses rares occupations dans cet endroit, sans aucun doute l'un des pires qui puissent exister. Comment s'en sortir dans ce lieu qui rendait un peu plus fou à chaque minute ?

Malgré la taie qui lui recouvrait la tête et lui troublait la vue, il retourna une carte du jeu de tarot et la lâcha sur le sol.

Il vit, à travers le tissu, qu'il s'agissait de la lame du Pendu. Cécile Jeanne lui avait déjà donné sa signification : la carte racontait que nous ne maîtrisions pas tout et qu'il nous fallait parfois laisser faire le destin.

Lui, le destin, il n'allait pas le laisser décider. Il n'avait qu'une crainte : ce qui l'attendait *derrière*, après la mort. Il y aurait d'abord le purgatoire : un territoire qu'il imaginait glacial, sinistre, avec de petites cellules où chacun était enfermé et attendait le Jugement. Ce passage obligé l'effrayait par-dessus tout.

Calmement, monté sur la chaise, il passa le drap autour de son cou. Le nœud était situé à environ un mètre quatre-vingts du sol. Il allait falloir beaucoup de volonté et de courage. Mais c'était le seul moyen de fuir d'ici. De retrouver la liberté. Cécile Jeanne allait être bien triste. Peut-être finirait-elle par suivre sa voie, elle aussi.

— Deux cent trente et un… La partie est terminée.

Il leva la tête vers l'ampoule protégée par une grille bleue, au plafond, et chassa la chaise d'un coup de pied. La corde de drap se raidit autant que ses membres, tandis que le nœud coulant s'était resserré autour de sa gorge. Ses pieds étaient à deux ou trois centimètres à peine du sol. C'était peu, mais suffisant. La dernière chose à laquelle il pensa fut, étrangement, l'inscription sur le drap.

Ilan se redressa d'un coup, le souffle coupé.

Il se protégea les yeux avec une main lorsque la lumière vive de l'extérieur vint lui frapper le visage et mit quelques secondes à réaliser où il était.

Quel sale cauchemar.

Quelle heure était-il ? Combien de temps avait-il dormi ?

Trop peu à l'évidence, il se sentait lourd et vaseux. Machinalement, il se leva et se dirigea vers la fenêtre, les deux mains sur les épaules. Il avait terriblement froid, un problème de chauffage à tous les coups. Heureusement, la lumière puissante qui tombait à l'oblique sur le plancher le réchauffait un peu. Légèrement ébloui, il s'approchait de la vitre lorsque son téléphone portable sonna sur l'air de Bob Dylan, « Knockin' on Heaven's Door ».

Plus personne ne l'appelait ces derniers temps, hormis son patron. Face à la lumière, Ilan ne bougea plus, encore sous le coup de son terrible rêve. Tout lui avait paru si réaliste, chaque détail lui restait en mémoire avec une précision étonnante : la grille bleue sur la lampe du plafond, la porte sans poignée avec son petit hublot, l'inscription bizarre sur le drap. Il s'agissait avec certitude d'une chambre d'hôpital psychiatrique.

Une vraie chambre d'hôpital psychiatrique, bien réelle.

Il voyait encore ce type, en train de se passer le nœud coulant autour du cou. Ilan n'avait pas aperçu son visage, comme si la caméra du rêve ne s'était redressée qu'une fois que l'homme eut placé la taie sur sa tête. En tout cas, on l'avait vêtu et enfermé comme les fous furieux, dans une ignoble combinaison bleu dentiste. Quel était le sens de cette terrible scène ? Lui qui n'était pas vraiment du genre à se souvenir de ses rêves...

La sonnerie s'acharnait. Ilan hésita à profiter davantage de la lumière blanche éblouissante et chaleureuse, puis fit finalement demi-tour dans le coin sombre de sa chambre. En un éclair, il passa un sweat à manches longues et un pantalon de survêtement, avant de s'emparer du cellulaire, qui affichait un numéro inconnu. Tout en décrochant, il s'assit devant son ordinateur portable pour consulter ses mails. Rien de neuf, sinon quelques publicités débiles.

— Oui ?

Ilan posa une main sur le radiateur, qui était froid comme la mort.

— Ilan ? C'est Chloé.

Le jeune homme abandonna l'écran de son ordinateur et tripota nerveusement une des figurines de jeux de rôle amoncelées sur son bureau. Chloé... Ce prénom, il ne l'avait pas entendu depuis plus d'un an, même s'il ne l'avait jamais oublié. Et ça lui fit l'effet d'une bombe à l'intérieur du ventre.

— Chloé ?

— Heureuse de voir que tu n'as pas changé de numéro. Comment vas-tu ?

— Qu'est-ce que tu veux ?

— Ça y est, j'ai enfin trouvé l'entrée du jeu. J'ai trouvé l'entrée de *Paranoïa*.

Ilan s'installa plus profondément dans son fauteuil à roulettes, face à ses deux bécanes qui téléchargeaient des films illégalement et en continu. À l'autre bout du fil, il percevait le ronflement d'un moteur de voiture. Et le ton excité de son ex-petite amie.

— Un an après, tu continues à chercher ce qui n'existe pas, fit-il. *Paranoïa* n'est que du vent. Une vaste illusion. J'en reviens pas que tu sois encore dans ce délire !

— Si, le jeu existe, il est bien réel. Et il est en France.

Ilan ne put retenir un bâillement. Il dormait mal ces derniers jours, et la fatigue se faisait de plus en plus sentir.

— Écoute, je viens de me coucher, là. J'ai froid et je n'ai qu'une hâte : retourner un peu sous la couette.

— Les chasses au trésor dévorent encore tes nuits ? T'es sur quoi en ce moment ? *L'Étoile d'argent* ?

— Je bosse depuis plus de dix mois, Chloé. Dans une station-service merdique, mais ça me permet de gagner ma croûte et d'avoir un semblant de vie sociale. Le seul lien que j'aie encore avec le jeu, ce sont les scénarios que j'essaie de caser. J'ai décroché.

— Je ne suis plus qu'à une dizaine de kilomètres de chez toi. Si on gagne le jeu, tu pourras laisser tomber ton job craignos et manger au restaurant tous les jours si tu le souhaites. À tout de suite et... contente de te parler.

Elle raccrocha. Ilan resta quelques secondes bouche bée. Cet appel ressemblait à un coup de tonnerre dans un ciel bleu. Chloé Sanders s'apprêtait à entrer de nouveau dans son univers de façon aussi surprenante qu'inattendue.

Il finit par se relever, un peu groggy. La lumière vive avait disparu, plongeant la pièce dans une pénombre glacée. Tout en se frottant les épaules, il se dirigea vers la fenêtre, pensif.

La chambre de l'étage donnait sur un grand jardin circulaire, avec les champs gelés en arrière-plan qui s'étalaient à perte de vue. Une belle pellicule blanche rejoignait le ciel, tout là-bas, à l'horizon. Pas une maison, pas un voisin alentour. Le petit potager du fond était en friche, les mauvaises herbes avaient poussé en pagaille. Son père s'était toujours occupé des tomates-grappes, des courgettes et des radis. Mais depuis la disparition de ses parents, Ilan avait tout laissé à l'abandon.

Y compris lui-même.

Transi de froid, il se rendit dans la salle de bains à côté de sa chambre et fit couler l'eau. Glacée, elle aussi. Il pria pour que la chaudière ne soit pas tombée en panne et se surprit à souffler de la buée sur le miroir. Combien faisait-il dans cette fichue baraque ? Elle était devenue bien trop grande pour un homme seul. Même ici, chez ses propres parents, il avait l'impression d'être un étranger.

Ilan s'aspergea juste le visage avec un peu d'eau, puis se rasa. Il n'avait pas encore trente ans, mais négligé comme il était, il semblait en avoir cinq de plus. Chloé avait toujours dit qu'il avait les yeux comme un océan en colère, mais aujourd'hui, à quoi ressemblaient-ils, ses yeux rougis par un mauvais sommeil, un travail ennuyeux et le manque dévorant de ses parents ?

Il tenta de se donner une contenance, peigna ses cheveux mi-longs vers l'arrière, glissant les mèches derrière ses oreilles. Des gestes si simples, mais qui lui paraissaient tellement lointains… Il remarqua alors, sur son avant-bras gauche, une marque étrange. Un petit cratère, semblable à la morsure d'un insecte.

Ilan considéra le trou avec attention, tirant sur sa peau sous la lueur d'une ampoule. Qu'est-ce que ce truc fichait là ? Une araignée ou n'importe quelle autre bestiole n'aurait pu causer de tels dégâts. Non, cela ressemblait plutôt à la marque laissée par l'aiguille d'une seringue. Comme lors d'une prise de sang, ou d'une injection quelconque.

En toute hâte, Ilan dévala l'escalier et vérifia les issues une à une, avec méfiance. Aucune fenêtre n'avait été brisée, les trois verrous sur la porte étaient intacts, le double vitrage de la véranda, à l'arrière, n'avait pas bougé. De toute évidence, à moins de posséder les clés, personne n'était entré ici ni ne s'en était pris à lui.

Et personne ne pouvait les avoir, ces clés. Ilan avait fait changer toutes les serrures quelques semaines plus tôt.

Il était bien là, en un seul morceau, vivant.

Vivant, mais avec une marque dont tu ignores l'origine. Et si c'étaient eux ?

Ceux qui s'en étaient pris à ses parents, ceux qui, il en avait la certitude, les avaient assassinés, voilà deux ans. Ces ombres, qu'il avait l'impression de voir rôder autour de lui dès qu'il fermait les yeux.

Le jeune homme s'habilla chaudement et en silence, interloqué par les curieux événements de ces dernières minutes. Le rêve, le jeu *Paranoïa*, Chloé, cette trace bizarre. Ça faisait beaucoup pour un type à la vie désormais rythmée par la routine.

Dans la cave, il ne parvint pas à rallumer la chaudière. Il consulta le numéro d'assistance inscrit sur le revers métallique et téléphona au chauffagiste de la société Silamb, qui ne passerait pas avant plusieurs jours.

— Au fait, vous connaissiez mes parents ? demanda-t-il après avoir pris le rendez-vous. Joseph et Angèle Dedisset ?

Mais l'autre avait déjà raccroché.

Ilan remonta rapidement, se couvrit davantage et ramassa le courrier glissé sous la porte d'entrée. Un beau paquet de lettres en provenance d'Ubisoft, d'Ankama, d'Aderly, à qui Ilan avait envoyé des extraits de bibles de jeux vidéo. Ces dernières années, il avait développé sur papier trois histoires originales faites de textes et de dessins magnifiques qui, jusqu'à présent, n'avaient jamais trouvé preneur.

Il se heurta à des réponses négatives, comme d'habitude. C'était décourageant. On ne demandait même pas à lire la suite de ses scénarios, on ne cherchait même pas à le rencontrer. C'était comme s'il n'existait pas.

Ilan froissa les feuilles avec dégoût et songea à son avenir. Chaque fois qu'il mettait les pieds dans la petite boutique de l'aire d'autoroute, il avait l'impression de manquer d'oxygène. Mais que faire d'autre ? Difficile, sans diplôme, de trouver un bon job, notamment dans la conception de jeux vidéo, où l'on exigeait des références.

Il poursuivit avec le courrier. Il y avait aussi deux cartes postales adressées à ses parents, des vœux pour Noël et la nouvelle année. Son père et sa mère étaient officiellement morts et, pourtant, des amis, des collègues lointains vivant à l'étranger continuaient à leur envoyer des lettres. Ilan ne s'était jamais résigné à informer ces anonymes que ses parents ne « vivaient » plus ici.

En fait, la police n'avait pas retrouvé leurs corps. Seulement leur bateau démoli par une tempête, alors qu'ils étaient sortis en mer. Pour tous et officiellement, ils étaient morts noyés, en témoignaient les actes de décès qui se trouvaient quelque part dans un tiroir.

Mais Ilan se le répétait, semaine après semaine : rien n'était logique dans cette histoire. Pourquoi ses parents, excellents navigateurs, seraient-ils sortis alors qu'une grosse tempête avait été annoncée ? Aussi le jeune homme vivait-il avec le poids d'un deuil jamais achevé. Il lui aurait fallu voir les corps, les identifier avec certitude, pour en finir une bonne fois pour toutes et arrêter de vivre avec des fantômes.

Il n'y avait rien de pire que de ne pas avoir de réponse. Ne jamais savoir.

« ... *Nous espérons que vous allez bien, et vous souhaitons d'ores et déjà nos meilleurs vœux pour l'année à venir. On vous embrasse, et si vous passez par la Thaïlande, n'hésitez surtout pas à nous rendre visite...* »

Il retourna la carte postale et piocha la dernière lettre. Elle était au nom d'une certaine Béatrice Portinari qui, d'après l'adresse, habitait Paris, boulevard Raspail. Mais cette adresse était barrée, et il était indiqué, en grand, « NPAI » : « N'habite pas à l'adresse indiquée. » La destinataire avait probablement déménagé depuis peu.

Comment cette enveloppe avait-elle pu se retrouver chez lui ? Ilan posa la lettre sur la table. Il irait la remettre à la poste plus tard, s'il y pensait.

La lettre disparut sous une pile d'autres papiers : des factures, des publicités sans intérêt.

Pour l'heure, il y avait plus urgent que d'aller à la poste.

Une portière de voiture venait de claquer dans l'allée.

À quinze jours de Noël, Chloé Sanders, son ex-petite amie qui l'avait larguée un an plus tôt, ressurgissait de façon complètement inattendue dans son monde.

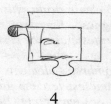

4

Le Dauphiné Libéré
« Carnage en altitude », par F. Fontes
Le 23 décembre

Ce devait être une journée comme une autre, proche de Noël. Un bon moment fait de préparatifs de réveillon, de promenades sous le soleil ou de descentes à ski. Mais cette semaine, toute la vallée est sous le choc. Car c'est avec effroi que les gendarmes ont découvert, ce mardi matin, les corps sans vie de huit personnes dans le refuge du Grand Massif, à quelques kilomètres seulement de Morzine et à deux pas de la frontière suisse. La vieille bâtisse appartenant à la ville, située sur l'île du lac d'Ibron, était destinée à accueillir entre ses murs de nombreux randonneurs, été comme hiver.

D'après les premiers retours de l'enquête, les trois femmes et les cinq hommes présents sur les lieux ont tous été massacrés durant leur sommeil avec un tournevis trouvé dans une boîte à outils. L'auteur présumé des faits a été retrouvé juste derrière le refuge, assis dans la neige, et niant fermement avoir commis ces actes horribles. Selon l'adjudant-chef Pierre Boniface,

33

arrivé parmi les premiers sur les lieux, l'homme n'aurait aucun souvenir de la raison de sa présence dans les montagnes. Il paraissait complètement ébranlé et n'a manifesté aucune résistance lors de son arrestation.

Pourtant, de nombreux éléments tendent à prouver que ce jeune homme est le coupable. Premier fait, et non des moindres, ses empreintes digitales se trouvent sur le manche de l'arme du crime et le dessin de ses semelles s'est figé dans le sang autour des corps gisant au sol.

Ensuite, ses affaires – un sac, un duvet et des vêtements – ont été retrouvées dans le refuge, sur l'une des couches de droite. Il y avait apparemment passé la nuit. À l'extérieur, des traces de pas dans la neige montrent que personne, hormis le jeune homme, n'est entré ni sorti du chalet après 23 heures la veille, date des dernières chutes de neige selon la station météo locale. Or, d'après le rapport du médecin légiste, les victimes ont été tuées entre 1 heure et 4 heures du matin : leur assassin était donc, selon toute logique, dans le refuge depuis la veille.

L'auteur présumé des faits est, toujours selon les affirmations des gendarmes, devenu complètement incontrôlable, voire hystérique, lorsqu'on lui a appris que sa petite amie faisait partie des malheureuses victimes. Après avoir frôlé l'évanouissement, il a parlé de complot contre lui, d'enlèvement, de mensonges, et a assuré que son amie était en sûreté, tranquillement installée chez elle, à six cents kilomètres de là. Il a même demandé à rentrer chez lui, ayant vraisemblablement oublié la raison de sa présence à plus de mille mètres d'altitude ainsi que les marques de sang qui imprégnaient encore ses chaussures.

Voilà donc une terrible et étrange affaire. Le suspect nie-t-il volontairement l'évidence ? Le choc a-t-il pu l'ébranler au point de lui faire perdre la mémoire ? Est-il sincère et en proie à des troubles psychiatriques l'ayant poussé au meurtre ? L'enquête s'annonce délicate.

Que s'est-il vraiment passé cette fameuse nuit entre le 21 et le 22 décembre ? Trop tôt pour le dire. Mais il semblerait, d'après les éléments retrouvés dans les biens personnels des différents campeurs (des cartes, des boussoles, des énigmes), que tous participaient à une chasse au trésor ou à un jeu grandeur nature, peut-être comparable à la fameuse Étoile d'argent, dont les puzzles d'une complexité extrême sont disponibles sur Internet et n'ont jamais été entièrement résolus par les communautés de « chasseurs ».

Leurs recherches personnelles auraient mené ces neuf individus en montagne, et ils auraient profité du refuge pour y passer la nuit. C'est alors que ce drame inexpliqué se serait produit. Tout ceci n'est, pour l'heure, qu'une simple hypothèse, et les investigations pour découvrir l'origine de cette mystérieuse chasse au trésor sont en cours.

Après sa garde à vue, l'auteur présumé des faits a été écroué à la prison de Bonneville, en attendant d'autres éléments d'enquête qui nous éclaireront davantage sur ce sinistre fait divers.

5

Ilan Dedisset attendait Chloé sur le palier, emmitouflé dans un gros gilet en laine blanche.

Il eut alors l'impression de ne pas reconnaître son ex-
petite amie. De blonde aux cheveux longs, elle était passée
à brune aux cheveux courts. Changement de voiture, de
look, qui la rendait plus mûre, tellement différente. Une
vraie femme, belle et dynamique, dans l'air du temps.
Comme toujours, elle courait pour se déplacer, serrée dans
une longue veste noire en cuir. C'était comme si elle
fuyait le temps ou, au contraire, essayait de le rattraper.

Ils se firent la bise.

— Tu es méconnaissable, dit Ilan. Même les yeux…

— Lentilles bleues. C'est très tendance.

Elle le considéra de la tête au pied.

— Je sais, anticipa le jeune homme en haussant les
épaules. Beaucoup de choses ont bougé pour moi
aussi, et pas forcément dans le bon sens. Mais même
avec quelques kilos de plus, je suis toujours le Ilan que
tu as connu.

— Le poids, ce n'est rien. Mais tu as le teint très
pâle. Tu es malade ? Si j'avais su…

— C'est sans doute parce que je n'ai plus de chauffage et que je suis un peu crevé. J'ai bossé de nuit.

Il s'écarta pour la laisser passer.

— Ça caille comme dans une morgue à l'intérieur, la chaudière a rendu l'âme. Mais vas-y, entre. Je vais faire un bon café bien chaud.

Ilan la regarda se diriger vers le salon. De grands tableaux de paysages ornaient les murs, mais c'étaient des scènes plutôt tristes : une nature mourante, où les arbres perdaient leurs feuilles et les couleurs tiraient sur les orange sombre. Depuis la dernière fois que Chloé avait mis les pieds ici, Ilan n'avait touché à rien, pas même aux nombreuses photos de ses parents, affichées un peu partout. Sur les clichés où il posait en compagnie de son père et de sa mère, Ilan était beaucoup plus jeune. Chloé l'avait connu l'année précédant leur tragique disparition, pourtant elle n'avait jamais eu l'occasion de les rencontrer.

— Tu me rajoutes un peu de lait ? fit-elle. Je ne le bois plus noir.

— Quelle est la raison d'un changement aussi radical, jusque dans tes goûts et même certaines intonations de ta voix ? Ça fait très… parisien.

— Envie de renouveau, répliqua-t-elle. Les temps changent, et moi aussi.

Les pièces étaient trop grandes, trop vides, avec leurs plafonds si hauts. Des draps recouvraient même quelques meubles, des toiles d'araignée habillaient les coins des murs.

La jeune femme réajusta son écharpe autour de son cou, s'installa dans le canapé et accepta volontiers le café au lait qu'Ilan lui rapporta. Il s'assit juste en face d'elle et lâcha, de but en blanc :

— Pourquoi t'es partie comme ça, du jour au lendemain, sans rien expliquer ? J'ai beaucoup souffert, tu sais ?

La jeune femme porta ses deux mains autour de la porcelaine pour se réchauffer. Sa bouche souffla un peu de buée. Ilan remarqua qu'elle avait cessé de se ronger les ongles jusqu'au sang : ils étaient plus longs et réguliers.

— Écoute, je ne suis pas venue pour ressasser les vieilles histoires ni pour te blesser. Les recherches sur *Paranoïa* t'appartiennent autant qu'à moi. Je veux te faire part de mes dernières découvertes et, ensuite, tu jugeras.

Ilan avala une gorgée de café. Un peu de chaleur dans le corps lui fit du bien.

— Je te l'ai dit au téléphone. J'ai décroché. Les jeux ont déjà suffisamment fichu le bordel dans ma vie et aujourd'hui, à presque trente ans, je me retrouve pompiste sur une méchante aire d'autoroute. Crois-moi, vendre des cafés à 4 heures du mat à des routiers, il n'y a rien de virtuel là-dedans. *Paranoïa*, ce n'est pas la réalité de notre monde. Et ça ne m'intéresse plus.

— Pas même les trois cent mille euros minimum promis au vainqueur ? Ils n'ont rien de virtuels, eux.

— Il n'y a ni trois cent mille euros ni vainqueur. *Paranoïa* n'est qu'une légende urbaine véhiculée de site Internet en site Internet. Qui a déjà participé ? Qui sait en quoi consiste ce jeu, au final, hormis la promesse « de ressentir la peur de sa vie » ? Tu parles. On a passé plus d'une année à traquer la moindre piste, à rester enfermés les week-ends, les soirées, devant nos écrans d'ordinateurs, à en devenir dingues.

— Ça, oui, je confirme.

— Tous ces efforts pour que les mystérieux anonymes qui lançaient ces pistes nous disent un jour que *Paranoïa* n'était qu'un leurre, et qu'il n'existait pas ? Ils se sont bien foutus de nous.

— Dire qu'il n'existait pas faisait partie intégrante du jeu, Ilan. C'était une sorte de sélection, un jeu dans le jeu. Suite à cette annonce, beaucoup comme toi ont abandonné, et seuls les plus acharnés peuvent désormais trouver la véritable entrée de *Paranoïa*. Le jeu est partout, il suffit de bien regarder.

Subjugué par ces étranges yeux bleus, il se demanda jusqu'à quel point elle était encore engluée dans toutes ces bêtises.

— Tu disais qu'on ne se défaisait jamais du virtuel, mais moi, j'ai réussi, lâcha-t-il. J'ai une vie, à présent. Elle est bien réelle et ne se résume pas à un simple avatar qui fait tout à ma place. Je te l'ai dit, le seul lien que je garde avec le jeu, ce sont mes scénarios.

— Que tu n'arrives toujours pas à caser, je présume.

— Merci de ta confiance.

— C'est juste la réalité. T'as vu un psy pour t'aider à décrocher de tout ça ? Ton addiction aux jeux, aux chasses au trésor ? On y arrive rarement seul. Tu penses avoir décroché alors qu'en fait...

Ilan secoua la tête de dépit.

— Finis ton café et laisse-moi. Physiquement, tu as changé, mais certainement pas au fond de toi-même.

— Je reste. Je n'ai pas fait ces cent kilomètres pour rien.

Elle ouvrit son ordinateur portable et essaya de se connecter au réseau Wi-Fi de la maison.

— Inutile, dit Ilan. J'ai changé le code d'accès.

— Et c'est toi qui parles de confiance ? Dans ce cas... (Elle se leva.) Ton ordinateur portable est dans ta chambre ?

Alors qu'elle se dirigeait vers l'escalier, Ilan lui barra le chemin.

— Laisse tomber.

— Je me fiche de savoir s'il y a les fringues ou les photos d'une fille là-haut. Tu as le droit de refaire ta vie, Ilan.

— Si tu savais à quoi elle ressemble, ma vie.

Chloé eut un sourire pincé.

— J'ai croisé une voiture sur le chemin, en arrivant chez toi. Je n'ai pas pu voir le chauffeur à cause des vitres fumées. Mais je suppose que c'était une charmante jeune femme.

— Quel genre de voiture ?

Elle réfléchit quelques secondes.

— Le gros modèle d'Audi, couleur noire je crois, mais tu dois le savoir mieux que moi, non ? Tu vises haut à présent. Elle travaille dans quelle branche ?

Ilan resta sans voix. Le chemin qui quittait la petite route communale, à un kilomètre, ne menait qu'à une seule maison : la sienne. Une voiture n'avait rien à faire dans les parages. Il se caressa machinalement l'avant-bras, songeant au cratère sur sa peau.

Quelqu'un le surveillait et était entré chez lui, il en avait désormais la conviction. Les ombres existaient vraiment, elles ne jaillissaient pas seulement de son imagination.

Mais par où avait-on pu pénétrer dans la maison, puisque toutes les portes et fenêtres étaient verrouillées ?

— Je reviens, fit-il. Tu peux taper le mot de passe du Wi-Fi, c'est « Catondutique ».

Il grimpa en quatrième vitesse et fonça dans la salle de bains. Sans faire de bruit, il décrocha le miroir au-dessus du lavabo pour accéder à une cache creusée dans le mur.

À l'intérieur, une enveloppe marron.

Heureusement, le grand cahier secret de son père était toujours au fond de l'enveloppe.

Il le feuilleta, histoire de vérifier que rien ne manquait. À l'époque, aucune page n'avait été utilisée, sauf une particulièrement intrigante, au beau milieu, toujours bien en place. Sur celle-ci se trouvait un mystérieux dessin fait avec différentes encres de couleur, au détail très fin, représentant un paysage de montagnes et de pins, avec un lac, un arc-en-ciel, et une petite île sur la gauche de l'étendue liquide. L'arc-en-ciel était particulier, car il y avait trois bandes bleues de nuances très proches mais cependant distinctes, puis du jaune et de l'orange. Le point de vue était situé en hauteur, comme si l'observateur était perché en haut d'un pont ou d'une falaise. Une phrase au-dessus de l'illustration disait : « *Ici-bas c'est le Chaos mais au sommet, tu trouveras l'équilibre. Là sont toutes les réponses.* »

Et au bas de la page était inscrit, si petit que c'était à peine visible :

H 470

H 485

H 490

H 580

H 600

Les parents d'Ilan avaient été chercheurs en neurosciences, et avant leur disparition ils avaient travaillé dans un centre de recherches à Grenoble. Ils partaient toute la semaine pour ne revenir que le week-end, et Ilan ignorait globalement tout de leurs réelles activités. Mais quelque temps avant de disparaître en pleine mer, ils avaient annoncé à Ilan qu'ils avaient fait des découvertes censées révolutionner le monde de la recherche scientifique, notamment sur le fonctionnement de la mémoire et les mécanismes de l'oubli. Ilan se souvenait de leurs visages à la fois graves et sereins. D'une certaine forme de joie, teintée par des nuages sombres.

Aujourd'hui, personne n'avait la moindre idée de l'endroit où se trouvaient ces découvertes, ni ce que les Dedisset avaient fait de leurs travaux. Mais Ilan avait la certitude que son père avait un jour craint pour leurs vies, et qu'il avait volontairement crypté dans ce dessin l'endroit où se nichaient ses recherches si importantes.

C'était peut-être aussi pour cette raison que ses parents détenaient une arme chargée, au fond d'une armoire.

Ils avaient eu peur de quelque chose. De quelqu'un.

Ilan revint vers le cahier. À l'intérieur était dessinée cette redoutable carte au trésor, quasiment indéchiffrable. Cela faisait presque deux années qu'Ilan cherchait, et il n'avait jamais percé le mystère laissé par son père, cet homme qui lui avait donné le goût des puzzles, des casse-tête, des chasses au trésor. Comprendre les secrets de la mémoire, comme il l'avait fait toute sa vie, était en soi une quête bien énigmatique.

Ici-bas c'est le Chaos mais au sommet, tu trouveras l'équilibre. Là sont toutes les réponses.

Pourquoi son père ne lui avait-il jamais donné le moindre indice sur la façon de résoudre cette énigme ? Le jeune homme avait tout essayé, décortiqué des milliers de photos sur Internet pour tenter de découvrir d'où venait ce paysage dessiné ; il avait aussi cherché des rapports entre les numéros au bas de l'œuvre. Que signifiait le H, devant chacun d'eux ? Pourquoi les nombres étaient-ils dans cet ordre ? Et pourquoi y avait-il cet étrange arc-en-ciel aux couleurs si particulières, alors qu'il n'y avait ni soleil ni pluie pour en expliquer l'apparition ?

Ce dessin et ces nombres curieux restaient définitivement muets.

Ilan remit précautionneusement le cahier à sa place. Personne ne connaissait son existence, à part Chloé et, peut-être, quelques collègues de confiance de ses parents, dont Ilan ignorait l'identité exacte. Même son ex-petite amie, la plus brillante des chasseurs de trésor à ses yeux, avait calé devant l'énigme élaborée par son père.

Qu'avaient découvert ses parents ? Un remède miracle capable de révolutionner le monde de la médecine ? De nouvelles théories sur le fonctionnement de la mémoire ? Pourquoi avaient-ils mené leurs recherches secrètement, sans jamais confier leurs travaux à quiconque ? Et surtout, où étaient dissimulés leurs documents ?

Quels sombres secrets cachait cette étrange carte ?

Ilan finit par redescendre.

Son ex-petite amie l'attendait au bas des marches, et elle s'impatientait.

6

Chloé plaça l'ordinateur sur la table basse, l'écran orienté vers le fauteuil. Elle partit fermer les volets roulants du séjour, ce qui interpella Ilan.

— Une sale habitude, expliqua Chloé. Depuis quelque temps, je préfère bosser dans le noir.

Elle alla s'asseoir juste à ses côtés, comme au bon vieux temps, lorsqu'ils passaient leurs soirées à fureter sur Internet. Le jeune homme ne trouva pas la force de réagir : à surgir ainsi, si différente, si belle, la jeune femme lui faisait mal et elle ne s'en rendait même pas compte. Elle était ailleurs, dans son monde.

Elle ouvrit un navigateur Internet.

— Ton IP est anonyme ? demanda-t-elle.

— Oui, pourquoi ?

— Tant mieux, on ne sait jamais. Fini, le temps où je laissais traîner mon adresse IP partout.

Elle tapa une adresse. Ses doigts couraient à une vitesse hallucinante sur le clavier. Un site Web s'afficha.

— Voici le site officiel du zoo d'Anvers, dit Chloé. Je te fais l'impasse sur la façon dont je suis arrivée jusque-là, il faudrait des journées pour que je te raconte tout ce qui s'est passé depuis notre séparation.

Ilan essayait de contenir le démon qui, jour après jour, continuait à gronder dans son ventre. Décrocher du jeu, c'était pire que de lâcher la cigarette. *Paranoïa* était un mélange addictif de virtuel et de réel. Sauf que *Paranoïa* n'avait ni concept ni objectif. Il existait sans vraiment exister, véhiculé par les rumeurs, et personne n'en connaissait les règles ni le but ultime. Nul n'y avait peut-être même un jour joué.

Comment y entrer ? Comment en sortir ? Pas de réponse. Seule promesse : un jour, quand le moment serait venu, le jeu serait là, et il y aurait un gain de trois cent mille euros pour celui qui oserait affronter ses plus grandes peurs.

Aussi Ilan se contenta-t-il d'observer calmement la démonstration, tout en lorgnant le visage de Chloé. Ce moment où elle revenait, il l'avait sans doute rêvé des dizaines de fois.

La jeune femme, elle, poursuivait ses manipulations. Elle se rendit sur le blog du zoo où l'on donnait les dernières nouvelles de la vie des animaux, puis fit tourner la molette de sa souris.

— Voilà, c'est ici que ça se passe. Regarde cet article sur la disparition de deux cygnes noirs.

Ilan lut le billet à voix basse. *A priori*, les deux cygnes noirs avaient disparu du jour au lendemain, sans laisser la moindre trace, et sans que personne s'aperçoive de quoi que ce soit.

— Très bien, concéda-t-il. Deux cygnes noirs, c'est l'emblème de *Paranoïa*. Et alors ? Il s'agit d'une coïncidence, rien de plus.

— Le truc, c'est qu'il n'y a pas de cygnes noirs au zoo d'Anvers, j'ai vérifié. Il n'y en a jamais eu.

Piqué au vif, Ilan posa sa tasse devant lui et revint vers l'écran. Chloé avait à l'évidence trouvé un « terrier », une porte dérobée sur un site Internet complice, qui permettait d'entrer à nouveau dans les strates invisibles du jeu.

La jeune femme surligna un passage avec son curseur.

— Ils disent que si à tout hasard quelqu'un dispose d'informations sur les cygnes, il peut écrire à : tibre@zooanvers.be. Alors, j'ai écrit.

C'était l'une des caractéristiques principales des Jeux en Réalité Alternée : la connexion entre le monde fictif et réel. Ici, elle se faisait par l'intermédiaire d'adresses e-mail. Chloé utilisait le vrai monde – son propre e-mail, son ordinateur – pour entrer en communication avec le jeu virtuel.

— On m'a répondu une heure plus tard, en anglais. On m'a dit, entre autres messages cachés, de suivre les « signes », ça s'écrit *s,i,g,n,e,s*. Ils sont peut-être en France, dans l'Ouest surtout. On m'oriente vers des pistes floues, ambiguës, tu connais la musique. Alors, j'ai creusé, creusé, je me suis déplacée, partout, dès que je le pouvais. J'ai sauté de terrier en terrier, et je dois te dire que ça n'a pas été une partie de plaisir.

Ilan la considérait avec attention. Chloé était habitée par ses découvertes. Le JRA aspirait tous ses centres d'intérêt. Le jeune homme connaissait trop bien la musique. On se coupait de ses amis, on négligeait l'essentiel, avec un seul objectif : plonger toujours plus profond dans les abysses du jeu. Devenir le jeu, pour mieux le vaincre.

Chloé sortit un papier imprimé de sa poche.

— Tous mes efforts ont heureusement été payants, j'ai fini par aboutir à cet ultime message. Il était en français, cette fois.

Ilan le lut à voix haute.

— « *de Ce Joli Air À Deux au 56ᵉ trou du golf, tu traverseras Armor et passeras à côté de celui de Jeanne d'Arc. Si tu as bien respecté le chemin, cherche l'Obèse, il vaudra sûrement plus, le jour J, que les sept dixièmes de la Fortune. Dans le contenu du contenant, passe alors par la petite entrée.* »

Il ressentit un frisson le parcourir. Rien qu'à la lecture de cette nouvelle énigme, des fourmis revenaient partout dans son corps. Chloé le prenait en traître, elle connaissait par cœur ses faiblesses.

— Et tes études de psycho ? demanda-t-il pour essayer de changer de sujet. Avec tout ça, tu n'as pas abandonné, j'espère ?

— Je n'ai jamais été aussi brillante en psycho, pour tout te dire.

Chloé hocha le menton vers le papier qu'il tenait.

— J'ignore combien de personnes sont arrivées à ce stade, mais on ne doit pas être nombreux, vu la complexité croissante des énigmes. Tant mieux, le pactole sera d'autant plus accessible. Allez, concentre-toi, et dis-moi ce que tu vois dans ce message.

— Tu as déjà les réponses, non ?

— Impressionne-moi.

Ilan comprit qu'elle ne lâcherait pas. À contrecœur, il relut plusieurs fois l'énigme. Certaines déductions lui vinrent immédiatement en tête. Dans ce genre de messages, les majuscules avaient souvent une importance.

— « Ce Joli Air À Deux », avec les majuscules en début de chaque mot : cinq mots, cinq majuscules. Ça sent le code postal. On colle les majuscules, on obtient ici CJAAD. Si on prend A = 0, B = 1, on obtient 29003.

Il considéra Chloé et comprit qu'il était sur la bonne voie.

— Une ville, dans le Finistère, qui marque le point de départ ? fit-il.

La jeune femme approuva avec un sourire.

— 29003, c'est le code géographique Insee de la commune d'Audierne, précisément.

Ilan se leva et se mit à marcher, les bras croisés.

— « Au 56ᵉ trou du golf »… Un golf n'a que dix-huit trous. Le 56, c'est le Morbihan. Le golfe du Morbihan marque probablement le point d'arrivée. Je suppose que ce que tu cherches se situe entre le golfe du Morbihan et Audierne, en Bretagne.

Ilan ressentit de nouveau le frisson. Ses neurones carburaient, les circuits se rouvraient. Il se frotta les bras en venant se rasseoir.

— Abrégeons s'il te plaît, et raconte-moi plutôt ce que tu as trouvé.

— Très bien. Mais je vois que tu n'as rien perdu de tes compétences ni de tes connaissances pointues en géographie.

— Rien de vraiment compliqué là-dedans. Du classique.

Après quelques manipulations sur l'ordinateur, Chloé afficha une carte de la Bretagne.

— Du classique, oui, mais tu te doutes bien que *Paranoïa* n'allait pas s'avouer si facilement vaincu. C'est maintenant que ça se corse. J'ai cherché des jours et des jours, pour ne pas dire des semaines. Regarde, entre ces deux endroits de la carte, il n'y a rien qui rappelle Jeanne d'Arc, et on ne passe pas par les Côtes-d'Armor, qui sont bien plus au nord. C'est un leurre. En fait, les indications n'ont rien à voir avec la Bretagne, et c'est là que réside la plus grande partie de l'astuce. Si tu n'as pas l'esprit ouvert, tu peux chercher des mois, des années, tu ne trouveras jamais.

Autre clic. Une île apparut à l'écran. En arrière-plan, des montagnes enneigées, des rocs imposants. L'endroit paraissait complètement inhabité et particulièrement inhospitalier.

— Voici les îles Kerguelen, une possession française paumée au beau milieu de l'océan Indien. On y trouve un autre golfe du Morbihan, et un endroit appelé baie d'Audierne. Ces noms ont été donnés par un certain Raymond Rallier du Baty, lors de ses expéditions du début du XXe siècle en l'honneur de sa Bretagne natale. Là-bas, sur l'île principale, il y a un Port-Jeanne-d'Arc et un port à la base d'Armor.

— L'océan Indien, fallait y penser. Toi aussi, tu es toujours aussi brillante.

Chloé eut un petit sourire qui, malgré le temps, n'avait pas changé. Ilan avait tout aimé chez la jeune femme, mais c'était particulièrement ce sourire-là qui l'avait fait craquer lors de leur rencontre à la finale de *The Code*, un jeu interactif lancé trois ans plus tôt par la *BBC*. Aucun des deux n'avait remporté la finale, mais ils avaient fêté leur défaite ensemble dans un pub anglais. Après les Guinness, le reste avait suivi.

— J'ai passé des coups de fil, j'ai écrit, j'ai fouiné partout sur Internet, expliqua-t-elle. J'ai cherché l'Obèse et je suis finalement tombée sur la carte postale d'un bateau qui mouillait aux Kerguelen et qui s'appelait à l'époque *Gros-Ventre*. Un autre navire habitué de ces ports se nommait la *Fortune*.

Ilan relut la partie du message en rapport avec les propos de Chloé :

— « cherche l'Obèse, il vaudra sûrement plus, le jour J, que les sept dixièmes de la Fortune ». Tu as l'*Obèse* et la *Fortune*, ce sont d'anciens bateaux. Et après ?

— C'est maintenant que l'énigme devient intéressante. Il y a longtemps, la poste française a émis deux timbres à l'effigie de ces deux bateaux. Le *Gros-Ventre* valait trois francs cinquante, et la *Fortune* cinq francs.

Ilan fit un rapide calcul.

— Sept dixièmes plus cher…

— Exactement.

Le jeune homme imagina les heures, les journées de recherches, pour en arriver à ce résultat. Les nuits blanches… Malgré son enthousiasme, Chloé avait l'air fatiguée elle aussi, et plutôt soucieuse, finalement. Le jeu la consumait certainement de l'intérieur.

— Après, j'ai calé pas mal de temps sur la fin de l'énigme, notamment sur cette histoire de « jour J », fit-elle. Pourquoi donner une indication temporelle si précise ? Et comment les prix des timbres peuvent-ils varier, comme le suggère « il vaudra sûrement plus, le jour J, que les sept dixièmes » ?

— Ils varient à la revente, dans les collections ou les bourses de philatélistes ?

Elle afficha un autre site Internet. On y voyait des photos de timbres encadrés, puis l'intérieur d'un bateau.

— Précisément. Dans deux jours, il y a une grande exposition et vente de timbres rares sur les quais de Seine, le long de l'avenue Kennedy, à Paris. Ça se passera sur une péniche.

Ilan parcourut la page Web des yeux. La péniche était luxueuse, avec ses courbes élégantes, ses salles de réception aux grandes baies vitrées. Elle s'appelait l'*Abilify*.

— L'important, c'est que ces deux timbres y seront probablement, enchaîna Chloé. C'est la porte d'entrée du jeu, Ilan. *Paranoïa* est dans la capitale et ses promesses n'attendent que nous. Il s'agit là d'une occasion qu'on ne peut pas manquer.

Le jeune homme se leva brusquement.

— Je ne veux pas remettre les pieds là-dedans. Désolé.

Chloé se redressa également. Elle se dirigea vers une boîte transparente, posée sur un meuble du salon. Elle contenait une petite météorite.

— On l'a gagnée à deux, celle-là. Une chasse qui nous a menés jusqu'au fin fond de l'Auvergne. Cinq mille euros de gain et cette météorite, c'était déjà pas si mal. Tu te rappelles cette belle victoire ?

— Oui, mais c'était du temps où tout allait bien. Entre nous deux, je veux dire…

— Ici, c'est au moins trois cent mille euros ! *Paranoïa*, c'est dix, cent fois plus excitant, Ilan. C'est le shoot ultime. Ce que nous, les joueurs, on a toujours cherché. Le Graal. Un jeu dont on ignore les règles, et qui nous confrontera à nos propres terreurs. Tu n'as pas envie d'un peu d'adrénaline ?

— J'ai eu suffisamment de frayeurs avec la mort de mes parents.

Elle allait et venait, quasiment au pas militaire.

— J'aimerais vraiment savoir comment ils vont s'y prendre. Ce qu'ils attendent des joueurs. Et connaître le pourquoi du comment de l'existence de ce jeu.

Ilan lui en voulait de débarquer ainsi chez lui, de rallumer le brasier qu'il venait à peine d'éteindre. Elle s'approcha et lui prit la main.

— Ne dis rien maintenant, et réfléchis bien. Moi, je serai sur la péniche, dans deux jours. Si tu choisis de

51

venir, on doit faire comme si on ne se connaissait pas. Il faudra qu'on ait toutes nos chances de participer, tous les deux, pour augmenter les probabilités de gagner.

Ilan fixa ces longs doigts aux ongles parfaitement taillés.

— T'as les mains glacées.

Elle les retira prestement et partit refermer le capot de son ordinateur portable.

— Vendredi, Ilan, n'oublie pas.

— Je n'irai pas sur cette péniche. Depuis la disparition de mes parents, c'est difficile pour moi de voir un bateau, même en peinture. Je suis désolé.

Elle le regarda droit dans les yeux. À cause des lentilles colorées, Ilan avait l'impression d'avoir affaire à une autre femme, pas à la Chloé qu'il avait connue.

— Tu me demandais pour mes études de psycho, tout à l'heure, dit-elle. Il s'est passé quelque chose quand on s'est séparés, qui fait que ma vie a beaucoup changé.

— D'où le look différent ?

— Si on va plus loin tous les deux, je t'expliquerai. Promis.

— Si on va plus loin, maintenant...

— Dans l'aventure, je voulais dire.

— J'avais bien compris. Tu crois que tu peux débarquer comme ça dans ma vie, alors que tu ne veux même pas m'expliquer pourquoi tu es partie ?

— Je t'ai fait mal, j'en ai conscience, et je ne suis pas venue pour me racheter. Moi aussi, j'ai beaucoup souffert. Aujourd'hui, je fais ça par loyauté. Cette victoire, on la mérite tous les deux.

Elle prit la direction de la porte et s'arrêta devant une photo des parents d'Ilan.

— La police a retrouvé les corps, finalement ?

Ilan secoua la tête.

— Je suis désolée, fit-elle.

— Ça va.

— Et le cahier de ton père ? T'as réussi à comprendre le sens de son énigme ?

— Pas encore.

— J'aimerais bien m'y pencher à nouveau, un de ces jours. Je suis sûre qu'avec le temps je pourrais avoir un œil neuf. Peut-être que le mystère s'éclaircirait enfin.

— Laisse tomber, Chloé.

Elle revint vers lui.

— Deux ans après, t'y crois toujours, n'est-ce pas ? Cette conspiration contre eux, pour cette histoire de recherches secrètes et de documents planqués je ne sais où ?

Elle avait prononcé ces mots sur un ton qui ne plut pas à Ilan. Il la raccompagna jusqu'à la porte.

— Je n'ai jamais consulté de psy, si c'est ce que tu veux savoir. Ni pour décrocher des jeux ni pour une quelconque forme de... paranoïa, comme tu as l'air de le penser.

— Je ne parle pas de ça. Tu as toujours été attiré par la théorie du complot et...

— Ce complot existe, j'en ai la certitude. Mes parents ne seraient jamais sortis par un jour de tempête. On les y a contraints. On les a assassinés. Un jour, la vérité éclatera, j'en suis sûr. Et concernant tes allusions, au cas où tu n'aurais pas remarqué, je me débrouille très bien tout seul.

Chloé fit tinter les clés de sa voiture.

— L'état de ta maison ne m'a pas donné cette impression. On dirait celle d'un fantôme. Les draps sur les meubles, il n'y a que dans les demeures inhabitées qu'on voit ça. Tu devrais redonner un coup de neuf à la façade et au reste, ça fait vraiment... glacial. C'est toi-même qui me racontais le mal que tes parents s'étaient donné pour que cette belle bâtisse existe. J'aurais tant voulu les connaître, mais tu t'es toujours arrangé pour qu'on ne se voie jamais, eux et moi. Pourquoi ?

Ilan se contenta de hausser les épaules.

Chloé disparut, si rapidement que le jeune homme se demanda s'il n'avait pas juste rêvé.

Lorsqu'il revint dans le salon, il trouva un carton d'invitation posé sur la table basse, qui permettait l'accès à l'*Abilify*, deux jours plus tard. Au dos était écrit : « Je compte vraiment sur toi. »

Tout était bien réel.

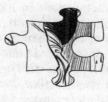

7

Ilan marchait vite, les mains dans les poches et le nez caché sous son écharpe, le long de l'avenue Kennedy.

L'hiver qui arrivait s'annonçait rigoureux, glacial d'après les météorologues, et certaines régions étaient déjà sous la neige. On prédisait, dans les jours à venir, une énorme dépression avec vents violents et précipitations, qui s'étendrait à toute la France.

Sur la droite, la Seine coulait, épaisse, et paraissait aussi noire que le fleuve des Enfers. En face, la tour Eiffel étincelait de mille lumières, comme le seul îlot de chaleur dans les ténèbres.

Ilan aimait ces ambiances mystérieuses dont il imprégnait ses scénarios, mais ce soir-là il n'avait pas vraiment le moral. Depuis la visite de Chloé, il n'avait pas beaucoup dormi, hanté par ses yeux d'un bleu trop artificiel. Pourquoi avait-elle changé d'apparence à ce point ? Avait-elle cherché à gommer définitivement son passé et donc son histoire avec lui ?

Il arriva au niveau des péniches. Certaines dormaient dans l'obscurité, d'autres témoignaient de l'activité humaine. Des familles, des femmes ou des hommes seuls vivaient sur l'*Anastase II*, la *Calvacante*, la *Fari-*

nata. Ilan se contracta sous son blouson. Il songea à ses parents. Ils aimaient les bateaux, ce mode de vie au rythme des vagues et des courants. Chaque fois qu'ils avaient mis le nez en dehors de leur lieu de travail, ça avait été pour partir pêcher au large de Honfleur, le long des côtes normandes. Ilan voyait encore le nom peint sur la coque de leur voilier : *Hudson Reed*.

Mais très vite, des images de proue déchirée, de mâts brisés se superposèrent à ses souvenirs. Il vit sa mère hurler, crier à l'aide, et l'eau entrer à gros bouillons dans sa bouche. Il imagina son père retourné par les vagues, charrié par les flots dantesques comme une poupée de chiffon.

Ilan avait vu les photos du désastre prises par la police. Et pleuré sur l'absence des corps, emportés par les courants, selon la version officielle. Ces images continuaient à le hanter, nuit après nuit.

Il était 21 h 10. Le jeune homme prenait son service à la station-essence à minuit. Il se sentait mal, la gorge serrée, les mains moites sous ses gants. Il arriva devant l'*Abilify*, une belle péniche de réception blanc et bleu. Une petite passerelle permettait l'accès au pont. Près d'une coursive, se tenaient des gens en costume et gros pardessus, coupe de champagne à la main. Le jeune homme présenta l'invitation laissée par Chloé et put monter. Il pénétra finalement sous une verrière, où attendaient deux hôtesses vêtues du même uniforme.

— Vous allez bien, monsieur ?

— Ça va. On restera à quai ?

— Bien sûr. Bienvenue sur l'*Abilify*.

Il devait être très pâle. Heureusement, le bateau ne tanguait pas et était solidement amarré à la berge. On lui proposa d'emblée une coupe de champagne, qu'il accepta volontiers. Des exemplaires du *Parisien* étaient disponibles en pile sur un présentoir, Ilan en prit machinalement un qu'il roula dans sa main libre.

Après une bonne gorgée d'alcool, il retrouva ses esprits et se détendit : le navire était solide, il ne pouvait rien lui arriver. Le brouhaha, la musique de fond, les présences humaines finirent par le rassurer.

Il pensa à la raison de sa présence sur ce bateau. S'il était vraiment dans l'antre de *Paranoïa*, qui faisait partie de l'équipe d'organisation du jeu ? Les hôtesses, les vigiles, les invités ? Quand commencerait la partie censée mener aux trois cent mille euros ?

Avant de se décider à venir, Ilan avait longtemps surfé sur Internet et n'avait pas réussi à trouver qui organisait la soirée. Même le nom de la péniche ne donnait aucune piste : les organisateurs avaient bien tout cloisonné, y compris sur Internet. Qui payait ce champagne, ces petits-fours ? D'où venaient tous ces gens ? Étaient-ils de vrais amateurs de timbres, des joueurs potentiels ou des complices ? Ilan se rappelait le slogan de *Paranoïa*, déniché à plusieurs reprises sur des forums confidentiels : *Paranoïa, le jeu aux possibilités illimitées. Pour 300 000 euros, oserez-vous défier vos peurs les plus intimes ?*

Des escaliers menaient vers la cale, là où avait lieu l'exposition. La pièce était immense, parfaitement éclairée et bondée. Femmes en robes du soir colorées, hommes en élégantes tenues. Ilan hallucina quand il vit le prix de certains timbres qui atteignaient des montants à trois ou quatre zéros.

Le jeune homme se fraya un passage et aperçut Chloé. Elle était seule, coupe aux lèvres, et fixait naturellement les timbres. Elle portait un pantalon en velours côtelé noir, son long manteau et avait plaqué ses courts cheveux vers l'arrière. Pour une fois, elle s'était maquillée, et elle rayonnait. Ilan s'approcha et feignit d'observer le timbre sous sa protection de verre.

— Le *Basel Dove*. Dix mille trois cents euros. J'ai les trois cents euros, à la limite. C'est bien un timbre suisse, ça.

— Je savais que tu viendrais, fit Chloé.

— Je suis juste de passage.

Elle détailla discrètement sa tenue.

— Tes chaussures de randonnée, tu n'as pas l'impression que ça détonne avec le reste ? T'aurais pu faire un effort, quand même.

Ilan se décala légèrement vers le timbre d'à côté et porta sa coupe aux lèvres.

— J'ai pas fait gaffe, désolé. Et personne ne prête attention à mes chaussures, de toute façon. Alors, qu'est-ce que ça donne ?

— Il y a des caméras un peu partout.

Ilan dressa rapidement un état des lieux, tandis que Chloé continuait à parler.

— Naomie Fée est dans le coin. Cette garce traînera toujours dans nos pattes, où qu'on aille. Je crois qu'elle ne m'a pas reconnue.

Ilan sentit l'adrénaline monter. Il roula des yeux, à la recherche de la petite brune aux nombreux piercings.

— S'il y a le vautour, c'est que la charogne n'est pas loin, assura-t-il. C'est bon signe, ça prouve que tu ne t'es pas plantée et que tu es sur la bonne piste.

— C'est certain. C'est la deuxième fois en une heure qu'ils diffusent *Le Lac des cygnes* en musique de fond.

Ilan jeta un œil vers les enceintes discrètes, accrochées au mur. Il remarqua également les caméras de surveillance dont parlait Chloé.

— *Le Lac des cygnes*... En plus, ils ont de l'humour.

— Certainement plus que Fée, en tout cas. Elle nous déteste, elle va tout faire pour nous mettre des bâtons dans les roues, j'en suis sûre.

Ils se décalèrent encore comme si de rien n'était. Nouveau timbre hors de prix : l'*Havlane*. Ilan posa sa coupe vide sur le plateau d'un serveur et en saisit une autre.

— « cherche l'Obèse, il vaudra sûrement plus, le jour J, que les sept dixièmes de la Fortune. Dans le contenu du contenant, passe alors par la petite entrée ». T'as compris la fin ? T'as trouvé la petite entrée ?

Chloé vérifia que personne n'était suffisamment près pour l'entendre.

— Le *Gros-Ventre* et la *Fortune* sont au fond de la salle donc, de ce côté-là, c'est nickel. Pour le reste, pas un signe, pas un indice pour le moment. Si on admet que le « contenant » est la péniche, j'ignore ce qu'est le « contenu ». Cette salle ? Celle du dessus ? Ce bateau est immense, il y a des portes un peu partout, j'ai essayé d'en ouvrir discrètement quelques-unes, mais elles sont fermées à clé. On doit absolument trouver la « petite entrée » avant la fin de la soirée. Sinon, c'est fichu.

— À part Fée, tu as aperçu d'autres joueurs potentiels ? Le genre de gus qui n'ont pas leur place ici ?

— Comme nous, tu veux dire ? Pas évident. Il y a trop de monde, ça entre, ça sort, pire que dans une ruche.

Ilan sentit un choc dans son dos et renversa du champagne sur son blouson. Une femme venait de le bousculer. Elle fendait la foule rapidement, direction la sortie. Au moment où elle montait l'escalier, Ilan capta son regard. Elle le fixait, lui, parmi tout ce monde. Elle était grande, brune, plutôt mignonne, mais affublée de vêtements de mecs, genre motarde. Puis elle disparut.

— On dirait que tu la connais ? demanda Chloé.

— Non, je ne l'ai jamais vue.

— Ce n'est pas l'impression que ça m'a donnée.

Ilan considéra son blouson taché.

— C'est pas vrai !

— Les toilettes sont au-dessus. Je reste dans le coin, va frotter ça et fouille à l'étage, si tu veux bien. On reste séparés, on s'envoie un SMS si on trouve quelque chose. (Elle désigna *Le Parisien* qu'il tenait dans la main.) Et arrête de te balader avec ce journal. Toi et ta manie de ramasser tout ce qui traîne…

Ilan la laissa s'éloigner, puis remonta vers le pont. Les toilettes se trouvaient à l'autre bout de la péniche. Il s'aventura le long des coursives et aperçut Naomie Fée, aux côtés d'un type aux cheveux gris avec qui elle discutait. Sans réfléchir, il alla à la confrontation.

— Vous devriez vous méfier, fit-il à l'intention du cinquantenaire. Elle couche d'abord, et dès qu'elle a obtenu ce qu'elle voulait, elle se tire.

L'homme montra sa stupéfaction. Un richard, songea Ilan, avec sa montre de marque et son costume sur mesure. Naomie Fée lui chuchota quelque chose à l'oreille et il s'éloigna avec calme. Tranquillement, la jeune femme sortit un paquet de cigarettes de luxe et s'en alluma une. Elle tira dessus, avant de cracher la fumée vers le visage d'Ilan.

— T'es amateur de timbres ? demanda-t-elle. Je l'ignorais.

Fée avait des yeux noirs, profonds, deux piercings à chaque oreille et un dernier sur l'aile gauche du nez. Elle avait peut-être vingt-cinq, vingt-six ans. En fait, Ilan ne connaissait pas précisément son âge, ni quoi que ce soit d'autre sur elle, d'ailleurs, sauf qu'elle était la pire des prédatrices et une sérieuse adversaire de jeu. Elle avait fait de ses participations aux courses au trésor et de ses victoires ses principaux revenus. Aussi défendait-elle son territoire comme un chien enragé.

Elle s'appuya sur le bastingage et fixa les lumières de la capitale, tournant le dos à son interlocuteur.

— J'ai reconnu Sanders. Changement de look. Qu'est-ce qui lui arrive ? Elle cherche à fuir quelque chose ?

— Le changement, t'as pas l'air de connaître, toi, répliqua Ilan. Toujours la même dégaine de garçon manqué.

— Je me doutais bien que tu serais dans le coin. T'es revenu dans la course ? Je n'ai pas beaucoup vu circuler ton pseudo sur le Net dernièrement.

— Je ne suis pas revenu dans la course. Je suis passé à autre chose.

— Qu'est-ce que tu fiches ici, alors ?

— Je suis amateur de timbres, comme tu dis.

Elle mesurait une tête de moins qu'Ilan, ce qui ne l'empêchait pas d'être aussi dangereuse qu'une veuve noire.

— T'as pris du poids, on dirait, fit-elle sans se retourner. Les antidépresseurs, ça fait grossir, je crois.

— Parlons pratique et évitons les formules toutes faites. T'as trouvé l'entrée ?

— Et toi ?

— Ça se pourrait bien, oui.

Cette fois, elle le regarda dans les yeux et renifla.

— Pas besoin de baiser avec toi pour savoir que tu bluffes, Dedisset. Tu sens le mensonge à plein nez.

Ilan serra plus fort son journal, Fée le remarqua et, curieusement, à cet instant, quelque chose changea dans son regard. Elle balança sa cigarette à peine consumée dans les eaux noires du fleuve.

— On risque de se retrouver encore une fois sur le même chemin, fit-elle en s'éloignant. Surveille bien tes arrières. Et passe le bonjour à tes parents.

— T'es définitivement la pire des garces.

Elle retourna vers le pont rejoindre l'homme aux cheveux gris qui attendait. Ilan était sur les nerfs, le stress l'habitait à nouveau : Fée n'était qu'une fichue machine à détruire. Après une nuit au lit, elle lui avait une fois volé toutes ses recherches sur une chasse au trésor.

Il s'était promis de lui rendre la monnaie de sa pièce.

Paranoïa en serait peut-être l'occasion.

Il gagna les toilettes, jeta son journal dans une corbeille et se passa de l'eau sur le visage. La migraine du début de soirée avait heureusement disparu. Le calme de l'endroit lui fit du bien. Il chercha du papier pour nettoyer son blouson, mais à part un séchoir électrique, il n'y avait rien. Il fouilla dans ses poches pour en sortir un paquet de mouchoirs. À ce moment-là, un papier plié chuta sur le sol. Ilan le ramassa et lut :

« *On vous surveille. C'est tout sauf un jeu. N'y entrez surtout pas. Je connais des réponses, je peux vous aider à découvrir la vérité.*

B. P. »

Ilan se rappela immédiatement la femme qui l'avait bousculé dans la salle d'exposition : la grande brune à la tenue de motarde. Il était évident qu'elle avait glissé ce mot dans sa poche. De quelle vérité parlait-elle ? Qui était-elle, pourquoi voulait-elle l'aider ?

Sans tarder, Ilan retourna sur l'avant de la péniche, scrutant la foule. L'inconnue était peut-être encore là.

Il redescendit vers le hall de réception, traversa la passerelle et se retrouva rapidement le long des quais. Pourquoi cette femme s'était-elle enfuie sans lui parler ? Avait-elle peur qu'on la remarque ?

Qui le surveillait ?

Les ombres, peut-être.

C'est tout sauf un jeu. Elle parlait sûrement de *Paranoïa*. Si ce n'était pas un jeu, alors qu'est-ce que c'était ?

Ilan retournait aux abords de la péniche quand il vit Naomie Fée qui dévalait la passerelle quasiment au pas de course. Elle serrait un exemplaire du *Parisien* contre elle. Très vite, elle bifurqua sur la droite et disparut sur un scooter quelques secondes plus tard.

Ilan resta figé, tandis que la dernière phrase de l'énigme se mettait à tourner en boucle dans son esprit : « *Dans le contenu du contenant, passe alors par la petite entrée.* »

Il sortit son téléphone portable et, malgré ses mains gelées, envoya un message à Chloé :

« *J'ai trouvé l'entrée. En sortant, embarque 2 exemplaires du* Parisien. *Et rejoins-moi rue du Ranelagh.* »

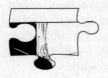

8

Bonnet sur la tête, le menton dissimulé derrière le col de son blouson, Ilan attendait à proximité de la Maison de la Radio, fondu dans l'obscurité, le long des grilles. Il manipulait nerveusement le papier qu'on avait glissé dans sa poche. Lorsque Chloé arriva, il sortit de l'ombre, lui agrippa le bras et la tira à lui.

— Ilan ! Qu'est-ce qui te prend ?

Il l'emmena non pas rue du Ranelagh, mais rue de Boulainvilliers, là où il avait garé sa voiture. Il ne cessait de se retourner.

— Je préfère ne pas prendre de risque. On nous surveillait sur la péniche. Allons à ma voiture.

— On nous surveillait ? Qui ?

Il tendit le papier à Chloé.

— Les caméras, à ton avis.

— Logique, vu la nature de l'exposition. Il y en avait pour des centaines de milliers d'euros. Et n'oublie pas le jeu. C'est complètement normal qu'ils s'intéressent aux candidats potentiels.

— Lis ça.

Journaux sous le bras, la jeune femme parcourut le billet rapidement. Elle le rendit à Ilan, apparemment perturbée.

— Où tu l'as trouvé ?

— Dans la poche de mon blouson. On devrait peut-être arrêter là. Tout est trop bizarre, et c'est sans doute dangereux.

Chloé ralentit le pas. Elle gardait le silence, les mains dans les poches.

— Pourquoi tu ne dis rien ? s'inquiéta Ilan.

— Pourquoi ? Parce que c'est ton écriture sur ce papier.

Elle soupira.

— Qu'est-ce que ça veut dire, Ilan ? À quoi tu joues ?

Le jeune homme fixait le papier avec stupéfaction. Elle avait raison, ça ressemblait bien à son écriture. Les lettres penchées, les arrondies, sa difficulté à écrire bien droit depuis qu'il était tout petit, alors qu'il avait en contrepartie un véritable don pour le dessin. Chaque détail y était, et il n'avait rien remarqué.

Il rangea la feuille calmement.

— Ça veut dire que ça va beaucoup plus loin et que c'est bien plus pervers que je le croyais.

Lorsqu'ils arrivèrent à sa voiture, il remarqua à quel point Chloé le fixait étrangement.

— Quoi ? Tu crois que je délire ? Que j'aurais moi-même écrit ce papier et que je l'aurais glissé dans ma poche simplement pour attirer l'attention ?

Sans répondre, elle s'installa à l'avant du véhicule, côté passager. Ilan s'assit à son tour, ferma les portes à clé et mit le chauffage à fond. Le thermomètre indiquait une température extérieure de − 4 °C. Sous la veilleuse de l'habitacle, Chloé semblait avoir perdu toute sa fougue.

— Parfois, les gens qui agissent de cette façon n'en ont pas forcément conscience, dit-elle en soufflant un nuage de buée. Ce genre de comportement fait partie de tout un processus psychique qui…

— C'est la psy qui parle ?

— Non. Mais toi comme moi, on sait le choc que tu as subi à la disparition de tes parents. Et sa conséquence sur notre relation.

Ilan ôta son blouson, releva la manche de son gilet et lui montra son avant-bras. On distinguait encore très bien le petit point rouge, cerné d'un nuage violacé.

— Et là, tu vas me dire que je me la suis faite tout seul, cette marque ? Que je délire ? Il n'y a aucune seringue chez moi, Chloé. Je n'ai jamais fait une piqûre de ma vie. C'est incompréhensible.

Chloé ausculta la marque en silence, puis lâcha finalement :

— J'ai vu cette femme brune te pousser dans la salle d'exposition. J'ai remarqué à quel point elle te fixait et comment elle paraissait pressée de quitter la soirée. J'ai aussi croisé la grosse Audi noire, l'autre matin, dans l'allée menant à ta maison. Des gens semblent rôder autour de toi et j'ai envie de te croire, Ilan.

Ils s'observèrent en silence. Chloé avait l'air partagée entre l'envie de partir et celle d'approfondir. Elle resta finalement et entra dans le vif du sujet :

— Mais qu'est-ce qu'on attend de toi ? Qu'est-ce qu'on te veut ?

Le jeune homme se frotta mécaniquement le bras.

— Je suis persuadé que ça a un rapport avec les recherches de mes parents. Ces derniers temps, j'ai le sentiment d'être surveillé.

Il eut l'impression de capter de l'effroi dans le regard de Chloé. Comme si elle se sentait impliquée, elle aussi. Ou peut-être avait-elle tout simplement peur de lui.

— Tu as déjà vu des gens te suivre ? T'observer ? demanda-t-elle d'une voix beaucoup moins assurée.

— Non, mais c'est vraiment une impression bizarre. Ça passe par des bruits, dans le jardin. Parfois, mon portable sonne et il n'y a personne à l'autre bout de la ligne. Le pire, c'est…

Il hésita. Chloé l'incita à poursuivre.

— C'est quand je ferme les yeux et que je commence à m'endormir, le plus souvent. Je vois des ombres glisser le long de mes paupières. Comme si… on m'observait en train de dormir.

Il eut soudain très froid et se contracta.

— Mais quand j'ouvre les yeux, il n'y a rien. C'est comme des fantômes ou des âmes que je sens glisser le long de mon corps. Sans jamais distinguer qui que ce soit. Je regarde beaucoup de films d'horreur, des trucs avec des mauvais esprits, et puis je suis seul dans une grande maison, alors j'ai mis tout ça sur le compte de l'imagination ou d'une sorte de phobie. Mais à présent…

— Est-ce qu'on a pénétré chez toi ? Essayé de te faire peur d'une façon ou d'une autre ?

Ilan constata à quel point elle était troublée.

— Pourquoi ? Ça t'est arrivé, à toi aussi ?

Elle ne répondit pas, les yeux dans l'ombre. Ilan lui tourna doucement le visage dans sa direction.

— Chloé ?

— Non, non. Rien de semblable. Parfois, je suis comme toi, je crois que je me fais peur moi-même. Sûrement l'un des effets pervers de *Paranoïa* et du surmenage. Ces dernières semaines, j'ai l'impression que les organisateurs sont partout, en permanence. Je pense trop au jeu, tout le temps. Même la nuit. Ça ne m'est jamais arrivé auparavant.

Ilan se rappela les volets qu'elle avait baissés, chez lui... Ses questions sur la sécurité de son ordinateur... Peur d'être observée ? Voyait-elle ces ombres, elle aussi ?

Il rabaissa sa manche dans un frisson.

— Je devrais peut-être aller faire des analyses sanguines, des examens, pour voir si on ne m'a pas injecté une cochonnerie dans le corps.

— Ça n'a pas de sens. Pourquoi t'aurait-on fait une chose pareille ? Et pourquoi aurait-on imité ton écriture avant de te mettre un mot dans la poche ?

— Je n'en sais rien. On cherche peut-être à me faire douter de moi-même. Me faire peur ou me rendre dingue. Et si ça avait un rapport avec la mort de mes parents ? Les possibilités sont multiples.

Il désigna les journaux qu'elle avait posés sur ses genoux.

— Enfin, revenons-en à nos moutons. Ça t'intéresse toujours de trouver la petite entrée ?

— À ton avis ?

Il s'empara d'un exemplaire et le déplia.

— C'est quand j'ai vu Fée sortir, ou plutôt disparaître avec le journal comme si elle avait le feu aux fesses que j'ai compris. C'est un vaste quiproquo : lorsque je l'ai abordée avec *Le Parisien* dans la main, elle a cru que j'avais trouvé l'entrée. Car l'entrée se cache dans *Le Parisien*, Chloé, j'en suis sûr. Le contenant, c'est lui, et le contenu...

— Ce sont les lignes sur ses pages. Oui, ça pourrait coller. Bien joué.

— Cherche dans ton exemplaire. La « petite entrée » pourrait signifier une petite annonce particulière qui nous permettrait de passer à l'étape suivante.

Chloé lui adressa enfin un sourire, qui mit un peu de lumière sur son visage.

— « Nous » ?

Ilan ne releva pas. Il se croyait revenu un an en arrière alors que dans une heure et demie il bosserait à soixante-dix kilomètres d'ici. Il allait surveiller les pompes, encaisser les pleins, et s'ennuyer comme un rat mort en attendant que la nuit passe.

Ses yeux parcoururent rapidement les petites annonces. Mariages, rubrique nécrologique, ventes et achats divers. Ce fut Chloé qui réagit la première.

— Je crois que j'ai un truc sérieux.

Ilan replia son propre journal et se pencha vers la jeune femme.

— Tu prononçais toujours cette phrase quand tu dénichais une vraie piste.

— Je le fais encore. La preuve…

Le jeune homme avait l'impression que tout allait trop vite, que le passé se rouvrait et qu'il n'arriverait plus à rentrer chez lui comme il en était sorti. Chloé désigna un encart situé au bas d'une page.

— Écoute ça : « *Labo privé cherche volontaires pour des tests psycho. Présence souhaitée entre 8 heures et 18 heures, sam. 17 déc. Rémunération : 30 €, pour trois heures de tests max. Adresse : Bureaux Charon, proche avenue de la Division-Leclerc, parc activité La Molette, Blanc-Mesnil.* »

— Samedi 17 décembre. C'est demain. (Ilan réfléchit.) Mais l'annonce n'est pas vraiment explicite, elle n'a peut-être rien à voir avec *Paranoïa*.

— Je commence à cerner leur mode de fonctionnement, crois-moi. Je suis sûre que cette annonce est la bonne. Et puis, c'est la seule un peu hors du commun.

Chloé referma le journal et bascula son crâne contre l'appuie-tête en soupirant.

— Ça y est enfin, fit-elle. J'y suis…

Ilan remarqua à quel point elle se délectait de ce moment. Elle avait les yeux fermés, un pli léger aux lèvres qui marquait sa satisfaction. Avant, ils auraient partagé ce moment dans une explosion de joie, Chloé aurait dit « nous », ils se seraient embrassés, auraient bu et fait l'amour.

Le jeune homme fut pris d'une brusque envie… peut-être tout n'était-il pas perdu, peut-être parviendrait-il à recoller les morceaux, à comprendre pourquoi elle avait agi ainsi. Avaient-ils encore une chance, tous les deux ?

Il se pencha vers elle un peu plus, mais elle ouvrit les yeux et le repoussa avec politesse.

— Non. Je ne peux pas.

Elle s'empara de son exemplaire du *Parisien* et sortit de la voiture.

— Bonne chance, Ilan. Et… merci.

Et elle disparut dans la nuit sans se retourner.

Ilan resta là, estomaqué, incapable de bouger. Il froissa le journal de toutes ses forces.

Il était définitivement le roi des cons.

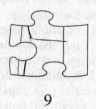

9

Ilan avait peut-être choisi la mauvaise option.

Sans doute aurait-il dû rentrer chez lui après son service nocturne à la station-service, dormir toute la matinée avant de regarder des films jusqu'au soir, pour ensuite recommencer le cycle.

Oublier tout ça, oublier Chloé, continuer à vivre avec ses peurs et ses doutes.

Mais il se trouvait là, dans la vaste zone industrielle quasi déserte du Blanc-Mesnil, à chercher l'adresse indiquée dans *Le Parisien*. On était samedi, 9 h 10, et le jeune homme n'était même pas retourné chez lui pour se reposer ou se donner un coup de frais.

Sa petite Clio s'enfonçait dans le labyrinthe d'immeubles de bureaux et de bâtiments industriels, à une vingtaine de kilomètres de Paris. Il retrouva facilement l'avenue de la Division-Leclerc et finit par dénicher l'adresse au fond d'une voie en cul-de-sac. Pas grand monde dans les entreprises alentour en ce début de week-end.

Sur une haute grille ouverte, se trouvait une pancarte plastifiée avec une flèche, sur laquelle était inscrit « Tests psychologiques ».

Une fois sa voiture garée le long d'un trottoir, il sortit.

71

Un gardien en *bomber* allait et venait avec un chien en muselière. À la vue du molosse, le jeune homme fut pris d'une suée. Il ne traîna pas, franchit l'entrée et suivit les flèches. Elles contournaient des entrepôts – les entrepôts Charon – et menaient à un grand bâtiment plutôt neuf, à la façade crème, sans étage, dont une enseigne indiquait « Laboratoires Effexor ». D'autres lecteurs du *Parisien* – de vrais lecteurs – avaient forcément relevé la petite annonce et allaient venir pour toucher les trente euros. Comment les organisateurs de *Paranoïa* distingueraient-ils les véritables joueurs des simples volontaires naïfs ? Quand allait finalement commencer le « véritable » jeu et la course au pactole ?

Les portes ouvraient sur un accueil plutôt rudimentaire : murs blancs avec une décoration minimale, quelques chaises, un simple bureau de secrétaire. Cela sentait les meubles en kit à plein nez. Une femme coiffée avec un chignon l'invita à s'approcher. Elle le salua et lui tendit un papier.

— Il s'agit d'une convention à remplir pour la rémunération et la partie administrative. Un expérimentateur va vous recevoir. Je vous en prie, installez-vous à la table, là-bas.

— Très bien, répliqua Ilan. L'annonce parlait de laboratoire privé et je dois avouer que l'endroit, en pleine zone industrielle, me surprend.

— Nous sommes normalement situés à Villejuif mais les locaux sont en rénovation. (Elle soupira.) Ces bâtiments ne sont que temporaires, Dieu merci.

— Et quelle est l'activité exacte de votre laboratoire ?

Le téléphone sonna, elle s'excusa et décrocha. Ilan alla s'installer sur une chaise et compléta rapidement les quelques informations demandées. Nom, prénom, date de naissance, autorisations diverses. Il hésita à mettre son adresse, au bas du formulaire. Mais c'était peut-être grâce à cette fiche que les joueurs seraient contactés à l'avenir. Le téléphone de la secrétaire ne cessait de sonner, elle répondait, prenait des notes, comme une vraie salariée.

Comme dans un véritable laboratoire. C'en est peut-être un, après tout, et non pas juste un décor bidon.

Ilan se posait de sérieuses questions. Où étaient les autres « cobayes » ? Et les employés d'Effexor ? Encore une fois, qui chapeautait toute cette organisation complexe ? Il fallait des moyens, du personnel, des locaux. Et des cerveaux.

Il terminait à peine de noter les informations qu'un homme d'une cinquantaine d'années le prit en charge. L'individu était vêtu d'une longue blouse blanche, portait de petites lunettes rondes et avait de courts cheveux gris, encadrant un visage strict aux rides prononcées.

— Je m'appelle Gérald Haitinie, l'un des responsables de cette étude. Veuillez me suivre, s'il vous plaît.

Cette étude... Bien sûr. Ilan aurait aimé lui poser quelques questions, mais l'homme le devança et bifurqua dans un couloir. L'endroit était propre et rappelait les laboratoires des cours scientifiques au lycée. Linoléum blanc, portes en enfilade, néons à lumière jaune au plafond. L'expérimentateur ouvrit l'une des portes. Dans une pièce sans fenêtre se tenaient déjà quatre personnes – trois hommes et une femme –, assis devant des bureaux d'écolier et occupés à travailler. Chacun parcourait les pages d'un annuaire téléphonique. Gérald Haitinie lui présenta un emplacement libre. Globalement, la salle pouvait contenir une dizaine de personnes.

— Le but est simple : essayez de répondre à toutes les questions et de réaliser les tâches demandées sur les feuillets. Je reviens vous chercher dans deux heures, nous ferons un second et dernier test.

Ilan acquiesça en enlevant son blouson.

— Juste une question : en quoi consistent ces tests, exactement ? À quoi sert l'annuaire ?

L'homme ne répondit pas et sortit en fermant doucement la porte. Ilan se tourna alors vers les autres individus :

— Excusez-moi, mais... Vous savez en quoi ça consiste ?

— Lisez et exécutez, c'est tout, lui répondit l'un d'eux. C'est peut-être bizarre et chiant à faire, mais personnellement, je m'en fiche, tant que ça paie.

Le type en question avait une petite trentaine d'années, des dreadlocks crasseuses et était si énorme qu'on ne voyait plus sa chaise. Combien pesait-il ? Cent quarante, cent cinquante kilos ? La femme, sur sa gauche, n'avait même pas relevé la tête. Une rouquine aux longs cheveux noués en queue-de-cheval, le teint très pâle. Ilan hésita à leur parler de *Paranoïa*. Ils n'avaient pas vraiment le profil de joueurs, et étaient probablement de simples volontaires attirés par la maigre rémunération. En temps de crise, tout était bon à prendre.

Doucement, il ôta sa montre de son poignet et la posa devant lui.

Il avait deux heures.

Les questions étaient franchement étranges, du genre : « Si on vous réduisait à la taille d'un crayon, et qu'on vous mettait dans un mixeur, comment en sortiriez-vous ? » Ilan nota « En copeaux », sans vraiment

savoir quel ton adopter : humour, sérieux ? Puis aussi :
« Quelle serait pour vous la pire façon de mourir ? »,
question à laquelle Ilan avait répondu sans hésiter, en
souvenir de son cauchemar : « Par pendaison ».

Curieusement, il n'y avait pas de question six, on
passait directement de la cinq à la sept. Une erreur ?

Ensuite, on lui avait demandé quels étaient ses
peintres préférés – Van Gogh, Salvador Dalí, Edvard
Munch –, ses plus grandes terreurs – les chiens –, et
quelques autres questions d'ordre général.

Il s'attarda ensuite sur cet étrange problème :

*« Vêtu de votre combinaison spatiale, vous êtes
perdu avec votre équipe sur la face éclairée de la
Lune, à plus de trois cents kilomètres de votre fusée.
Une grande partie du matériel contenu dans le véhicule d'exploration lunaire a été endommagée. Il ne
reste que quinze objets qui doivent permettre de survivre et de rejoindre la fusée à pied. Classez-les par
ordre d'importance. Ces objets sont :*
– une boîte d'allumettes ;
– des aliments concentrés ;
– 50 mètres de corde en Nylon ;
– un parachute en soie ;
*– un appareil de chauffage fonctionnant à l'énergie
solaire ;*
– deux pistolets calibre 45 ;
– un petit cygne noir en verre ;
– une caisse de lait en poudre ;
– deux réservoirs de 50 kg d'oxygène chacun ;
– une carte céleste ;
– un canot de sauvetage autogonflable ;
– un compas magnétique ;

– *25 litres d'eau ;*
– *une trousse médicale avec seringues hypoder-*
miques ;
– *des signaux lumineux.* »

Ilan esquissa un sourire discret. Le cygne noir faisait sa réapparition, le plus subtilement du monde. Pas d'erreur, il était bel et bien sur le territoire de *Paranoïa*. C'était peut-être ainsi que les « organisateurs » sélectionnaient les futurs joueurs. Le cygne en verre était très certainement le moins utile de la liste mais Ilan le plaça en première position. Il se tourna discrètement vers les autres cobayes, fier de lui, et poursuivit sa tâche.

Pour le reste du classement, il se fia à sa logique.

L'expérience suivait son cours : deux personnes arrivées avant lui – dont le type obèse – étaient sorties et une autre venait d'entrer. Même rituel : installation, distribution du test par des hommes en blouse parfois différents. Combien y avait-il de salles comme celle-ci ? Combien de participants ?

La dernière partie du test était la plus curieuse. Le début ne lui avait demandé qu'une petite heure et Ilan devait à présent recopier sur des feuilles blanches, jusqu'à la fin du temps imparti, des noms, prénoms et numéros de téléphone de l'annuaire de l'Île-de-France de l'année précédente, à partir de la page 22 exactement.

Il ouvrit le gros ouvrage. Quel était le but de la manœuvre ? S'agissait-il d'une sorte de question subsidiaire, un moyen de départager les participants ? De juger la patience, le soin apporté à cette tâche débile ? Ou y avait-il une identité particulière à débusquer parmi cette liste interminable ?

Pourquoi 22 ? Pourquoi l'année d'avant ? Peut-être se posait-il trop de questions, finalement.

Sans tarder, Ilan se mit au travail. Copier sans s'arrêter, aussi vite que possible. Les feuilles se noircissaient, tout le monde obéissait sagement et personne ne réagissait. Ilan se dit que les gens venus ici seulement pour l'argent – trente malheureux euros – étaient vraiment prêts à n'importe quoi.

N'empêche qu'il faisait exactement comme eux.

Restaient cinq minutes. Ilan n'en pouvait plus, il avait mal aux doigts. Nouvelle ouverture de porte, nouveau candidat qui arrivait. Cette fois, le cœur du jeune homme se serra. Face à lui, se trouvait la femme brune aux allures de motarde, celle qui l'avait bousculé sur la péniche. Elle le fixa quelques secondes, ses yeux se creusèrent alors d'un mélange de peur et de surprise.

D'un geste anodin, comme si elle se grattait l'arête du nez, elle plaqua discrètement son index sur ses lèvres, incitant Ilan à ne surtout pas réagir.

Le jeune homme se pencha de nouveau vers ses feuilles, l'air de rien. Qui était cette femme ? Un flic ? Que faisait-elle ici ? De quoi avait-elle si peur ? « *On vous surveille. C'est tout sauf un jeu. N'y entrez surtout pas. Je connais des réponses, je peux vous aider à découvrir la vérité. B. P.* »

Ilan n'eut pas le temps de se poser davantage de questions. L'expérimentateur était revenu vers lui pour s'emparer des différents feuillets.

— C'est terminé.

Ilan désigna sa montre.

— Il me reste encore cinq minutes.

Il voulait rester, évidemment, se rapprocher de sa mystérieuse informatrice, entrer en contact avec elle d'une manière ou d'une autre.

— Ce n'est pas important. Je vous en prie, nous allons passer au test suivant. Ensuite, vous pourrez rentrer chez vous.

Le jeune homme se leva à contrecœur. Au moment de sortir, il se retourna une dernière fois vers la brune. Elle ne le regarda pas, concentrée sur ses feuillets.

Retour dans les couloirs. Gérald Haitinie tendit le paquet de feuilles à un autre homme en blouse, qui déchira tout ce que venait de faire Ilan. Il plongea le paquet dans un sac-poubelle et s'éloigna vers une autre pièce.

— C'est un gag ou quoi ? fit Ilan.

Haitinie lui posa la main dans le dos.

— C'est par là.

Ilan regarda bêtement l'autre expérimentateur, médusé. Deux heures de réflexion et de travail parties en fumée.

— On devrait peut-être arrêter de faire semblant à présent, grogna-t-il.

— Pardon ?

— Recopier des pages d'annuaire, remplir des questionnaires pour que vous les déchiriez ensuite devant moi. C'est complètement illogique. Quel est le but de la manœuvre ? Votre jeu, *Paranoïa*, en quoi ça consiste, exactement ?

— Ceci n'est pas un jeu. Il s'agit d'une vaste étude, très sérieuse, financée par le ministère de la Santé. Afin de ne pas fausser les résultats, je ne peux malheureusement rien vous expliquer, car le secret fait partie intégrante de l'expérience.

— Si, je crois que vous le pouvez. Je sais qu'il s'agit du jeu *Paranoïa*. Ça fait des années que je traque les pistes sur Internet, que je cherche sans jamais trouver. J'ai vu le cygne noir dans ce curieux exercice se pas-

sant sur la Lune. Que faut-il chercher à présent ?
Quelle est la prochaine étape ?

— J'avoue ne pas saisir. Veuillez patienter ici un
instant, s'il vous plaît.

Il le planta au milieu du couloir et pénétra dans une
salle. Ilan avait du mal à tenir en place, les deux heures
de débilités l'avaient excédé, il était épuisé, et ne pas
comprendre décuplait sa nervosité.

Pourquoi ces gens continuaient-ils à nier ?

Au bout du couloir, un homme arrivait avec un gros
chariot. Il rentrait dans des salles avec des annuaires et
ressortait les mains vides.

Haitinie réapparut, avança et désigna une porte marquée du numéro 22 – encore le 22 – dans une longue
paroi d'une dizaine de mètres, percée d'autres pièces.
Ce bâtiment semblait gigantesque.

— Je vous explique la suite, fit l'homme en blouse.
Vous allez entrer dans une petite pièce sans fenêtre,
insonorisée, et vous retrouver en communication avec
quatre autres volontaires, comme vous, par l'intermédiaire d'un micro. Ces volontaires sont dans d'autres
pièces, juste à côté, vous ne les verrez pas. Chacun
devra parler de ce que lui suggère l'objet accroché à l'un
des murs de sa propre pièce. Vous découvrirez le vôtre
en entrant. Pour prendre la parole, il suffit d'appuyer sur
un bouton, situé sous le micro, d'accord ? Voyant rouge,
vous ne pouvez pas parler parce qu'un autre est en communication. Voyant vert, vous pouvez. D'accord ?

— D'accord.

— Nous enregistrons votre conversation pour une
analyse future, mais nous n'écoutons pas en direct ce
que vous vous racontez. Vous êtes totalement auto-
nomes. Vous serez le quatrième et avant-dernier à parler. Retenez bien : le quatrième. Il est très important

que vous n'interveniez que lorsque c'est votre tour. Vous avez bien compris les règles ?

— Je crois, oui.

— Très bien. J'informe les autres candidats que l'expérience démarre dans deux minutes, le temps que vous vous installiez. Racontez tout ce qui vous passe par la tête lorsque ce sera votre tour. Il n'y a pas de règle, de bonne ou mauvaise réponse. Suivez votre instinct. À tout à l'heure.

Haitinie ouvrit, et Ilan pénétra dans la pièce minuscule. La porte se referma brusquement derrière lui.

Elle n'avait pas de poignée.

Ilan essaya d'ouvrir, sans succès.

On l'avait enfermé.

10

Ilan ne savait pas comment réagir.

S'il cognait sur la porte et hurlait pour sortir, il risquait peut-être de passer à côté du jeu. Être éjecté du laboratoire et définitivement placé hors compétition. Mais une phrase lui revenait sans cesse en tête : « *C'est tout sauf un jeu.* » Alors quoi ? Un enlèvement ? C'était stupide. Pas ici, pas de cette façon, avec tous ces gens alentour. Et dans quel but ?

Il essaya de garder son calme et observa le box : quatre murs rapprochés tapissés de mousse, une petite table sur laquelle reposait un micro, des haut-parleurs et une chaise. Sur l'un des murs était accrochée une boîte transparente en métal et en verre, qui contenait l'objet sur lequel il devait disserter. Ilan s'approcha. De plus en plus étrange. Pourquoi voulait-on qu'il parle de cet objet-là ?

Soudain, une voix féminine fit vibrer le tissu des enceintes.

— Bonjour, je m'appelle Lara, je ne sais pas trop comment ça fonctionne... si vous m'entendez... mais je dois parler de l'objet qui est dans ma pièce...

Ilan s'installa sur la chaise, rassuré par cette intervention féminine. Un voyant rouge s'était allumé, indiquant que quelqu'un avait la parole. La voix était timide, presque enfantine. La personne devait avoir vingt ans, à peine.

— ... C'est une pièce de puzzle. Elle est toute bleue, mais il y a un petit morceau de gris dans le coin, en haut à droite. Peut-être un nuage.

Et elle parla. Le puzzle la conduisit de fil en aiguille sur sa période adolescente, sa sœur, leurs rapports. Ilan se demanda comment elle pouvait se confier à ce point à des inconnus. Le deuxième interlocuteur, John Ronald, trente-sept ans, devait disserter sur un miroir. Lui aussi avait la parole facile, et il parla cinq bonnes minutes. Concentré, Ilan essayait de comprendre. Personne ne parlait de *Paranoïa*, nul ne faisait la moindre allusion au jeu. Les autres étaient-ils de simples cobayes ignorants ?

Après que le troisième volontaire, Sonnie, eut brodé autour de sa « pipe », ce fut au tour d'Ilan de s'y coller. Il appuya sur le bouton « ON », situé sous le micro. Le voyant lumineux passa du rouge au vert.

— Moi, c'est Ilan, et l'objet qui est dans ma pièce est un tournevis. Il est plutôt massif, avec un gros manche en caoutchouc orange et une épaisse tige métallique, longue d'une vingtaine de centimètres.

Ilan était appuyé sur sa table, une main sur la joue. Les premiers volontaires avaient été de véritables moulins à parole. Ça faisait plus d'une demi-heure que ça durait, et il commençait à en avoir sérieusement marre.

— Que vous dire ? Mon père était assez bricoleur, il a retapé sa maison, mais moi je n'ai jamais vraiment eu ça dans le sang, le bricolage. Alors, cet objet ne me suggère pas grand-chose. J'ai cherché un truc à vous raconter, une anecdote autour de ce merveilleux tournevis avec son beau manche orange, mais... je n'ai pas envie de parler du passé comme vous l'avez fait. Désolé.

Il se pencha un peu plus vers l'avant, comme s'il voulait s'assurer qu'on l'entende bien.

— On ne nous écoute pas, enfin je crois, alors j'ai une question qui me préoccupe plus que d'épiloguer sur un tournevis ou une pipe : est-ce qu'on vous a enfermés, vous aussi ? Est-ce que votre porte est dépourvue de poignée intérieure ?

Il lâcha le bouton « ON ». Il attendit une dizaine de secondes, jusqu'à ce que le voyant lumineux repasse au rouge. Une voix grave, masculine, retentit.

— Je m'appelle Mario, je suis professeur d'italien. Et mon objet, c'est un petit cygne noir en verre. Il doit mesurer, je ne sais pas... cinq centimètres de long, sur trois de haut. Cet objet, il me fait tout de suite penser au chant du cygne. Il y a une légende, qui raconte que le cygne, connu pour son chant particulièrement discordant, crée juste avant de mourir une musique très mélodieuse. Un son inédit, touchant et merveilleux...

Ilan se redressa d'un coup. Le cygne suivait son chemin entre ces murs. La voix continuait à retentir dans les haut-parleurs.

— ... La mort, c'est triste, c'est terrible, ça fiche les jetons comme c'est pas possible. J'y pense souvent, vous savez, parce que j'ai des crises d'épilepsie, surtout en situation de stress. Je ne savais pas qu'on... (il toussa) qu'on allait nous faire patienter ici, dans une pièce minuscule sans poignée. C'est bizarre, c'est oppressant. Un jour, une crise violente m'a plongé dans le coma. Ça a duré cinq jours. C'est difficile pour moi de vous expliquer là, en quelques mots, ce que j'ai pu ressentir pendant cette période. J'étais à la fois...

Sa voix dérailla de nouveau, plus gravement cette fois. Ilan fronça les sourcils. Ça semblait sérieux.

— ... Excusez-moi. J'étais à la fois mort et vivant. Il y avait cette lumière au début, très vive. C'est pas de la connerie. Je... Est-ce qu'on pourrait m'apporter un verre d'eau ? S'il vous plaît ?

Le type respirait de plus en plus difficilement. Ilan appuya sur le bouton du micro, mais le voyant restait rouge, ce qui indiquait que ce Mario continuait à maintenir le sien enfoncé.

— ... S'il vous plaît, fit la voix. De l'eau.

Des gargouillis à présent. Un bruit de chute.

Ilan se redressa, les mains sur la tête. Qu'est-ce que c'était que ce cirque ?

À l'autre bout de la ligne, plus rien.

Ilan revint vers sa table et tapa du poing sur son bouton : vert.

— Quelqu'un sait ce qui se passe ? cracha-t-il.

Il relâcha le bouton. Pas de réponse.

— Est-ce que quelqu'un nous écoute et peut faire quelque chose ? Vous ne voyez pas qu'il y a un problème ?

Ilan serra les poings devant le silence des haut-parleurs. Il se rappelait que l'expérimentateur avait annoncé qu'il n'écoutait pas la conversation. Il poussa sa chaise violemment vers l'arrière. Peut-être cela faisait-il partie de l'expérience et n'était que de la fiction ?

Ou peut-être pas.

Il cogna contre la porte en criant.

— Oh ! Il y a un problème ! S'il vous plaît !

Ilan se rendit compte que la porte était plus épaisse, plus solide qu'il ne le pensait. C'était insonorisé. Il observa l'endroit où aurait dû se situer la poignée. À la place, se trouvait un petit disque en plastique blanc, avec une fente. En tournant le disque, cela actionnerait sans doute le pêne et permettrait l'ouverture.

Évidemment...

Malgré la tension, le stress, tout s'interconnecta soudain dans son esprit. Ilan se rua vers la boîte transparente qui contenait le tournevis au manche orange. Le poing roulé dans son écharpe, il cogna, brisant la vitre, puis passa la main pour récupérer l'objet. Il se blessa à un morceau tranchant au niveau de la paume, le verre s'empourpra légèrement.

Il glissa l'embout plat du tournevis dans la fente et tourna. La porte s'ouvrit.

Le couloir. Très vite, Ilan se jeta sur la poignée de la porte voisine, qu'il ouvrit violemment. Une petite pièce, identique à la sienne. Une table, un micro, des enceintes. Mais en guise de volontaire, un magnétophone. Même chose pour la pièce d'à côté. Les gargouillis provenaient d'une cassette qui tournait dans son appareil.

Les candidats n'étaient que des machines.

Ilan avait l'impression d'errer dans une maison de fous. Instantanément, il prit peur. Au moment où il voulut sortir dans le couloir, il tomba sur Haitinie, qui tenait un chronomètre à la main. Un autre individu en blouse, mallette médicale sous le bras, l'accompagnait.

— Soixante-quinze secondes, très bien, fit l'expérimentateur d'un air détaché.

Il nota le résultat sur une feuille et désigna la table.

— Posez votre tournevis là-bas, s'il vous plaît. Le docteur Lekonti va relever vos constantes, si vous voulez bien. Et soigner votre petite blessure.

Ilan resta immobile, secoué.

— Alors tout ceci n'était que fiction ? Je discutais avec des bandes audio, c'est ça ?

Le médecin, mains gantées, lui prit délicatement le tournevis des mains. Il y avait du sang sur la poignée en caoutchouc orange. L'homme le posa lui-même à côté du magnétophone, puis il sortit un antiseptique et un pansement. Ilan sentit les odeurs de produits d'hôpital, partout autour de lui.

Il se laissa faire, encore sous le choc.

— Votre matos, c'est pas de la dernière génération, dit-il pour se rassurer lui-même. Qui utilise encore des cassettes à bande ?

Ils ne répondirent pas. Le médecin mesura son rythme cardiaque, lui prit sa tension, et lui posa quelques questions de routine. Âge, antécédents, allergies. Il lui demanda aussi s'il prenait des traitements particuliers. Le jeune homme se prêta au jeu des questions-réponses. Ce médecin, ces prises de notes, ça n'avait rien à voir avec les tests et c'était plutôt bon signe. Ilan se dit qu'il avait à l'évidence passé les épreuves avec succès et, désormais, on évaluait sa santé physique, mentale, probablement pour voir s'il pouvait être un bon candidat à *Paranoïa*. Et aussi, comment il réagissait en situation de stress.

— Quand est-ce que la partie commence vraiment ? demanda-t-il. Combien y aura-t-il d'adversaires ?

Haitinie le regarda étrangement, tandis que le médecin rangeait son matériel.

— Voilà, c'est terminé. Merci de votre participation.

— Attendez. J'ai suivi la trace du cygne noir. J'ai réagi comme il fallait. Je sais que je ne me suis pas trompé. Qu'est-ce que je suis censé faire, maintenant ? Juste rentrer chez moi, comme si de rien n'était ?

— Je ne vois absolument pas de quoi vous voulez parler. Il n'est aucunement question de… cygne noir.

— Vous voulez qu'on réécoute la bande de ce Mario ?

— Ce ne sera pas nécessaire. Nous avons encore beaucoup de travail.

Ilan ne savait plus comment réagir. Ce type se fichait de lui, il ne pouvait en être autrement.

— Maintenant que c'est terminé, je peux vous expliquer, ajouta l'expérimentateur. Notre laboratoire est spécialisé en psychologie sociale. Il n'y a pas de jeu, ni d'adversaire, comme vous avez l'air de le croire. Tout ceci est très sérieux, financé par l'État. Sachez que, dans ce test que vous venez de réaliser, seuls soixante-dix pour cent des volontaires sortent de la pièce à l'aide de leur objet, et ils le font en moyenne en cent cinquante secondes. Autrement dit, vous avez réagi très vite. En fait, l'expérience a pour but de montrer que plus les individus sont nombreux, moins ils aident autrui. C'est le principe de la responsabilité partagée. Quant à vos réponses que nous avons déchirées sans les lire… L'objectif était de vous placer en situation de stress.

Ils échangèrent une poignée de main.

— Le docteur Lekonti va vous raccompagner à l'accueil. Le paiement se fera d'ici une quinzaine de jours, par chèque envoyé à votre adresse.

Il s'éloigna et disparut. Malgré les interrogations d'Ilan, le médecin garda un air neutre et se contenta de le mener vers la sortie. Quelques secondes plus tard, le jeune homme se retrouva dehors, dans le froid, sous un beau ciel bleu.

Encore sous le choc des trois heures complètement démentes et irréelles qu'il avait vécues dans ce bâtiment de tarés.

11

Ilan ne voulait pas lâcher le morceau.

Il attendait dans sa voiture, le long du trottoir devant les entrepôts. À plusieurs reprises, il avait essayé de joindre Chloé sur son téléphone portable, sans succès, et avait laissé des messages sur le répondeur. Quant à la femme aux allures de motarde, elle n'était toujours pas sortie. À moins qu'elle ne fût déjà repartie tandis qu'il terminait ses tests ? Peu de personnes entraient et sortaient. Depuis un quart d'heure qu'Ilan patientait, il y avait peut-être eu une dizaine de volontaires. Ilan ne s'était jamais confronté à un jeu si étrange et ambigu, dénué de règles, de frontières. *Paranoïa* ne ressemblait à rien de connu.

On frappa soudain à sa vitre. C'était un gardien avec son chien. L'homme avait une carrure imposante, engoncé dans un gros *bomber*, et son animal était du genre beauceron, gueule carrée noir et marron. Ilan se contracta sur son siège et se mit à suer instantanément. Les chiens, surtout les gros, lui fichaient une peur bleue depuis qu'il s'était fait mordre à la cuisse étant enfant.

Fébrilement, il baissa un peu sa vitre.

— Faut pas rester là, monsieur, fit l'homme d'une voix ferme.

Ilan fixait le chien, la main cramponnée à la poignée. Il ne chercha pas à discuter, incapable d'ouvrir la bouche. Il acquiesça, remonta sa vitre et mit le contact. Partir, ce n'était pas plus mal, en définitive : il prenait son service à la pompe ce samedi soir à 20 heures et devait dormir un peu s'il voulait tenir le coup.

À regret, il quitta la zone industrielle, sans avoir obtenu de réponses, sans nouvelle piste.

Il lui fallut plus de deux heures pour rentrer chez ses parents, à Montmirail. Depuis qu'ils avaient disparu en mer, Ilan avait lâché son petit appartement en banlieue parisienne et était venu habiter les lieux.

Il emprunta le long chemin tortueux qui menait à la propriété et rangea son véhicule dans l'allée de graviers, devant la façade. Ilan adorait cette vieille bâtisse. Avec ses toits en pointe, son style gothique, elle ressemblait à la maison qu'il avait toujours imaginée pour abriter ses personnages de jeux de rôle quand, adolescent, il passait ses week-ends à se glisser dans leur peau.

Une maison de rêve qu'il avait dessinée trait pour trait dans ses scénarios de jeux vidéo.

Une maison de rêve qu'il habitait aujourd'hui pour y vivre le cauchemar de la solitude et de l'angoisse.

Il regarda autour de lui. Chloé avait raison, finalement : la demeure et le jardin se dégradaient, comme si plus personne n'habitait ici. Il faudrait donner un sérieux coup de neuf. Peut-être piocher un peu dans les comptes en banque de ses parents, parce que c'est ce que son père et sa mère auraient souhaité. Qu'il vive bien. Et heureux.

Bientôt, vous retrouverez votre maison comme vous l'avez laissée. Je vous le promets...

Naturellement, il pensa à *Paranoïa*. Les trois cent mille euros seraient une sacrée aubaine pour les travaux et pour son avenir. Il pourrait aussi les utiliser pour que ses idées se transforment en jeu. Et même créer sa propre société.

Encore fallait-il comprendre comment s'incruster dans ce fichu jeu. Et, paramètre non négligeable, être le meilleur parmi les meilleurs.

Ilan rentra, se servit un Coca, grignota un morceau de pizza réchauffée. Puis il se dirigea vers la salle de bains, alluma un petit chauffage électrique à fond, ôta ses vêtements et se glissa sous la douche. L'eau était glacée, il avait l'impression qu'elle lui déchirait la peau.

D'un coup, il entendit des voix et se contracta. Elles étaient là, toutes proches, diffuses. Un homme et une femme qui discutaient, sans qu'il comprenne un mot à cause du brouhaha de l'eau. Il coupa le robinet instantanément.

— Il y a quelqu'un ?

Il sortit de la douche en courant, jeta un œil dans le couloir, complètement nu et trempé. Les voix s'étaient estompées. Ilan tremblait, ses dents claquaient. Les ombres, les voix à présent. Que lui arrivait-il ?

Perturbé, il retourna sous la douche, se savonna un minimum, se rinça et se rhabilla immédiatement, tout grelottant. Il enfila de nouveau son blouson et son écharpe, histoire d'avoir bien chaud. Aux dernières nouvelles, le chauffagiste ne viendrait pas avant deux jours.

Il s'installa dans le canapé, alluma la télé, mit le son à fond pour se rassurer. Il se lova dans les coussins, sous une couverture. Ses yeux papillonnèrent, le sommeil l'enveloppait. Son regard tomba doucement sur la table basse.

Il se redressa alors subitement : tout le courrier avait disparu.

Ilan fouilla alentour. Pas d'enveloppe au sol, rien.

Quelqu'un était venu ici, il en avait cette fois la preuve formelle.

En apnée, il regarda partout autour de lui. Puis grimpa en quatrième vitesse à l'étage. La salle de bains, le miroir.

Il s'empara du cahier et l'ouvrit.

Il eut l'impression d'un cauchemar éveillé.

La carte de son père s'était volatilisée. La page avait été arrachée méticuleusement.

Ilan redescendit en courant et verrouilla la porte d'entrée à double tour. La serrure semblait intacte. Comment étaient-ils entrés ? Ils avaient forcément les clés. C'était impossible, Ilan prenait particulièrement garde de toujours les porter sur lui ou de les mettre à l'abri. Et les serrures avaient été changées dès qu'Ilan avait senti ces présences fantômes.

Le jeune homme fit le tour des fenêtres, des issues, vérifia dans le jardin. Les arbres, les champs, le chemin... sans la moindre activité humaine. Très vite, il décolla une plinthe, derrière un meuble, et récupéra un double de la carte codée. Heureusement, il l'avait photocopiée et en avait dissimulé des exemplaires à plusieurs endroits, y compris dans ses ordinateurs et sur des clés USB.

Mais il avait l'impression d'avoir été violé. On était entré chez lui. On avait fouillé dans ses affaires, celles de ses parents.

Les ombres existaient.

Et renforçaient sa conviction que son père et sa mère n'avaient pas eu un simple accident.

On en avait après leurs recherches. Leurs découvertes.

Ilan s'assit sur une chaise, la tête dans les mains, et réfléchit. Pourquoi avoir dérobé le courrier en plus de la carte au trésor ? Il n'y avait que des factures, des réponses négatives d'entreprises, et…

Un déclic, dans sa tête. Il se rappela soudain la mystérieuse lettre arrivée chez lui par erreur, destinée à cette Béatrice Portinari. Celle qu'il avait oublié de remettre à la poste. Instantanément, Ilan fit un lien.

Béatrice Portinari était la mystérieuse « B. P. ».

Mêmes initiales que celles à la fin de l'étrange message trouvé dans sa poche.

Béatrice Portinari était sans aucun doute la femme brune qu'il venait de croiser aux laboratoires Effexor. Celle qui l'avait bousculé sur la péniche et lui avait glissé le mot.

Ilan sentit soudain une douleur à la tête, comme si on lui enfonçait une longue aiguille à tricoter à l'arrière du crâne. Il se courba en deux, les dents serrées, avec l'impression que son os occipital vibrait et allait imploser. La douleur était atroce, intérieure, brûlante. Comme si des boîtes de punaises s'agitaient à présent en lui. Alors qu'il fermait les yeux, les ombres se dessinèrent sous ses paupières, elles se penchaient vers lui, comme pour l'entraîner dans les ténèbres.

Il rouvrit les yeux, trempé de sueur. Titubant, il se traîna jusqu'à la cuisine. Il parvint à se servir un grand verre d'eau avec une aspirine. Malgré le froid, des gouttes perlaient sur son front, et il avait une sensation de fièvre.

Il se rallongea quelques minutes, tout tremblotant, en attendant que le mal s'estompe.

Les voix sous la douche, et la douleur insupportable dans le crâne à présent. Que se passait-il ?

Quand le mal passa enfin, il tenta de réfléchir. Il n'y comprenait plus rien. Il avait reçu la lettre avant que Chloé débarque et lui parle de *Paranoïa*. Son ex réapparaissait et, quelques jours plus tard, on volait les recherches de son père. Elle seule et une poignée d'autres savaient pour la carte. Ilan ne pouvait s'empêcher de faire le rapprochement.

Non, impossible. Pas Chloé.

Il réfuta l'hypothèse que son ex-petite amie puisse être impliquée, ça n'avait aucun sens. D'autant plus qu'elle connaissait l'existence de cette carte depuis toujours. Elle aurait pu la photocopier tant et tant de fois sans qu'il s'en aperçoive.

Il se sentit pris au piège : il ne voulait pas appeler les flics, ces derniers n'étaient même pas au courant pour le cahier. En apparence, on ne lui avait rien volé. La porte d'entrée n'était pas fracturée. Au mieux, on lui dirait qu'il avait tout inventé.

Fébrilement, il se releva et fonça vers son ordinateur. Il se rappelait assez précisément l'adresse inscrite sur l'enveloppe de cette Béatrice Portinari, même s'il ne se souvenait plus du numéro exact. Quelque part sur le boulevard Raspail, 6e arrondissement de Paris.

Sur son navigateur Internet, il ouvrit le site des Pages Blanches, tapa le nom, le prénom, l'adresse. Cela fonctionna : il obtint un numéro de ligne fixe. L'annuaire n'avait peut-être pas encore été mis à jour, ce qui expliquait pourquoi Béatrice Portinari était encore enregistrée à cette adresse alors que le courrier indiquait qu'elle n'habitait plus là.

Il composa le numéro. Dieu merci, la douleur sous son crâne s'était totalement effacée. Quelqu'un décrocha.

— Allô ?

— Bonjour, je m'appelle Ilan Dedisset. J'aimerais parler à l'ancienne locataire ou propriétaire, elle s'appelait Béatrice Portinari. Auriez-vous son numéro de téléphone ou sa nouvelle adresse, par hasard ?

— Vous avez de la chance, cette Béatrice Portinari est venue il y a deux ou trois semaines, elle m'a donné son numéro de portable au cas où quelqu'un cherche-rait à la joindre.

Ilan s'empara d'une feuille de papier. Il ne pouvait s'empêcher de songer qu'il ne s'agissait pas d'un hasard.

— C'était une grande brune, assez carrée d'épaules ? demanda-t-il.

— Et fringues de mecs, oui. Voici son numéro…

Ilan le nota, la remercia et composa ce nouveau numéro de portable.

— Oui ?

— Béatrice Portinari ?

Un silence.

— Qui êtes-vous ? fit la voix avec un léger accent italien.

— Vous m'avez bousculé sur la péniche, vous avez glissé un mot dans ma poche. Nous nous sommes vus ce matin dans les laboratoires Effexor.

— Comment avez-vous trouvé mon numéro ?

Ilan se dirigea vers la fenêtre qui donnait vers le jardin et observa à l'extérieur d'un œil méfiant. Ins-tinctivement, il parla à voix basse, comme s'il avait peur que quelqu'un, dans la maison, puisse l'entendre.

— C'est très étrange. J'ai reçu, il y a une semaine, une lettre qui vous était destinée. Il était précisé que vous n'habitiez plus à l'adresse indiquée, boulevard Raspail. J'ai appelé la nouvelle locataire, elle m'a donné le numéro de téléphone qu'apparemment vous lui aviez fourni deux semaines plus tôt, au cas où l'on chercherait à vous joindre. Et moi, je suis celui qui cherche à vous joindre, justement. Bizarre, non ?

— C'est une erreur, les choses ont changé. Vous n'auriez jamais dû m'appeler. Ils vous surveillent et vous allez me mettre en danger.

— Qui ça, « ils » ? Qui me surveille, et pourquoi ? On m'a cambriolé hier ou ce matin, peut-être pendant que je passais les tests chez Effexor. C'est lié ?

Un autre silence, plus long cette fois. La voix, de l'autre côté, se fit plus méfiante encore.

— Ce n'est pas logique que vous ayez reçu cette lettre à mon nom. Vous, justement, comme par hasard... Que contenait-elle ?

— Je ne l'ai pas ouverte.

— Vous auriez dû. Quelqu'un d'autre doit savoir.

— Je n'y comprends rien. Qui ? Et savoir quoi ?

Elle se mit à parler tout bas, elle aussi.

— Je vous envoie un SMS plus tard pour qu'on se rencontre, je vous expliquerai. Restez vigilant et ne m'appelez plus. Un conseil : ne passez pas la nuit chez vous, ils sont capables de tout. Tout ça devient extrêmement dangereux. Pour nous deux.

Elle raccrocha.

Ilan lâcha son téléphone et s'allongea, tant la douleur sous son crâne était de nouveau intense. Les ombres étaient revenues, elles dansaient et chahutaient sous ses paupières.

Recroquevillé comme un chien, il avait l'impression de crever.

12

Il n'y avait rien de plus morne et ennuyeux que de travailler dans une station-service en pleine nuit. Heure après heure, il fallait lutter contre le sommeil, les yeux rivés sur un roman ou un magazine. Ici, pas d'Internet, le patron ayant eu la judicieuse idée d'en interdire l'accès. Le seul avantage ? On pouvait piocher les livres directement dans la petite librairie, au fond du magasin, et bouquiner gratuitement.

En ce week-end de décembre, c'était un peu différent : à cause du début des vacances de Noël et du flux de véhicules qui descendaient vers les montagnes, Ilan n'était pas le seul employé de nuit. Mégane, sa collègue, était restée en renfort ce samedi particulièrement chargé. Fautes d'affinités, les deux employés ne discutaient pas beaucoup, mais le temps semblait passer plus vite lorsqu'on sentait une présence à ses côtés.

Il était presque 22 heures quand le téléphone portable d'Ilan sonna. C'était Chloé, enfin. Il s'excusa auprès de Mégane et se mit à l'écart. Il avait attendu cet appel toute la journée, et pourtant il en voulait encore à la jeune femme de l'avoir lâché si durement la veille, à proximité des quais de Seine.

— Ilan ? C'est moi. Désolée de ne pas avoir pu t'appeler avant, mais j'ai fait pas mal de recherches et je n'ai pas vu le temps passer. Je peux te parler en toute tranquillité ? Personne n'est près de toi ?

Ilan essaya de garder un ton neutre, il ne voulait pas montrer son impatience.

— Non. Vas-y.

— J'ai bien écouté tes messages laissés sur mon répondeur. En fait, je suis allée aux tests dès l'ouverture. À un moment on a dû être dans les locaux tous les deux en même temps. Fée y était aussi, je l'ai aperçue à la première heure.

— Logique. Elle ne perd pas de temps.

— Je ne sais pas si tu as remarqué, mais il n'y avait pas grand monde chez Effexor, laboratoire qui, soit dit en passant, n'existe nulle part sur le Net et n'est pas enregistré au registre du commerce.

— Tout comme l'*Abilify*... Un bateau fantôme, apparemment.

— Exact. Ce nombre anormalement restreint de volontaires aux tests, ça m'a mis la puce à l'oreille : j'ai récupéré un *Parisien* datant d'hier, vendredi, dans un débit de tabac, pour le comparer à celui trouvé sur la péniche. Eh bien, dans cette édition, aucune trace de la petite annonce. Autrement dit, on a eu droit à des exemplaires trafiqués de l'original.

Ilan ne tarda pas à faire le rapprochement :

— Donc, ça signifie que toutes les personnes présentes aux tests avaient lu le journal factice. Et n'étaient donc pas là par hasard.

— Je crois, oui. Des petits malins qui, comme nous, ont trouvé l'entrée du jeu depuis la soirée sur la péniche et cherchent à empocher la mise.

Ilan songea aux autres personnes dans sa salle de test, notamment à la femme rousse, et surtout à ce gros type négligé aux dreadlocks crasseuses avec qui il avait échangé quelques mots et qui avait sacrément bien caché son jeu.

La voix de Chloé l'arracha à ses pensées.

— Ça confirme que les organisateurs ont des moyens, une sacrée logistique et de belles idées tordues. C'est plutôt bon signe, en définitive, ça promet une partie excitante. Qu'ont donné les tests pour toi ?

Ilan considéra la petite égratignure sur sa main.

— C'était ultra bizarre. Le cygne noir était bien présent au cours des expériences, mais les types en blouse niaient l'existence de *Paranoïa*. Ils me laissaient limite croire que j'avais une case en moins. Ils prétendaient bosser pour le ministère de la Santé.

— *Idem* pour moi. C'est leur stratégie : ne pas encore se dévoiler, laisser planer le doute, continuer à écrémer. Je pense qu'ils veulent savoir si nous sommes de bons candidats, si nous supporterons les futures épreuves. Ils nous testent et font probablement leur sélection en ce moment même. Vu leurs moyens, pas impossible qu'ils nous surveillent dans la rue, dans les lieux publics, et observent nos réactions.

Ilan lança un coup d'œil circulaire. Il pensa au cambriolage chez lui.

— Jusqu'à quand tout cela va-t-il durer, à ton avis ? Quand le jeu débutera-t-il vraiment ?

— Je n'en sais strictement rien. Ilan, il y a un truc dont je dois te parler. L'objet qui était dans ta pièce, c'était quoi exactement ?

— Un tournevis.

— Un tournevis… C'est très curieux. Le mien était beaucoup moins neutre, il s'agissait d'une photo. Une photo de nous deux.

Ilan se courba davantage sur son téléphone. Une famille complète, probablement en route pour les stations de ski, venait d'entrer et s'installait près des distributeurs de boissons. La mère de famille regarda dans sa direction en soupirant. Ilan se glissa sur le côté, le long d'un étal.

— Quel genre de photo ?

— Toi, moi, dans la neige, à la montagne. J'étais encore blonde, cheveux longs.

— À la montagne ? Comment c'est possible ? Quand est-on allés à la montagne tous les deux ?

— L'hiver dernier, avant qu'on rompe. Ne me dis pas que tu ne te souviens plus, quand même !

Le jeune homme fronça les sourcils. Il se vit soudain avec elle en train de marcher dans la neige. Puis il aperçut un groupe d'individus, derrière, qui les accompagnaient sûrement. Mais il n'eut pas le temps de discerner les visages car, à peine apparues, les images s'estompèrent. Il augmenta un peu plus la puissance du chauffage électrique, derrière lui. Il était de nouveau frigorifié.

— Si, bien sûr, ça me revient, c'est juste que je suis crevé et n'ai plus les idées très claires. Et cette photo, t'as pu l'emporter ?

— Non, elle était dans une boîte en verre accrochée au mur. Il aurait fallu que je la casse pour récupérer le cliché. Je n'ai pas osé.

— T'aurais dû. T'étais enfermée dans le box, toi aussi ?

— Oui. C'était horrible, avec ce soi-disant Mario qui s'étouffait… Je n'ai pas réussi à sortir. L'expérimentateur, ce Haitinie, il est venu m'ouvrir après trois ou quatre minutes. J'ai eu l'impression de traverser l'enfer, j'ai paniqué.

Ilan entendit un soupir dans le téléphone.

— J'aurais dû casser la vitre et utiliser la tranche de la photo pour faire basculer le pêne et sortir, d'après Haitinie. Vu ma mauvaise réaction en cas de stress, j'ai peut-être gâché mes chances de participer. Mais en tout cas, il n'y a plus aucun doute sur ces impressions que tu as d'être surveillé. Il se passe *quelque chose* de pas très clair. Et je crois que ça nous concerne, tous les deux. J'en suis même certaine.

— Tous les deux ? Pourquoi tu serais impliquée, toi ? Qu'est-ce que tu as à voir là-dedans ?

— La photo parle d'elle-même. Comment se la sont-ils procurée ? Il m'est arrivé des choses curieuses, à moi aussi, par le passé. À rendre dingue. Je te raconterai mais pas maintenant, pas au téléphone.

— Très bien.

— Pour en revenir à nos tests, fit Chloé… Quand je suis sortie de la cabine, j'ai demandé à l'homme en blouse de m'expliquer pour la photo, mais il n'a rien dit et est parti. Un médecin m'a auscultée, posé des questions, raccompagnée, et basta. À l'extérieur, un gardien avec un chien m'a forcée à déguerpir. Tout ça, c'étaient eux, Ilan. C'était le jeu.

Il fixa avec insistance un homme debout, appuyé sur une petite table ronde, qui observait dans sa direction, une main plaquée sur la joue. Ce dernier finit par jeter son gobelet et sortir. Il avait de petits écouteurs dans les oreilles. Ilan l'accompagna du regard jusqu'à ce qu'il monte dans sa voiture. Puis il se focalisa sur les autres personnes. Ceux du cambriolage ou du jeu pouvaient être partout, avoir n'importe quel visage. Peut-être que, comme disait Chloé, ils le surveillaient, en ce moment même.

La jeune femme continuait à parler.

— La montagne, nous deux, l'année dernière. J'ai vérifié : la première fois où on a trouvé la trace de l'existence de *Paranoïa,* c'était sur un forum illégal, six mois avant notre virée en montagne. Chaque fois qu'on dénichait des terriers, on laissait traîner les adresses IP de nos ordinateurs, parce qu'on n'était pas assez prudents à l'époque. Facile alors pour les organisateurs de remonter jusqu'à nos adresses physiques. De voir où nous habitions, de nous observer…

Ilan restait sur le qui-vive. La voix de Chloé avait changé. Teintée d'un sentiment de panique, peut-être, ou de peur.

— Je ne sais pas comment ça fonctionne, mais je suis persuadée que les concepteurs du jeu s'intéressent depuis des mois aux joueurs les plus sérieux, ceux qui les suivent et s'acharnent, comme on l'a fait. Ceux qui gagnent des prix. Ils se renseignent sur eux, les photographient, et peut-être, vont jusqu'à les effrayer.

— Tu penses à l'Audi noire devant chez moi, par exemple ?

— Peut-être, oui.

Ilan réfléchit, c'était du délire et, pourtant, ça lui semblait plausible.

— Nous, on pense que le jeu ne démarre que maintenant, alors qu'il a commencé depuis des mois, supposat-il à voix basse. Et qu'il s'est insinué dans nos vies bien plus qu'on le croyait. Nous ne sommes pas seulement allés à lui. Il est aussi venu à nous.

— Possible, oui. Je le répète : le jeu est partout, Ilan. Il nous envahit progressivement. Le tout est de savoir pourquoi. Et comment.

La collègue Mégane fit signe à Ilan : du monde arrivait, les pompes tournaient à plein régime. Le jeune homme lui demanda de patienter encore quelques secondes, puis se tourna dans un coin, parlant le plus bas possible.

— On est entré chez moi. Et on a arraché la carte dans le cahier de mon père.

— Quand ?

— Je n'en sais rien. Je ne suis pas retourné à la maison depuis la soirée sur la péniche.

— T'as prévenu la police ?

— Pas encore. Je ne sais pas quoi faire. Comment les voleurs pouvaient-ils savoir pour le cahier ? Tu en as parlé à quelqu'un ?

— Absolument personne.

Ilan réfléchit, et préféra ne pas révéler l'existence de Béatrice Portinari. Il savait qu'il pouvait faire confiance à Chloé, mais la brune aux allures de motarde avait dit de garder impérativement le secret.

— Je vais devoir te laisser, il y a du monde dans la boutique.

— Très bien. Mais dès que tu as quelque chose, tu me fais signe.

— Ça vaut aussi pour toi.

Il raccrocha, perturbé, songeant notamment à la photo que Chloé lui avait décrite. Il n'avait aucun souvenir d'un voyage à la montagne avec son ex-petite amie. Et pourtant, il y avait eu ces flashes très clairs, durant leur conversation. Des images vives, des bruits précis surgis du fond de sa tête.

Aussi précis que ceux du cauchemar de l'hôpital psychiatrique.

Il fit un effort pour ne pas laisser transparaître son trouble et alla servir les clients, encaisser, ranger. Aux alentours de 1 heure du matin, la boutique retrouva son calme. Ilan s'approcha de sa collègue, qui feuilletait un magazine *people* tout en grignotant des biscuits au chocolat.

— Dis, Mégane, tu sais comment ça s'est passé pour moi, ici ?

Mégane releva des yeux fatigués.

— Sois plus clair Ilan, surtout à une heure pareille.

— Je n'ai aucun souvenir de la façon dont j'ai été embauché à la boutique. J'ai été recruté comment ? J'ai envoyé une candidature ?

La collègue considéra Ilan d'un air neutre.

— Tu t'es pointé ici, t'as posé ton CV sur la table en disant que tu cherchais un job, on t'a rappelé. J'ai toujours dit que t'avais une case en moins, mon gars. Qu'est-ce qui va pas chez toi ?

Ilan se mit une main sur les yeux.

— Juste un trou de mémoire, laisse tomber.

Il retourna à sa place, sonné comme après un coup de poing à la tempe.

Non, il ne s'agissait pas « juste » d'un trou de mémoire. Ilan avait beau creuser, il n'avait aucun souvenir de son embauche. Tout comme il ne se rappelait absolument pas avoir un jour appris à utiliser une caisse enregistreuse.

Et plus il réfléchissait à des petits détails de la vie quotidienne – des choses de tous les jours sur lesquelles on ne se pose jamais de questions –, plus il se rendait compte que son existence récente ressemblait à un gruyère. Aucun souvenir d'où ni quand il avait acheté sa voiture. De quand il était allé chez le coiffeur pour la dernière fois. De quelle boutique venaient les vêtements qu'il portait.

Et plus il cherchait, plus il comprenait qu'il n'avait aucune réponse.

Des souvenirs disparaissaient. Et d'autres apparaissaient sous forme de flashes. Comme ce suicide dans l'hôpital psychiatrique.

Ilan se sentit abattu. Comme venait de le dire Chloé, il se passait *quelque chose* qui lui échappait complètement. Qui agissait sur sa vie, en lui, comme un monstre invisible glissé dans ses entrailles, qui lui pompait son énergie et modelait ses souvenirs. Il songea aussi aux violents maux de tête qu'il avait eus dans la journée. À cette sensation d'aiguilles enfoncées dans son cerveau. Aux ombres qui apparaissaient parfois, dès qu'il fermait les yeux, ou à ces voix sous la douche.

Un lent poison qu'on t'aurait introduit dans l'organisme.

Ilan revint vers sa collègue, la manche relevée.

— Dis-moi que tu le vois, toi aussi.

Mégane soupira.

— Un point rouge et violacé, caractéristique d'une belle injection, fit-elle. Tu te shootes, en plus ?

— Je n'ai jamais touché à un gramme de drogue. Je t'ai déjà parlé d'un hôpital psychiatrique ?

— Jamais.

Ilan s'éloigna, se promettant de faire des analyses sanguines le lendemain. Il était persuadé qu'on lui avait fourré une saloperie dans le corps. Quelque chose qui lui déréglait tout l'organisme et provoquait ces fichues hallucinations.

Trois heures plus tard, son téléphone vibra dans sa poche.

Il était 4 h 25 du matin.

« *Venez au 27 rue de Rennes, Paris, dès que possible. N° 38, troisième étage. N'en parlez surtout à personne. Prévenez cinq minutes avant votre arrivée, j'ouvrirai.*

B. P. »

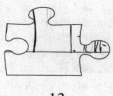

13

Ganté, bonnet sur la tête, Ilan marchait vite dans le Paris du petit matin. Noyé dans l'obscurité, il longeait les façades du boulevard Raspail. Face à lui, la tour Montparnasse se dressait dans le ciel noir tel un interminable morceau de réglisse. Ilan pensa à un paysage de mort, sans verdure, sans eau, qui devait se trouver quelque part aux portes de l'enfer. Il se rappela sa lecture de *La Divine Comédie*, notamment *L'Enfer* de Dante, et le décor du jeu vidéo *Fallout Redemption*, qui se déroulait dans un Paris post-apocalyptique et glacial.

Après avoir envoyé un SMS prévenant Béatrice Portinari qu'il arrivait, il bifurqua rue de Rennes. La ville dormait encore, seuls quelques véhicules fantômes circulaient, les lève-tôt sans visage, qui partaient au travail dans l'air glacé de l'aube.

Il s'arrêta devant le numéro 27. Il s'agissait d'un immeuble à cinq ou six étages, de type haussmannien, avec sa façade blanche travaillée et ses grandes vitres qui reflétaient la lumière des lampadaires. Sans bruit, Ilan poussa une porte cochère et se présenta devant un hall. À gauche, un Interphone avec de multiples sonnettes. En face, une porte en verre, légèrement entrouverte. Béatrice Portinari avait dû en déclencher l'ouverture. De ce fait, Ilan se glissa à l'intérieur, referma précautionneusement derrière lui et s'attarda sur les boîtes aux lettres alors qu'il allumait la lumière.

L'identité, sur celle du numéro 38, était « Annie Beaucourt », et non pas Béatrice Portinari. Ilan pensa qu'il pouvait s'agir d'une colocataire. Il se dirigea vers le troisième étage, à pied. L'endroit était chic. Belles boiseries, hauts plafonds. Une moquette bordeaux absorbait le bruit de ses pas.

Anxieux, il frappa à la porte de l'appartement numéro 38, qui s'ouvrit doucement sous les coups. Ilan attendit sur le palier.

— Il y a quelqu'un ? fit-il tout bas.

Pas de réponse. Visiblement pas de lumière non plus à l'intérieur. Ilan s'avança dans le couloir de l'appartement.

— Je suis Ilan Dedisset. Vous êtes là, Béatrice Portinari ? Annie Beaucourt ?

Cette fois, devant le silence, l'angoisse monta brusquement. Ilan ferma la porte derrière lui et appuya sur un interrupteur. L'ampoule du plafonnier dévoila des murs blancs, quelques objets africains posés sur des présentoirs, et des portes qui menaient dans les différents espaces de vie.

Le jeune homme entreprit de visiter les pièces une à une, tout en signalant chaque fois sa présence. Rien dans la cuisine. Pas mieux dans le salon. Il aperçut un holster accroché au portemanteau, et à l'intérieur de l'étui en cuir un pistolet. Plus loin, il vit une photo dans un cadre, où une femme blonde était en tenue de flic, à côté d'un collègue albinos, avec ses cheveux blanc platine et ses yeux particulièrement clairs.

Cette femme, il ne l'avait jamais vue.

Et à l'évidence, il était chez elle. Dans son appartement.

Sur d'autres photos, se tenait encore cette même femme blonde. Aucune trace de Béatrice Portinari, la grande brune aux allures de mec. Pourquoi lui avait-elle donné rendez-vous ici ?

Interloqué, Ilan fit demi-tour, laissant les lumières allumées derrière lui comme pour se rassurer. Soudain, il aperçut des traces pourpres sur le parquet. Pas de doute : il s'agissait des marques de sang laissées par un corps qui s'était traîné là. Un corps à l'agonie.

Ilan ne voulait plus avancer et, pourtant, ses jambes le poussaient vers l'avant. Pas après pas, il s'approcha de la porte, sur la droite.

Il entra dans la chambre et appuya sur l'interrupteur.

La scène de crime explosa alors sous ses yeux.

L'inconnue blonde des photos gisait au sol, une main tendue devant elle, les yeux grands ouverts. Et un tournevis était planté à travers son chemisier, en plein dans le dos.

Le tournevis au manche orange, qu'Ilan avait arraché de son cadre durant les tests chez Effexor.

Le jeune homme tituba, recula, se cogna au mur. Il étouffait.

L'impression instantanée que l'immense mâchoire d'un piège diabolique venait de se refermer sur lui.

Il pensa d'abord à fuir. Mais son regard suivait la direction qu'indiquait le doigt de la victime. Dans le coin désigné, il n'y avait rien, hormis une table de chevet avec un tiroir, juste à gauche d'Ilan.

La flic, avant de mourir, s'était traînée jusqu'à sa chambre pour désigner ce petit meuble.

Sans quitter le cadavre des yeux, Ilan se décala sur la gauche et, mains gantées, écharpe sur le nez, ouvrit le tiroir. Elle contenait une clé dorée, de petite taille, qui ressemblait à une clé de cadenas ou de coffre. Juste en dessous, une photo prise sur le vif où Ilan reconnut l'expérimentateur aux cheveux gris qui l'avait reçu chez Effexor, ce Gérald Haitinie. L'homme montait dans une grosse Mercedes verte garée le long d'un grand boulevard.

Tout à coup, une sonnerie retentit dans l'appartement. Trois fois, avec insistance. Ilan était tétanisé.

Ça venait de l'Interphone.

Quelqu'un devait attendre en bas de l'immeuble et cherchait à entrer.

Photo et clé dans la main, le jeune homme dut se faire violence pour se précipiter vers la fenêtre du salon et observer dans la rue.

Deux types attendaient juste à quelques mètres en dessous, éclairés par un lampadaire. Ilan reconnut immédiatement la chevelure blanc platine de l'un des individus. Il s'agissait des hommes sur les photos encadrées.

Des flics.

Il bascula sur le côté quand l'albinos leva les yeux vers les hauteurs de l'immeuble.

Ils étaient là pour lui.

Ils étaient venus le chercher.

Plus le temps de réfléchir. Agir à l'instinct. Ilan fourra la clé et la photo dans sa poche, se précipita vers le palier, jeta un œil à travers la cage d'escalier, perçut un claquement de porte puis les deux silhouettes qui entraient tout en bas.

En apnée, il se dirigea en silence vers les étages supérieurs, tandis que les lampes placées dans toute la cage s'allumaient, comme si elles étaient lancées à sa poursuite. Les flics montaient. Au sixième étage, essoufflé, Ilan appela l'ascenseur. Les portes s'ouvrirent une vingtaine de secondes plus tard.

D'ici une minute, peut-être deux, les policiers appelleraient des renforts, bloqueraient les issues. C'était maintenant ou jamais. Ilan se jeta dans la gueule du loup et appuya sur le bouton pour le rez-de-chaussée.

Portes qui se referment. Descente. Ilan suait sous son bonnet. Il priait pour que les flics ne s'aperçoivent de rien, que l'ascenseur ne s'arrête pas au troisième étage, juste devant leur nez.

Une diode illumina les petits cercles à mesure de la descente. 6, 5, 4... jusqu'à 0. Dès que les battants métalliques s'écartèrent, Ilan se rua dans le hall, déverrouilla la porte vitrée en appuyant sur un bouton et fila dans la rue aussi vite qu'il le put, sans jamais se retourner.

Abandonnant derrière lui le cadavre d'une femme qu'il n'avait jamais vue et dont il serait assurément le meurtrier désigné.

14

Coup de klaxon. Ilan sursauta, secoua la tête et démarra au feu vert.

Il avait été piégé. Il était rentré dans l'appartement de quelqu'un d'autre. Un endroit où on l'avait volontairement guidé. Un lieu où une enquêtrice avait été poignardée avec un tournevis qu'il avait tenu en main.

Des mots résonnèrent dans sa tête. Assassinat. Tentative de fuite. Prison. Ilan se voyait déjà derrière les barreaux, alors qu'il était innocent. Il hésita franchement à faire demi-tour. Retourner dans l'immeuble, raconter aux flics qu'il était victime d'une ignoble machination. Tenter d'expliquer ce que lui-même ne comprenait pas, avant qu'il ne soit trop tard.

La Clio remonta à vive allure le boulevard de Grenelle, passa le pont et débula le long de l'avenue Kennedy. Après avoir doublé la Maison de la Radio, Ilan ralentit, l'œil rivé vers les quais. Les péniches étaient là, accotées à la berge. Mais à la place de l'*Abilify* se trouvait l'*Existenz*, navire de commerce chargé de matériaux. Ilan s'arrêta, mit les warnings, regarda devant, derrière, au cas où, et sortit même de la voiture, complètement stupéfait. Aucun doute : le bateau où avait eu lieu l'exposition de timbres avait disparu.

Volatilisé. Plus d'*Abilify*. Aucune trace de *Paranoïa*.

Coup d'accélérateur. Dans un état second, Ilan ouvrit la boîte à gants. Après la découverte du vol de la carte, il y avait glissé le revolver de son père avant de partir pour la station-service, la veille : un magnum 44 chargé de six balles. Le jeune homme frissonna et referma immédiatement le clapet, avec l'impression d'être un dangereux criminel en fuite.

Il longea les quais, rattrapa le périphérique et fonça vers la zone industrielle de Blanc-Mesnil. Ses tempes bourdonnaient, impossible d'avoir les idées claires. Devant, les autoroutes se saturaient progressivement, mais Ilan se faufilait entre les voitures, quasiment le pied au plancher.

Aller au bout. Comprendre.

Soudain, les voix revinrent, pires encore que la première fois. Ilan eut envie de se fendre la tête contre le volant. Une conversation à deux vibrait quelque part au fond de son crâne. Un homme, une femme, encore une fois. Toujours les mêmes. La voix masculine résonnait comme si l'individu parlait entre deux falaises, rendant les mots incompréhensibles.

Des appels de phares dans son rétroviseur le ramenèrent à la réalité. Il changea de voie, constatant qu'il ne roulait plus qu'à soixante kilomètres heure, puis accéléra de nouveau, avec le sentiment de devenir complètement dingue. D'où venaient ces fichues voix ? Qui parlait ?

Au bout d'une demi-heure, il descendit de son véhicule, le revolver dans la poche, les muscles en feu. Il fonça vers les entrepôts Charon. Comme la première fois, la grille était entrouverte. Mais les panneaux « Tests psychologiques » avaient disparu. Ilan courut le long des hangars et se retrouva devant le grand bâtiment à la façade crème où il avait subi les expériences la veille.

Plus d'enseigne « Laboratoires Effexor ». Ilan essaya d'entrer. Porte close. Il regarda sa montre : à peine 6 h 30. Il retourna vers les entrepôts, dénicha une barre en fer sur un tas d'encombrants et s'en servit pour fracturer la porte d'entrée. Dix secondes plus tard, il était devant l'accueil.

Plus un meuble, plus un ordinateur ni un téléphone. Volatilisés. Au bord de la nausée, il essaya d'allumer la lumière, sans succès. À la simple lueur des lointaines lampes extérieures et de la lune, le jeune homme s'enfonça dans les couloirs, ouvrit les portes, pour tomber sur des pièces vides. Traînaient parfois une vieille chaise, une table, mais rien d'autre.

Le néant.

Paranoïa avait encore une fois déserté les lieux. Transformant la réalité en poudre de magicien.

Soudain, il entendit des aboiements. Ceux, terriblement agressifs, d'un gros chien.

Ils provenaient de l'intérieur.

Ilan se retourna. Le long d'un mur au loin, il aperçut le cercle mouvant craché par la lumière d'une torche.

Un gardien et son chien venaient d'entrer dans les locaux.

Le faisceau lumineux s'orienta dans sa direction.

Ilan réagit à l'instinct et fonça droit devant lui, vers le fond du bâtiment. Il y eut un cri lui intimant de s'immobiliser. Ilan l'ignora et courut. À chaque pas, il avait l'impression de crever. De peur. De désespoir. De colère. Les aboiements s'intensifiaient, se rapprochaient, toujours plus graves. Ilan se retourna et vit que la bête était lâchée. Une ombre qui venait de bifurquer, dérapant sur le linoléum avant de reprendre sa course. Là-bas, à quinze mètres à peine.

Dans un cri rauque, Ilan poussa les portes, les unes après les autres, pour se retrouver face à des cubes d'obscurité n'offrant aucune échappatoire. Son avance fondait, le souffle du chien s'intensifiait. Quelques secondes, et il serait cuit.

Il aperçut enfin une fenêtre, se rua dans la pièce, ferma violemment derrière lui. Le cerbère grognait déjà, grattait le bois. Ilan eut l'image de son mollet dans la gueule du molosse, il se rappela la douleur atroce dans sa jeunesse et manqua s'effondrer. Pas le moment de flancher. Avec courage, il ouvrit la fenêtre et dans un cri sauta sur le bitume glacé. En face, les entrepôts déployaient leur immense structure sinistre. L'ombre du jeune homme se faufila entre les parois de tôle, fonça vers la grille. Sa trachée sifflait, ses muscles brûlaient, comme ceux d'un animal traqué.

Il n'était plus qu'une proie. L'homme à capturer et à enfermer. Le fou furieux assassin que personne ne croirait.

Très vite, il s'enfonça dans sa voiture et démarra au moment où le chien et son maître apparaissaient dans son rétroviseur. La torche se braqua dans sa direction. Ses pneus eurent du mal à adhérer sur la fine pellicule de givre accrochée à l'asphalte. Le véhicule chassa un peu sur le côté, une roue percuta le trottoir avant que tout rentre dans l'ordre.

Façon de parler.

Au bord de la crise de nerfs, Ilan trifouilla dans sa poche, son téléphone vibrait. Il ne reconnut pas le numéro. Il ne répondit pas, laissa arriver le message sur le répondeur, l'écouta : « *Ici le lieutenant Tartart, police criminelle de Paris. Pourriez-vous me rappeler dès que possible, s'il vous plaît ? Je souhaiterais vous parler. Je vous laisse mon numéro...* »

L'albinos était déjà sur ses traces. Comment était-ce possible ?

Ilan raccrocha, songea aux SMS qu'il avait envoyés et aux coups de fil passés à cette Béatrice Portinari. Il suffisait que le véritable assassin ait laissé, proche du cadavre, le téléphone portable de la victime, et le tour était joué.

Le piège se refermait chaque seconde un peu plus.

Heureusement, il y avait Chloé. Elle aussi avait vu la péniche, la petite annonce, elle avait fait les expériences. Elle pourrait témoigner qu'il n'était pas fou. Que tout avait bien existé et qu'on cherchait à lui coller un meurtre sur le dos.

Il composa son numéro, peinant à tenir l'appareil tant ses mains tremblaient. Personne ne décrocha. Il abandonna un message désespéré : « *Chloé, rappelle-moi vite, je t'en prie. Je suis dans la merde. C'est* Para-noïa*, ils m'ont manipulé. Plus aucune trace d'eux. Plus de péniche, de bureaux, plus rien. Je viens chez toi tout de suite.* »

Il jeta le téléphone sur le siège passager et se faufila dans la circulation. De l'air, il lui fallait de l'air. Il roula vitres ouvertes, afin de retrouver ses esprits, son sang-froid. Il vivait un enfer en temps réel. Ses trous de mémoire, la piqûre sur son bras, ce meurtre violent à présent... Depuis combien de temps le manipulait-on ? Qui cherchait à le détruire ?

Et les mots de sa collègue Mégane qui tournaient en boucle dans sa tête : *J'ai toujours dit que t'avais une case en moins, mon gars. Qu'est-ce qui va pas chez toi ?* Pourquoi avoir tenu des propos pareils ? D'où venaient les voix ? Il ne les avait jamais entendues avant, elles étaient apparues avec tous ces emmerde-ments. Avec cette trace d'aiguille de seringue, avec son cauchemar, et tout le reste.

Quand, aux alentours de 7 h 30, il arriva du côté de Corvisart, près de la place d'Italie, il ne tenait presque plus sur ses jambes. Son corps n'était pas loin de lâcher.

Avec l'énergie qui lui restait, il retrouva l'immeuble dans lequel vivait Chloé et profita de la sortie d'un habitant pour pénétrer dans le hall. Direction le cin-quième étage, à pied encore une fois. Porte 54. Il cogna. Pas de réponse. Il était tôt, où était Chloé ? Ilan n'en pouvait plus, il n'était plus à une effraction près. Alors il donna un violent coup d'épaule dans la porte. Il y eut un léger craquement, il renouvela son mouve-ment. Le verrou céda.

Il entra et, cette fois, son corps capitula.

Ilan se retrouva les genoux au sol, les mains posées à plat sur le plancher.

L'appartement de Chloé était complètement vide.

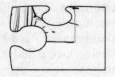

15

Plus un meuble. Plus un seul objet qui prouvait que Chloé Sanders avait un jour habité ces lieux. Juste de la poussière. Des toiles d'araignées au plafond.

Un appartement inhabité depuis des semaines. Des mois.

Ilan craqua. Il se réfugia dans un coin et se mit à pleurer en silence, la tête entre les mains.

Ça ne pouvait pas être la réalité. Il vivait un cauchemar particulièrement terrifiant et il n'allait pas tarder à se réveiller. Il regarda autour de lui, trouva une écharde dans le vieux plancher et y planta la paume. La douleur l'irradia, le sang coula. Ilan porta les lèvres vers le liquide chaud, le goût cuivré le dégoûta.

Tout était réel.

Il se redressa et, titubant, entreprit de visiter les autres pièces. Évidemment, elles étaient toutes vides, même la chambre où ils avaient passé tant de nuits ensemble.

Ilan se refusa d'admettre que Chloé puisse être dans le coup. Qu'elle était revenue vers lui pour le faire plonger dans cet ignoble stratagème. Mais que connaissait-il d'elle, en définitive ? Il n'avait jamais vu ses parents, sa famille, elle ne lui avait jamais parlé de son passé. Juste une joueuse, comme lui, qu'il avait croisée de plus en plus souvent sur le Net et lors de différentes chasses au trésor. Une aventure passionnelle était née. Ils l'avaient vécue presque deux ans, avant qu'elle l'abandonne sans la moindre explication, qu'elle ne réponde plus à ses appels, qu'elle refuse de le voir.

Était-il possible que tout ait été prévu depuis le début, depuis leur toute première rencontre virtuelle ? Qu'il ait été la victime d'un horrible complot ?

Ilan entendit un claquement de porte sur le palier. Il se frotta les yeux et se précipita. Une voisine se dirigeait vers l'ascenseur. Ilan l'interpella.

— Je suis un ami de Chloé Sanders. Elle ne répond plus au téléphone. J'étais inquiet, alors je suis entré chez elle en forçant la porte.

La femme le dévisagea de haut en bas : ses vêtements sales, son visage tiré, qui devait être blanc comme la mort.

— On s'est déjà vus, non ? fit-elle.

— Je venais ici il y a un peu plus d'un an. J'étais son petit ami…

— Oui, c'est ça, je me souviens. Mais il n'y a plus personne là-dedans, dit-elle en rangeant sa clé dans son sac à main. Depuis son départ, cet appartement n'est plus habité.

Ilan s'appuya contre la porte. Il lui fallait un support, quelque chose pour éviter de tomber.

— Quand est-elle partie ?

— Ça doit bien faire un an à présent. Il y a eu des événements très bizarres, ici.

— Quel genre d'événements ?

La femme croisa les bras, comme si elle avait froid. Ses yeux se troublèrent.

— Du genre à vous fiche les chocottes. Chaque fois qu'elle sortait le matin ou qu'elle rentrait le soir, Mlle Sanders trouvait une croix mortuaire collée sur sa porte.

La voisine désigna une petite surface circulaire, face à Ilan, où le bois était un peu plus clair.

— Plaquée à cet endroit précis, presque chaque jour de chaque semaine. La colle a même laissé une trace indélébile. Ça a duré plus de trois mois, avant que Mlle Sanders quitte les lieux, à bout de nerfs. Depuis ce temps, il semblerait que plus personne ne veuille louer ou acheter cet appartement. J'ignore pourquoi. Il n'y a jamais de visites, rien.

Ilan se décolla de la porte, comme s'il avait reçu une décharge. Ainsi, Chloé n'avait pas déserté parce qu'elle cherchait à lui nuire. Mais parce qu'un taré avait voulu lui faire peur.

Il se sentit à demi rassuré, mais l'ombre de *Paranoïa* restait dans sa tête.

— Chloé Sanders n'a jamais appelé la police ? demanda-t-il.

— Jamais, non. Mais on s'est posé énormément de questions avec les autres voisins, sur la véracité de toute cette histoire.

— La véracité ? C'est-à-dire ?

— Personne n'a jamais vu celui ou celle qui a collé ces croix. Aucune description physique, rien. Pourtant, il y a du monde dans l'immeuble, et vous savez qu'on ne peut entrer qu'avec le code.

— Ou profiter que quelqu'un sorte, comme je l'ai fait.

— Oui, mais on vous a remarqué, on est capables de parler de vous, de vous décrire. L'individu, lui, agissait comme un fantôme.

Ilan pensa aux ombres. À ces présences invisibles, autour de lui.

— Trois mois, ça a duré, tous les jours. On était tous d'accord : ce n'était pas possible que ça vienne de l'extérieur.

— Vous voulez dire que… celui qui collait ces croix mortuaires était l'un des habitants de l'immeuble ?

— On pense que l'auteur des faits, c'était Mlle Sanders elle-même.

Ilan eut la sensation de recevoir un coup de poignard. La femme remarqua son trouble et poursuivit :

— D'abord, parce que Chloé Sanders récupérait la croix chaque fois. Vous imaginez quelqu'un d'assez acharné pour venir poser une nouvelle croix identique tous les jours ? Ça faisait combien d'exemplaires ? Quatre-vingt-dix ? Lorsqu'on demandait à Chloé de nous montrer toutes les croix, elle prétendait les avoir détruites. Elle était bizarre…

— C'est-à-dire ?

— Ses volets étaient toujours fermés, elle disait être suivie, surveillée. Une vraie parano.

Ilan avala sa salive avec difficulté, il lui arrivait exactement la même chose. *Paranoïa* s'en était peut-être pris à elle avant lui, et Chloé ne lui avait rien dévoilé. Il incita la voisine à poursuivre.

— Mais l'élément déterminant qui a levé tout doute s'est déroulé il y a six ou sept mois. Par le plus grand des hasards, j'ai appris que Mlle Sanders avait fait un séjour dans un hôpital psychiatrique. J'en ignore la durée et la raison et je ne me souviens plus du nom de l'hôpital. Un nom bizarre, en tout cas.

Ilan n'en revenait pas. Un hôpital psychiatrique.

Pas Chloé, impossible.

Et pourtant, il lui fallait bien admettre la vérité. Et si Chloé l'avait quitté parce qu'elle n'allait pas bien ? Qu'elle recevait déjà ces croix alors qu'ils étaient ensemble et qu'elle ne lui avait rien dit ?

Et s'il n'avait rien remarqué sur son état de santé, bien trop préoccupé par ses propres problèmes ?

Doucement, il referma la porte fracturée de ce sinistre appartement vide, habité seulement par les araignées et les vieux souvenirs.

16

Ilan regagna sa voiture, encore sonné par ses découvertes.

Chloé, internée dans un hôpital pour les fous.

La croix mortuaire, collée chaque jour sur sa porte.

Chloé avait-elle réellement basculé dans la folie ? Avait-elle commis des actes dont elle était incapable de se souvenir ? Ou quelqu'un avait-il cherché à la rendre dingue ?

Ilan pensa à ceux qui s'acharnaient sur lui. Ces ombres qu'il n'apercevait jamais, qui entraient chez lui, qui évoluaient dans son sillage. Lui non plus, il n'était pas loin d'un petit tour en HP.

Et si ces ombres avaient rôdé aussi autour de Chloé ?

Son téléphone sonna. C'était elle, justement. À peine eut-il décroché que la jeune femme parla :

— Ilan ? J'ai eu tes messages ! Raconte-moi ! Que se passe-t-il ?

— Je veux te voir Chloé. Il faut que je te parle ou je vais péter les plombs.

En pénétrant dans l'habitacle, il se rendit compte qu'il n'était pas loin de crier.

— Ne viens pas chez moi, je ne préfère pas, fit Chloé. Retrouvons-nous dans notre endroit, plutôt, place d'Italie. Laisse-moi dix minutes le temps d'y arriver.

Ilan hésita, puis répliqua d'une voix aussi neutre que possible :

— Très bien. Je me mets en route aussi…

Il laissa sa voiture sur place et remonta à pied vers la place d'Italie, engoncé dans ses épais vêtements, l'écharpe remontée jusqu'au nez. Il rasait les murs, avec cette impression tenace que tout le monde l'observait, ou que des flics allaient débarquer d'un instant à l'autre pour lui passer les menottes. Il baissa encore plus les yeux et éteignit son portable. Il savait qu'on était capable de le suivre à la trace à cause des émissions d'ondes. D'autant plus que les policiers l'avaient déjà identifié.

De combien de temps disposait-il avant qu'on lui tombe dessus ?

Les rues, les avenues se chargeaient de vie. Ilan se glissa parmi la foule des passants, observant à droite, à gauche. Le moteur d'une moto qui démarra violemment le fit sursauter.

Il devenait complètement paranoïaque, il lui fallait se calmer s'il voulait réfléchir.

Après un quart d'heure, il atteignit la place d'Italie et s'engouffra dans la brasserie O'Jules. Chloé l'attendait au fond, assise seule devant une petite table ronde. Elle touillait machinalement un café crème, les yeux dans le vague. Des cernes lui creusaient le visage, à elle aussi. Ilan s'installa en face d'elle, ôta ses gants mais garda son bonnet. Il lorgna autour de lui et se pencha vers l'avant, sondant la jeune femme au fond de ses iris artificiels. Il essaya de mettre ses dernières découvertes de côté et dit :

— On m'a mené jusqu'à l'appartement d'une femme que j'ai retrouvée assassinée. Une flic, je crois, du nom d'Annie Beaucourt.

Il parlait tout bas. Chloé porta les mains à sa bouche.

— Une femme assassinée ? Mon Dieu... Comment ça s'est passé ? Qui t'a fait aller là-bas ?

— Eux. *Paranoïa*.

Ilan réfléchissait entre chaque phrase. Il ne savait pas par où commencer.

— Ils l'ont tuée à coups de tournevis dans le dos. Le tournevis avec le manche orange, celui sur lequel j'ai laissé mes empreintes et mon sang lors des tests dans ces laboratoires bidons. Quand j'ai vu le corps, tout m'est revenu brutalement en tête. Ils avaient tout prévu depuis le début.

Le garçon arriva, Ilan commanda un café et un verre d'eau avant de poursuivre :

— Quand le médecin m'a repris le tournevis des mains, il portait des gants en latex, j'en suis sûr. Ainsi, il n'y a que mes empreintes et mon ADN dessus. La femme brune de la péniche, cette soi-disant Béatrice Portinari, n'était que leur complice. Leur but était de me rendre parano et de m'orienter vers cet appartement de la rue de Rennes, très tôt le matin. De me faire endosser un meurtre que je n'ai pas commis.

Il parlait vite, reprenant à peine son souffle.

— Quelqu'un s'est arrangé pour que les flics débarquent juste au moment où j'étais dans l'appartement. Si je n'avais pas pris la fuite, j'aurais été arrêté sur-le-champ. Tout m'incrimine, je n'ai aucun moyen de réchapper à...

Chloé lui serra les mains, qui s'agitaient dans tous les sens.

— Calme-toi Ilan, d'accord ? Vas-y doucement. Je ne comprends pas bien cette histoire de Béatrice Portinari. Comment tu es arrivé chez elle, ou plutôt chez cette Annie Beaucourt ? Vous avez communiqué par téléphone, c'est ça ?

Ilan écrasa son index sur la table.

— Imagine : tu veux contraindre quelqu'un à se rendre à une adresse de ton choix, par exemple, le 27, rue de Rennes. Tu te mets en contact avec la nouvelle locataire d'un appartement quelconque de Paris, en te faisant passer pour l'ancienne habitante, qui s'appelait réellement Béatrice Portinari. Tu donnes à cette nouvelle locataire ton propre numéro de portable, au cas où quelqu'un chercherait à joindre celle pour qui tu te fais passer. Tu me suis ?

— Je crois. Tu endosses en fait l'identité de l'ancien locataire, dont personne ne connaît vraiment le visage.

— Exactement. J'ai compris que le « B. P. », sur le mot dans ma poche, était les initiales d'une certaine Béatrice Portinari, dont j'ai reçu le courrier par erreur, il y a une semaine.

— Courrier qu'on t'a volé.

— Oui. Afin que, là aussi, il ne reste aucune trace du passage de *Paranoïa*, je suppose. Pas de courrier, pas de preuve, rien…

Il marqua un silence, intégrant ce nouveau paramètre, puis revint vers Chloé.

— Bref, j'ouvre l'annuaire, j'appelle, et on me donne un numéro de portable qui n'est pas celui de la vraie Béatrice Portinari, mais de cette fameuse femme brune aux allures de mec qui se fait passer pour elle. Cette brune me dit de me rendre rue de Rennes, chez cette femme qu'ils ont assassinée, et je tombe dans le panneau.

Chloé se lissa les cheveux vers l'arrière, apparemment abattue.

— Avoue que c'est compliqué.

— Justement, ils ont monté un stratagème extrêmement complexe, tordu, pour que rien de ce que je pourrais raconter aux flics ne soit crédible. Tout était calculé. Ces tests ultra bizarres, tu te rappelles ? Ces pages d'annuaire à recopier qu'on déchire ensuite, ces questions débiles, cet enfermement dans une pièce, avec les magnétophones d'il y a vingt ans et un faux type, Mario, qui a une crise d'épilepsie. C'est complètement irréaliste. Même ce mot, avec mon écriture imitée dans ma poche. Que vont penser les flics si je leur raconte une chose pareille ? Qui va me croire ?

Il était au bord de la panique.

— On me colle un meurtre sur le dos. On vole la carte codée de mon père. Je n'y comprends plus rien. Pourquoi tout ça ?

Chloé lui prit les mains et parla plus bas encore.

— Les enjeux des découvertes de tes parents doivent être bien au-delà de ce qu'on peut imaginer. Tu n'as absolument aucune idée de ce qu'ils avaient trouvé ? Ils ne t'en ont jamais parlé ? Je crois que si, finalement. Sinon, comment aurais-tu pu savoir que ton père avait fait ce dessin et le cachait derrière le miroir ?

Ilan se prit la tête dans les mains, Chloé avait raison. Il pensa à ses trous de mémoire. Et si la réponse à l'énigme de son père était quelque part au fond de lui ? Et si Joseph Dedisset lui avait un jour donné la clé du mystère et qu'il l'avait simplement oubliée, comme il avait oublié son voyage à la montagne avec Chloé et certaines périodes de sa vie ?

— Je ne suis plus sûr de rien, répliqua-t-il. Mais tu as raison, pour cette histoire de miroir…

— En tout cas, je suis là pour t'aider. J'ai fait ces tests, j'ai vu ce qui s'était passé. Je pourrai témoigner.

Ilan secoua la tête, peiné.

— Ta parole ne tiendra pas.

— Pourquoi tu dis ça ?

Le jeune homme soupira longuement. Il retira ses mains et fixa Chloé au fond des yeux.

— Qui croirait les propos aberrants d'une ancienne pensionnaire d'un hôpital psychiatrique ?

Elle se figea. Ilan soupira gravement.

— Je suis passé à ton ancien appartement, je suis même entré par effraction pour tout te dire.

— Ilan…

— Une voisine m'a raconté ce qui s'était passé. Les croix mortuaires sur ta porte, l'hôpital psychiatrique. Bon sang Chloé, qu'est-ce qui s'est passé ? Pourquoi tu ne m'as rien dit ?

Chloé se mit à se ronger les ongles, la tête baissée. Elle attendit que le serveur, qui venait d'apporter la commande d'Ilan, reparte.

— Je ne voulais pas t'impliquer là-dedans. J'ignore ce qu'on t'a dit précisément, mais ce n'était pas moi qui posais ces croix horribles, Ilan. Je te le jure.

Ilan l'observait sans ciller, la contraignant à poursuivre.

— Quelqu'un venait devant chez moi et fixait la croix sur ma porte. Cet individu devait avoir le code de l'Interphone, ou des clés pour entrer dans l'immeuble. Facile de ne pas se faire repérer, si tu viens pendant les horaires de travail, ou la nuit. Les voisins te disent le contraire mais personne ne fait attention à personne à Paris, tu le sais bien…

Ilan pensa à ceux qui étaient rentrés chez lui. Aucune trace d'effraction. Des fantômes, là aussi.

— ... Chaque jour, je détruisais cette croix, en me disant que le salaud qui faisait une chose pareille en aurait assez et finirait bien par arrêter. Mais ça ne finissait jamais. Jamais...

Son index courait autour de sa tasse de café.

— ... Alors, j'ai fini par déménager, mais la peur était là, incrustée au fond de moi. J'ai fait une dépression sévère, je n'ai rien vu venir. (Elle soupira.) Je suis restée seule dans un vieux chalet appartenant à mes parents, à la montagne, croyant que ça allait finir par passer. Là-bas, j'ai fait une TS. Une tentative de suicide médicamenteuse.

Ilan n'en revenait pas. Jamais il n'aurait cru une chose pareille si Chloé ne le lui avait pas dit elle-même.

— Après, tout est flou. C'est de cette façon que je me suis retrouvée dans un HP, je crois. Une dépression... Je n'arrivais plus à me gérer, ni à m'en sortir. Je crois que je suis restée dans un hôpital trois longs mois.

— Tu crois ? Tu n'en es pas sûre ?

— C'est une période dont je ne me souviens plus. Bizarrement, je n'ai aucun souvenir de ce que j'ai pu faire là-bas, comme si mon esprit faisait barrage. J'ai aussi oublié de petits épisodes de ma vie avant cette histoire d'hôpital. Des choses sans signification, comme, par exemple, la façon dont j'avais loué mon appartement...

Ilan écoutait, interloqué : Chloé semblait avoir les mêmes problèmes de mémoire que lui.

Les yeux de la jeune femme regardaient dans le vide, comme si elle était shootée.

— Je n'ai pas repris mes études, Ilan. Je ne fais plus de psychologie. J'ai tout lâché.

Ilan pesa intérieurement la portée de ces paroles. Chloé avait été une étudiante brillante, débordant d'intelligence. Elle sentit le besoin de le rassurer.

— À présent, ça va beaucoup mieux, je m'en suis remise. Je n'ai plus jamais été ennuyée, depuis.

Elle vérifia de nouveau que personne ne pouvait entendre. Ilan la regardait en silence, incapable d'ôter le doute qui s'était insinué dans sa tête : et si la voisine avait raison ? Et si Chloé avait été l'auteur de son propre délire sans s'en rendre compte ? La tentative de suicide n'était que l'expression finale d'une folie intérieure.

Elle parla tout bas.

— Par la suite, j'ai décidé de reprendre ma vie en main. J'ai tout plaqué et me suis investie à fond dans *Paranoïa*. Ça a été ma raison de vivre, de m'accrocher. Je voulais les trois cent mille euros. Ils me permettraient de redémarrer ma vie, peut-être même de partir loin d'ici. Il me faut cet argent, j'en ai besoin.

Ilan comprenait mieux désormais son acharnement, ses motivations.

— Plus jamais de croix sur la porte de ton nouvel appartement ? demanda-t-il. Plus rien ?

— Non. Je suis désolée de t'avoir embarqué là-dedans… C'est incompréhensible ce qui t'arrive à présent. Ce qui nous arrive.

Elle poussa son téléphone portable sur la table.

— Et ça ne va pas s'arranger, pour tout te dire. Suite à ton message de ce matin, j'ai jeté un œil sur le Net. Plus aucune trace de *Paranoïa* sur les différents sites où les organisateurs avaient laissé des terriers. Ils ont tout effacé proprement. Le jeu n'existe plus, encore une fois.

— Ils sont partout, ils ne sont nulle part. Juste des ombres.

Ilan ne toucha même pas au téléphone. Une pulsation battait sous son crâne. Il pria pour que la douleur aiguë ne revienne pas, glissa rapidement dans un verre d'eau une aspirine qu'il avait dans sa poche.

— Qu'est-ce que tu vas faire maintenant ? demanda Chloé. Tu devrais aller à la police, tout lâcher. Une péniche, ça ne se volatilise pas si facilement. Ils avaient forcément réservé l'emplacement. Il doit y avoir des traces, des indices qui mèneront à eux. On doit les coincer. Les empêcher de nuire de nouveau. Même s'ils ne sont que des ombres, comme tu dis.

Ilan fouilla dans son autre poche et en sortit une photo et une clé.

— J'ai peut-être un indice. La flic avait ça chez elle.

Chloé examina d'abord la clé. Un petit morceau de métal sans numéro de série, sans marque.

— Aucune idée de ce qu'elle peut ouvrir, je suppose ? dit Chloé.

— Non.

Puis elle s'intéressa au cliché. Haitinie, montant dans sa voiture le long d'un boulevard.

— Cet homme, c'est l'examinateur qui m'a reçue… Ce Gérald Haitinie.

— Cette photo prouve que la flic assassinée enquêtait sur cet homme depuis un bout de temps, il a l'air plus jeune. Et c'est probablement pour cette raison qu'on l'a éliminée. Il est l'individu à retrouver impérativement.

Chloé appuya son index sur l'arrière de la berline.

— On possède sa plaque d'immatriculation.

— Je sais. Tu peux faire quelque chose ?

Elle se leva, sûre d'elle, téléphone portable dans la main, tandis qu'Ilan remettait la clé dans sa poche.

— Avec un oncle dans la gendarmerie, c'est évident. Tu me laisses une heure, et je reviens avec l'identité de ce fumier.

17

Ilan conduisait, Chloé assise à ses côtés.

La voiture venait de quitter l'autoroute A6, direction Fontainebleau. D'après les informations fournies par l'oncle de la jeune femme, le propriétaire de la Mercedes s'appelait Romuald Zimler et il habitait aux abords de la forêt, à une cinquantaine de kilomètres de Paris.

Bloqué dans un ralentissement, Ilan fixa Chloé dans les yeux.

— Tu aurais dû me parler de ces croix mortuaires. Quand tu m'as plaqué, j'ai failli crever, tellement j'avais mal. Pourquoi tu as réagi de cette façon ? On partageait tout. Je ne te comprends pas, Chloé.

Elle haussa les épaules, les mains regroupées nerveusement entre ses cuisses.

— Au départ, je croyais que ces croix faisaient partie de *Paranoïa* et qu'on s'adressait à moi, et à moi seule. Qu'on cherchait à m'orienter vers de nouvelles pistes et qu'en parler à quiconque, même à toi, mettrait en péril ma participation au jeu. Je sais, c'était stupide, mais ça a pris le dessus sur tout le reste, ça m'a obsédée. *Paranoïa* m'a vampirisée, démolie. Mais ça a continué, inlassablement, et ça a commencé à me faire peur. Vraiment peur, parce que, avec ces croix, il n'était plus question de jeu. Je pense que je me suis renfermée sur moi-même. Je n'osais plus sortir de chez moi, je guettais ma porte d'entrée, je trouvais des excuses pour ne pas te voir. Plus j'allais mal, moins je voulais en parler. J'aurais aimé que tu t'aperçoives que quelque chose clochait. Mais tu étais dans ton délire aussi, avec la carte de ton père, tes recherches sur *Paranoïa* de ton côté… Tout ça te montait à la tête et tu n'allais pas très bien en définitive, toi non plus. C'est de cette façon que tout s'est brisé entre nous deux.

Le véhicule bifurqua sur une départementale moins encombrée. La forêt apparut, au loin, noire et dense. Ilan encaissait en silence ce qu'elle lui racontait, mais ça lui faisait terriblement mal. Il essaya de garder le cap et demanda :

— Tu as fait des recherches sur tes trous de mémoire ? Tu as eu des explications ?

— Jamais. J'ai mis ça sur le compte du stress.

— Est-ce qu'à l'époque tu as soupçonné quelqu'un en particulier pour les croix ? Tu as eu des débuts de pistes ?

— Les autres joueurs, ceux qui voulaient me voir au fond du trou pouvaient être nombreux. J'ai beaucoup d'ennemis dans le milieu des jeux et des chasses au trésor. Tu le sais. Des types que j'ai coiffés au poteau, des frappadingues qui confondent réalité et fiction, qui ont le cerveau ravagé, à force de jouer. Dès qu'il y a de l'argent à la clé, les gens sont capables de n'importe quoi. J'ai déjà reçu des lettres de menaces, des mails d'insultes, des appels anonymes. Toutes sortes de coups bas pour me déstabiliser.

Ilan soupira.

— Des lettres, c'est une chose, des croix mortuaires posées chaque jour sur ta porte, c'en est une autre. Personne ne serait allé jusqu'à organiser un stratagème pareil pour t'écarter d'une compétition quelconque.

— Personne ? Tout le monde, tu veux dire. Naomie Fée aurait très bien pu, par exemple.

— Fée ?

— Cette garce est toujours habillée en noir. Elle est complètement allumée. Les cimetières, les croix mortuaires, ça la connaît, non ? Je sais qu'elle fréquente des clubs sadomaso, j'ai enquêté sur elle. Elle aime infliger la douleur, Ilan, jouer avec la chair et les sentiments. Faire mal pour son propre plaisir, c'est son trip.

Ilan gardait le silence. Chloé était habitée par ses paroles, ça n'aurait servi à rien de l'interrompre.

— Et je sais aussi où elle réside, poursuivit-elle. Devine ? Seulement à quelques rues de mon ancien appartement, comme par hasard. Des gens l'ont déjà vue rôder au bas de l'immeuble.

— Et toi, tu as rôdé au bas du sien, je présume…

— Tu sais qu'elle est capable de tout. T'as couché avec elle…

Ilan ne se laissa pas déstabiliser par ce coup bas.

— Ça ne tient pas. Quelqu'un l'aurait forcément vue pénétrer dans l'immeuble. Surtout une femme avec un physique pareil. Elle est visible comme un corbeau dans une cage de perruches.

— D'accord… Si j'ai bien compris, t'es avec *eux*, toi aussi.

— Non, je ne suis pas avec *eux*. Excuse-moi. Avec ce qui m'arrive, je suis mal placé pour parler.

— Ça va.

Ils se turent. Chloé avait posé sa tempe droite sur la vitre, elle fixait l'horizon, sans plus bouger. Ilan ne savait plus quoi penser, tout se bousculait dans sa tête. De plus en plus, il soupçonnait Chloé d'avoir un problème psychique, d'être en proie à une forme de paranoïa quelconque, encore enracinée au fond d'elle-même sans qu'elle puisse s'en rendre compte. Son changement de look, son déménagement... Le jeu, qu'elle voyait partout, qui avait pris possession de sa vie, l'avait contrainte à abandonner ses études... Ces volets qu'elle fermait... Tant de signes qui ne trompaient pas.

Et pourtant, ce n'était pas elle qui entendait des fichues voix dans sa tête ou se réveillait avec une trace de seringue sur le bras.

Ce n'était pas elle non plus qu'on poursuivait pour meurtre.

Alors, que penser ? Que leur arrivait-il à tous les deux ?

Ilan revint au concret. Il se fia aux indications du GPS, qui les menèrent devant une belle propriété individuelle, cernée d'un haut mur et de verdure. Un portail fermé en interdisait l'accès. Ilan se gara plus loin, dans un renfoncement entre les arbres. Il observa les alentours.

— Tu te mets au volant, dit-il à Chloé. Et si tu vois qu'il se passe quelque chose de pas net, tu files et tu appelles les flics.

Ilan ouvrit la boîte à gants et prit le revolver. Chloé lui agrippa le poignet.

— Qu'est-ce que tu fiches avec une arme ?

— Elle appartenait à mon père. C'est juste par sécurité.

— Non, Ilan. Tu te rends compte ?

Il se défit de son étreinte.

— Je ne m'en servirai pas, je te le promets.

Il ferma la porte sans bruit, se présenta devant la grille et, après avoir enfoui l'arme sous son blouson, appuya sur l'Interphone. La demeure était luxueuse, à peine visible dans la végétation. Une caméra était braquée sur lui.

Encore, toujours des caméras.

— Oui ? fit une voix féminine.

— J'aimerais parler à Romuald Zimler.

— De la part de ?

— Alexis Montaigne, improvisa Ilan.

L'identité avait surgi comme ça, sans qu'il réfléchisse. Il avait entendu ce nom quelque part mais était bien incapable de se rappeler où. Face au silence, il ajouta :

— Avec Romuald, nous travaillons ensemble depuis quelques semaines sur un projet.

— Je vois. Malheureusement, il n'est pas là aujourd'hui, il mène un audit toute la journée pour la liquidation judiciaire d'une société de transport. Vous ne pouvez pas l'appeler au téléphone ?

— C'est qu'il ne répond pas. Et c'est très urgent. Pouvez-vous me donner l'adresse de cette société ?

Elle répondit *illico*.

— C'est à Nemours, sortie 16 de l'A6, à une vingtaine de kilomètres au sud d'ici. Compagnie Réfrigérum…

Elle épela. Ilan hésita à poser davantage de questions, mais il préféra ne pas trop se faire remarquer. Il la remercia, avant de regagner la voiture.

Une recherche sur le téléphone portable de Chloé lui donna l'adresse précise, qu'il entra dans le GPS. L'instrument indiqua vingt minutes de trajet.

— Allons-y.

Ilan reprit espoir, il hésita même à appeler les flics pour leur donner rendez-vous directement là-bas. Mais il voulait auparavant jeter un petit coup d'œil. Et voir le visage de ce Zimler se décomposer lorsqu'il se trouverait en face de lui, un flingue braqué au milieu du front.

Lorsqu'il démarra, il se rappela enfin où il avait entendu l'identité « Alexis Montaigne ».

Il s'agissait du nom de l'infirmier de l'hôpital psychiatrique de son rêve.

Encore et toujours ce fichu cauchemar.

18

La compagnie Réfrigérum se trouvait avant l'entrée de la ville, en amont d'une petite zone d'activités. Des camions noirs au sigle de la société et quelques voitures étaient alignés sur un parking, au centre duquel se trouvait un bâtiment plat, aux grandes vitres qui donnaient sur l'intérieur de bureaux. Très vite, Ilan identifia la Mercedes verte de Zimler, garée juste à côté du préfabriqué. La société ne montrait aucune trace d'activité : véhicules immobiles, personnel absent, trafic nul.

Ilan s'engagea sur le parking et rangea sa voiture derrière un bus. Il laissa tourner le moteur.

— Reste là.

Chloé arracha les clés du contact.

— Pas cette fois. T'as un flingue, je ne veux pas que tu fasses de conneries. Je t'accompagne.

Ils sortirent et s'approchèrent prudemment. Ilan désigna une silhouette, à travers l'une des vitres du bâtiment. Un homme allait et venait, l'oreille collée à un téléphone portable.

— C'est lui, fit-il sur un ton victorieux. C'est ce Romuald Zimler en personne.

Au pas de course à présent, ils se précipitèrent vers la porte d'entrée, dont il suffisait de tirer la poignée pour pénétrer dans les locaux. Il semblait n'y avoir personne dans les premiers bureaux, comme si le bâtiment avait été déserté, encore une fois. Ilan sortit l'arme de sa poche et progressa dans le couloir. Il entra dans la pièce d'où provenait la voix de Zimler. L'homme aux cheveux gris et aux petites lunettes rondes considéra les intrus et annonça à son interlocuteur téléphonique :

— Je dois te laisser.

Il raccrocha sans geste brusque, puis leva doucement les mains devant lui.

— Tout va bien se passer, d'accord ? Posez ce revolver.

— Tout va mal se passer au contraire, répliqua Ilan d'une voix ferme. Vous me reconnaissez, je suppose.

— Je vous reconnais, oui.

L'arme tremblait entre ses doigts, il n'avait jamais tiré avec ce genre d'engin mais se sentait pourtant capable de tuer.

Zimler tourna les yeux vers une horloge murale.

— Enfin, vous voilà. J'avoue que je commençais à m'inquiéter.

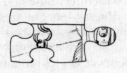

19

Zimler garda un ton calme.

— Ça aurait été dommage que vous ne soyez pas dans les temps. Je dois dire que, de tous les candidats, j'ai une petite préférence pour vous deux. Un couple de joueurs, c'est toujours intéressant. Surtout si vous êtes adversaires au cours de la partie. Cela ajoute du piment.

Délicatement, il tira vers lui deux grosses enveloppes marron et nota au marqueur « 7 » sur l'une, « 8 » sur l'autre, tout en lançant un œil vers Ilan.

— Vous devriez baisser cette arme, monsieur Dedisset, vous pourriez blesser quelqu'un.

D'un geste ralenti qui indiquait à Ilan qu'il ne risquait rien, il appuya sur le bouton d'un téléphone.

— Vous pouvez venir, Annie ?

Ilan s'approcha. Il remarqua les deux cygnes noirs en cristal posés sur le bureau. Ils étaient unis par le bec et les pattes. *Paranoïa* dans toute sa splendeur.

— Vous m'avez collé un meurtre sur le dos, s'écria le jeune homme. Pourquoi ? Qui êtes-vous ? Qu'est-ce que vous me voulez ?

Derrière, une femme s'immobilisa à l'entrée de la pièce, poussant un petit cri. Ilan se retourna.

Il eut alors l'impression d'halluciner.

Face à lui se tenait la femme qu'il avait trouvée morte dans l'appartement de la rue de Rennes. Annie Beaucourt. En parfaite santé, vêtue d'un élégant tailleur gris. Déstabilisé, Ilan recula de deux pas, essayant de les braquer tous les deux. Chloé s'était réfugiée dans un coin, sans un mot.

— Il faut vous dire que rien de ce que vous avez vécu n'était réel, fit l'homme aux cheveux gris.

— Un cadavre, c'est on ne peut plus réel !

Zimler sortit le tournevis au manche orange d'un tiroir et le posa sur le bureau. Les traces pourpres étaient toujours là et le tournevis était empaqueté dans un sac transparent.

— Un peu de maquillage, des poches de sang, et le tour est joué. N'est-ce pas, Annie ?

Elle acquiesça, les yeux braqués sur le canon de l'arme.

— Juste une mise en scène, fit-elle d'une voix blanche.

— Ce genre d'épreuve faisait partie de notre programme de sélection, poursuivit Zimler. Votre réaction est complètement normale, mais il faut vraiment que vous vous calmiez avant qu'il y ait un accident fâcheux.

Ilan respirait fort. Il baissa son arme, abasourdi.

— Je ne m'appelle ni Romuald Zimler ni Gérald Haitinie. Ce n'est pas moi qui habite la maison que vous venez d'aller voir. Ça aussi, ça faisait partie de l'environnement fictionnel que nous avons créé autour de vous. Des acteurs, des employés, appelez-les comme vous voulez. Ma véritable identité est Virgile Hadès, je suis l'un des organisateurs de *Paranoïa*. C'est moi qui m'occuperai de votre partie qui s'annonce d'ores et déjà passionnante.

Hadès se tourna vers la femme.

— Si vous permettez qu'elle sorte à présent… Vous voyez bien que vous l'effrayez.

Ilan hésita et finit par accepter, sous le choc. La femme recula, puis referma la porte derrière elle en silence. Le jeune homme s'appuya contre le mur avec l'impression de se fragmenter.

— Le flic aux cheveux blancs… Le gardien avec son chien… Ils n'étaient que…

— Des pions, répliqua Hadès. Comme la plupart des gens que vous avez croisés durant les tests psychologiques, par exemple. De la figuration, si vous voulez. Comme vous l'avez certainement constaté, notre structure possède des moyens techniques et financiers colossaux.

Ilan et Chloé échangèrent un regard perdu. Le jeune homme retrouva sa contenance et braqua de nouveau son arme.

— Vous êtes entrés par effraction chez moi. Vous avez volé la carte codée de mon père. Vous… (Ilan pointa son avant-bras) m'avez injecté des saloperies.

Hadès retrouva le regard dur qu'Ilan avait déjà croisé lors des tests psychologiques.

— Non, nous n'avons jamais fait cela, évidemment. Le jeu a ses limites. Pénétrer par effraction chez des gens ou nuire volontairement à leur intégrité physique ne fait pas partie de nos règles. Je suis désolé qu'il y ait eu cet amalgame.

— Vous êtes désolé ? Alors que j'ai failli crever de peur ! Le courrier dérobé dans mon salon m'a orienté vers Béatrice Portinari. Ces cambrioleurs, c'était forcément vous.

— Non, je vous le répète. Nous vous avons bien fait parvenir un courrier au nom de Béatrice Portinari, avec l'espoir que vous finiriez par vous mettre en contact avec elle et, par conséquent, par découvrir ce « cadavre » censé vous mener jusqu'à moi. Dérobé, vous dites ? (Il fronça les sourcils.) Un concurrent serait allé jusqu'à pénétrer chez vous pour vous écarter de la compétition ?

Un concurrent... Ilan n'avait pas envisagé une seule seconde cette option, puisqu'il y avait eu vol de la carte de son père également. Il pensa brièvement à Naomie Fée tandis qu'Hadès continuait à parler :

— Je vais voir s'il m'est possible d'en savoir un peu plus sur les autres candidats, et je puis vous assurer que celui qui a triché sera éliminé. Toujours est-il que, heureusement, ce vol ne vous a pas empêché de poursuivre et de faire le rapprochement avec Hélène, la grande femme brune, blouson en cuir, que vous avez croisée à plusieurs reprises. Je dois avouer que j'ai eu un peu peur car vous avez traîné et le jeu a failli vous passer sous le nez.

— Et pour la plaque d'immatriculation ? Vous saviez que j'avais de la famille qui travaillait dans la gendarmerie ? demanda Chloé.

— Évidemment. Nous avons accès à certains fichiers.

Il empila ses deux enveloppes sur d'autres.

— Nous avons semé des indices, des pièces de puzzle, vous les avez assemblées avec succès dans un délai raisonnable. Vous avez de la chance tous les deux, vous êtes les derniers sélectionnés. Vous, Chloé Sanders, êtes le candidat numéro 7, et vous, Ilan Dedisset, le numéro 8. Retenez ces chiffres. Aux dernières nouvelles, d'autres candidats arriveront d'ici deux ou trois heures, mais il sera malheureusement trop tard pour eux. Ils trouveront ces locaux vides. Et resteront avec toutes leurs incertitudes. *Paranoïa* a momentanément disparu... Il refera surface d'ici quelques mois pour une nouvelle partie, ailleurs dans le monde.

Chloé s'avança, complètement médusée.

— Et si Ilan avait appelé la police ? Et s'il avait utilisé son arme ?

— Dans le premier cas, vous ne seriez pas ici et vous n'auriez pas eu la chance de participer. Dans le second... J'avoue que nous aurions eu de sacrés soucis. Nous ne pouvions prévoir que des particuliers possédaient des armes à feu chez eux et s'apprêtaient à les utiliser.

— Et la photo d'Ilan et moi à la montagne, dans le laboratoire ? D'où venait-elle ? Vous nous surveilliez depuis longtemps ?

Hadès enfila un épais blouson et s'empara des enveloppes ainsi que du sachet contenant le tournevis au manche orange.

— Surveiller n'est pas le terme exact, mais nous nous intéressions à vous, en effet. Dans ces enveloppes, nous avons un dossier sur chacun de vous, nous suivons les candidats les plus remarquables, ceux qui persévéreront et iront au bout, quoi qu'il arrive. Vous en faites partie, comme vos prédécesseurs déjà en route pour notre destination finale. Vous êtes la crème des joueurs, ce qui promet une partie mémorable.

— Qui finance le jeu ? Qui paie pour tout ça ?

Il appela quelqu'un sur son téléphone.

— Duke ? Je pars avec le dernier véhicule. Nous nous mettons en route dans dix minutes. Tenez-vous prêt.

Il raccrocha.

— Les conditions météo se gâtent, fit-il. La tempête arrive. J'ai peur que nous ne soyons bloqués par la neige si nous tardons encore.

Ilan se prit la tête dans les mains. Il peinait à comprendre.

— Et vous croyez qu'on va vous suivre comme ça ? Non mais vous êtes malade ?

— Vous suivez ou vous partez. Si vous tentez l'aventure, dans cinq jours maximum, vous serez de retour pour fêter Noël avec peut-être trois cent mille euros et des bonus entre les mains. Vous préviendrez qui vous voulez dans le break : votre famille, votre patron, vos amis. Pour la toilette et les vêtements, tout sera à votre disposition sur place. Vous ne manquerez de rien. (Il s'orienta vers Chloé.) Pas même de sérum physiologique pour vos lentilles. Le questionnaire du médecin réalisé durant les tests montre que vous êtes en bonne forme, que vous ne suivez aucun traitement. Pas vrai ?

Aucune réaction d'Ilan, tandis que Chloé acquiesçait timidement.

— C'est maintenant qu'il faut prendre le train en marche. Après, le jeu disparaîtra, pour aller ailleurs, et vous serez définitivement rayés de la liste des candidats, quelle que soit la date, quel que soit le pays. (Il adressa un sourire à Chloé.) Même en changeant d'apparence.

Il se leva et se dirigea vers la porte.

— Vous tentez l'aventure, ou vous laissez tomber. Vous avez dix minutes pour réfléchir, mais n'oubliez pas : si vous êtes ici, tous les deux, c'est parce que vous êtes les meilleurs. Et pour votre information : les autres candidats aussi ont eu une épreuve de sélection éprouvante, mais, une fois arrivés ici, ils ne se sont pas vraiment posé de questions.

— Il y a huit candidats, c'est ça ? demanda Chloé en désignant les enveloppes.

Hadès lui sourit.

— Exactement, vous deux compris. Je vous attends dans la voiture.

Il sortit. Ilan se dirigea vers une chaise et s'effondra, les bras ballants. Il en lâcha son revolver sur le sol.

— J'y crois pas. Tout ça, ce n'était que… que du pur délire. Rien n'était réel.

Chloé allait, venait, impatiente.

— C'était réel. Mais ce n'était pas la réalité.

— Faudra que tu m'expliques la nuance.

— Ils ont sacrément bien joué, en tout cas.

Ilan la fixa intensément, à la fois rassuré et inquiet.

— Ne me dis pas que tu vas quand même y aller ? Que tu vas t'aventurer là-dedans, avec tout ce qu'ils nous ont fait subir ?

— Si ça, ce n'était qu'un avant-goût du jeu, alors imagine ce que sera le jeu.

Elle s'accroupit pour se retrouver au niveau d'Ilan.

— Si, je vais y aller. Bien sûr que si. Parce que t'es prêt à lâcher, toi ? Tout abandonner alors qu'on est si près du but ? Hors de question.

Ilan n'arrivait toujours pas à encaisser tout ce qui venait de se passer. À distinguer la frontière entre fiction et réalité. Depuis quand était-il sous l'influence du jeu, exactement ? À quelle date précise ces salauds de *Paranoïa* s'étaient-ils immiscés dans sa vie ? Il observa autour de lui. Le bureau, les bus, à l'extérieur. Qui tenait réellement cette compagnie de transport ? Qu'est-ce qu'Hadès fichait ici, dans ces locaux qui semblaient vides ? Que leur réservait-il encore ?

— On ne peut pas faire confiance à ce type qui change de nom toutes les cinq minutes, répliqua-t-il sur la défensive.

— Ça fait partie du jeu.

— C'est du délire. Tu as vu ce qu'il m'a fait subir ? C'était un cauchemar à l'état pur.

— C'est le principe du jeu. Son essence même.

— Arrête avec tes définitions débiles, bon sang ! Et pense à la situation, plutôt. Qui sait que nous sommes ici ? Personne.

Chloé lui tendit son téléphone portable.

— Dans ce cas, appelle quelqu'un. Rien ne t'en empêche.

Ilan ne réagit pas, à bout de forces. Chloé ne capitulerait pas. Ce jeu, c'était sa raison de ne pas sombrer de nouveau. C'était son carburant.

— Cinq jours, Ilan. Cinq petits jours avec trois cent mille euros à la clé.

— Trois cent mille euros ? Qui te dit que c'est vrai ? Que c'est la *réalité* ? C'est du suicide, Chloé. On ne connaît rien de ces types, des règles du jeu. Et si on ne revenait pas ? Et s'il n'y avait pas d'autres candidats ? Pourquoi ne peut-on pas retourner chez nous pour nous préparer ? Tout est trop... précipité, et ils en savent trop sur nous. Ça cache quelque chose.

Chloé vit qu'Hadès montait dans un grand break. Le moteur du véhicule tournait, de la fumée s'échappait dans l'air glacé. Les phares étaient allumés et l'un éclairait beaucoup moins que l'autre.

— Cette peur que tu ressens, ça fait partie des règles, tu n'as toujours pas compris ? Et si c'est tellement précipité, si on ne peut pas retourner chez nous, c'est pour éviter les fuites sur Internet, ou que d'autres candidats trichent. Il y a une meute de types prêts à tout pour participer. Tu fais ce que tu veux, tu retournes à ta pompe à essence et tu oublies tout si c'est ton souhait. Mais moi, j'y vais. Ça a été trop d'investissement, de sacrifices. Je dois m'éloigner d'ici, de Paris, pour que tout aille mieux dans ma tête. Et aller au bout à présent.

Ilan ne bougea pas, les mains calées entre les cuisses, alors que Chloé s'avançait vers la porte. Elle se retourna une dernière fois.

— On y est. Ne passe pas à côté du jeu. Ni de ce que nous pourrions devenir, tous les deux.

Elle sortit et rabattit la porte derrière elle. Le jeune homme redressa la tête vers la fenêtre et la vit pénétrer dans le véhicule qui restait sur place pour le moment. Il regarda l'horloge : il restait deux ou trois minutes. Il se leva, s'empara des cygnes en cristal, qu'il observa attentivement. Ils portaient une petite inscription indiquant qu'ils avaient été fabriqués dans une cristallerie du nom de Krystom.

Paranoïa était partout, jusque dans les objets les plus insignifiants.

Il essaya de se remémorer les événements de ces derniers jours. D'un côté, le jeu. De l'autre, ceux qui le surveillaient. Qui entraient chez lui. Qui, peut-être, avaient tué ses parents. Ilan ne réussissait pas à s'ôter de la tête que les deux pouvaient être liés. Qu'en participant au jeu, il avait une chance d'avoir ses réponses.

Ici, que lui restait-il, de toute façon, sinon des questions sans réponses ?

Sans plus réfléchir cette fois, il se leva et se rua vers le véhicule.

Les dés étaient jetés.

20

Ilan s'était installé aux côtés de Chloé, tout au fond de ce grand véhicule haut de gamme qui pouvait accueillir jusqu'à huit ou neuf personnes. Virgile Hadès était assis à l'avant, côté passager, tandis que le chauffeur prenait la route. De petites bouteilles d'eau, de jus de fruits et diverses collations étaient posées sur une tablette, entre les fauteuils confortables.

— N'hésitez pas à vous servir, fit Hadès en se retournant. Le trajet sera long.

— Nous n'avons pas vraiment faim, répliqua Ilan. Où sont les autres joueurs ?

— En route pour la destination finale, dans des véhicules séparés. Ceux qui ont résolu le plus rapidement leurs épreuves de sélection sont déjà sur place. L'une d'entre vous est même déjà arrivée ce matin. Dans le trio de tête.

— Une candidate... Donc, Naomie Fée est dans le lot ? demanda Chloé.

— Vous ne découvrirez les visages et identités des autres que demain matin, lorsque la partie démarrera. Pour le moment, vous êtes tous anonymes les uns pour les autres. Nous devons éviter la moindre fuite, tout doit rester secret le plus longtemps possible.

— Où allons-nous, précisément ?

Ilan garda un ton sec, tranchant. Il en voulait encore furieusement à Hadès pour tout ce qu'il lui avait fait endurer. Ce dernier pianotait en même temps sur son téléphone portable.

— Ne soyez pas impatient. Le lieu est original, vous verrez, et particulièrement adapté à notre jeu. Nous avons juste un petit problème de chauffage qui sera vite réglé, j'espère. Si vous avez des appels à passer, faites-le maintenant. Ensuite, je vous saurai gré de me remettre vos téléphones. L'endroit où se déroulera notre partie doit rester confidentiel, vous vous doutez bien. Il me faudra votre arme également.

Chloé se pencha vers l'avant et lui tendit son mobile.

— C'est bon pour moi.

— Vraiment personne à prévenir ?

— Non. Mais vous devez déjà le savoir, n'est-ce pas ?

Elle se réinstalla confortablement et s'empara d'une bouteille de Coca. Ilan la fixa quelques instants, demanda au chauffeur de s'arrêter une minute, sortit et composa le numéro de son patron. Il prétendit être sévèrement grippé et ne pouvoir reprendre son travail que la semaine suivante. Depuis un an qu'il bossait à la pompe, il n'avait quasiment pas pris de congés, ni manqué de journées. Un employé sans problèmes, obéissant et docile. Aussi son responsable goba-t-il plutôt facilement son mensonge et lui souhaita un prompt rétablissement.

À son tour, il remit son téléphone portable à contre-cœur.

— Ils vous seront évidemment restitués dès la partie terminée, dit Hadès. Votre arme, s'il vous plaît.

— Je la garde encore un peu, si ça ne vous dérange pas.

— Désolé, il me la faut. Question de sécurité, cela tombe sous le sens. Si vous le souhaitez, il est encore temps de faire demi-tour et de tout arrêter.

Sous le regard appuyé de Chloé, Ilan finit par abdiquer. L'homme aux cheveux gris glissa les appareils dans les enveloppes marron 7 et 8 et enfonça l'arme dans la boîte à gants. Puis il en sortit deux feuilles qu'il leur tendit. Sur chacune d'elles était écrit en très gros la même chose :

« *Principe numéro 1 : Quoi qu'il arrive, rien de ce que vous allez vivre n'est la réalité. Il s'agit d'un jeu.* »

— C'est réel mais ce n'est pas la réalité, c'est ça ? commenta Ilan aigrement. Et comment fait-on la distinction ? Comment savoir ce qui est le jeu et ce qui ne l'est pas ?

— C'est là tout l'intérêt. Vous découvrirez les deux autres principes au fur et à mesure de la partie. Apprenez-les par cœur, ils vous serviront à y voir clair. Et maintenant, je ne puis que vous conseiller de vous reposer un peu. La route va être longue, je le répète, et je crois que vous avez besoin de calme.

Il tourna le bouton d'un lecteur de CD. De la musique classique sortit en douceur des enceintes disséminées un peu partout. Les airs de piano apaisèrent quelque peu Ilan, qui laissa reposer sa nuque sur son appuie-tête et ferma les yeux. Il avait des nœuds partout en lui, ses muscles lui faisaient mal. *Paranoïa* avait transformé ces dernières heures en cauchemar.

— J'aurais bien aimé la connaître avant, cette règle, marmonna-t-il, ça m'aurait évité d'avoir failli crever de peur et de commettre l'irréparable. J'avais un flingue chargé sur moi Chloé, tu te rends compte ?

La jeune femme se rapprocha de lui, elle posa la tête contre son épaule.

— Il n'y a pas eu de casse, c'est l'essentiel. Je suis contente que tu sois là. Rien n'aurait été pareil sans toi. Seule Fée va gâcher la fête. Faudra faire avec.

Ilan ne répondit pas, il ne bougea même pas. Il avait bien senti que rien ne comptait plus pour Chloé que le jeu, et que lui n'avait peut-être été qu'un instrument, un moyen de la faire parvenir à ses fins. Était-elle sincère, même juste un peu, lorsqu'elle affirmait être heureuse de sa présence ? Plus le temps passait, plus Ilan avait du mal à la cerner. Et même s'il avait profondément envie de la serrer contre lui, il préférait ne pas réagir pour l'instant. Il faudrait avoir l'esprit clair pour affronter le jeu. Ne pas se laisser embrouiller par des sentiments trop forts.

— On fait 50/50 si l'un de nous deux remporte le pactole ? demanda Chloé tout bas.

Ilan la repoussa.

— Alors nous y voilà… L'argent, toujours l'argent. Il n'y a donc que ça qui compte pour toi ?

— Tu te trompes. C'est juste une question qu'on doit régler tout de suite pour éviter d'y revenir plus tard.

— Qu'est-ce que t'as envie de faire ?

— On forme une équipe, non ? Alors, on partage.

— Très bien. On partage. Cent cinquante mille chacun. La question est réglée.

Elle lui posa par surprise un baiser sur les lèvres.

— Considère que c'est le gage de ma promesse, dit-elle en regagnant sa place proche de la fenêtre.

— Ta promesse, oui...

Ilan capta le regard d'Hadès dans le rétroviseur. Ce type ne le lâchait pas des yeux, il y avait quelque chose de déplaisant dans sa façon d'observer, qui le mettait mal à l'aise. Le jeune homme se concentra sur la route qui défilait, pensif. D'une certaine façon, ce départ précipité montrait à quel point il n'avait plus d'attache. Depuis quand n'avait-il plus vu ses oncles, ses tantes, sa famille ? Il ne s'en souvenait même plus. Il n'avait même pas de chien ou de poisson rouge à nourrir. S'il venait à crever, il ne manquerait à personne. Et Chloé ne semblait pas mieux lotie que lui.

La douce musique, le ronflement du moteur eurent raison de lui et de ses heures de sommeil manquantes. Malgré le chauffage, Ilan avait encore et toujours froid, mais il finit par sombrer.

Lorsqu'il se réveilla, l'obscurité s'était installée. Dans un demi-coma, il jeta un œil à sa montre : il était presque 18 heures, cela faisait donc environ sept heures qu'ils roulaient. Chloé dormait, recroquevillée dans son coin, contre son blouson roulé en boule. À l'avant, les phares dévoilaient une route pentue et blanche. De gros flocons traversaient le faisceau lumineux, rendant la visibilité difficile. Les essuie-glaces balayaient le pare-brise à toute vitesse. Ilan plaqua son front contre la vitre. Même s'il n'y voyait que des ténèbres, il devinait qu'ils roulaient lentement en pleine montagne. Dans quel endroit perdu les emmenait-on ?

Il se pencha vers l'avant et dit :

— Nous sommes bientôt arrivés ?

Hadès se retourna. Avec la petite lueur de la veilleuse, son visage était particulièrement crayeux. Les rides traversaient son front de part en part. Ilan estima son âge aux alentours de soixante ans, et se demanda comment il en était venu à organiser ce genre de jeu. Qu'est-ce qui le motivait vraiment ? Pour qui travaillait-il ?

— Encore une quarantaine de kilomètres. Depuis que nous avons passé Grenoble, les conditions météo sont effroyables. Les vents soufflent à presque cent kilomètres par heure là-haut, et c'est parti pour durer sur toute la semaine, d'après les spécialistes.

Grenoble… Ils roulaient donc certainement sur les routes des Alpes. Ilan songea à ces romans d'horreur qu'il avalait plus jeune. La tempête, la montagne, les événements bizarres qui filent la frousse jusque sous la couette. Tous les ingrédients étaient réunis, comme des clichés directement surgis de son imagination. Il observa Chloé qui émergeait à son tour. Elle s'étira et se mit au courant de la situation. Très vite, elle se recroquevilla de nouveau contre son blouson, comme si elle était gelée. Ses lèvres étaient d'une couleur particulièrement claire.

Après quelques virages en épingle à cheveux, ils aperçurent soudain les feux arrière d'un véhicule, au loin, et un homme planté au milieu de la route qui faisait de grands signes avec une puissante lampe torche. Sa voiture avait chassé sur le bas-côté et avait probablement percuté le pan de montagne, avant de basculer dans un petit fossé entre la route et la roche.

— Un accident. Manquait plus que ça, souffla Ilan.

Sur ordre d'Hadès, le chauffeur du break se gara doucement et laissa tourner le moteur. L'organisateur remonta le col de son blouson, enfila sa capuche, ses gants et sortit, courbé sous les bourrasques de vent. Il courut jusqu'à l'autre véhicule.

Chloé essaya d'y voir plus clair malgré le rideau de flocons.

— C'est peut-être une voiture qui transporte d'autres participants ?

Un second homme sortit du véhicule et rejoignit le petit groupe dans la lueur des phares.

— Regarde, on dirait qu'il y a encore une troisième personne à l'arrière de la voiture, dit Ilan en se penchant vers l'avant.

Chloé plissa les yeux.

— Merde, t'as vu la plaque fluo dans le dos de l'un des types ? C'est écrit « Police ».

Par réflexe, Ilan crispa ses mains sur le fauteuil, puis se détendit. Les flics n'étaient pas là pour lui, il n'avait tué personne : c'était juste le jeu. À l'extérieur, Hadès semblait discuter ardemment avec les deux individus. Ils le dépassaient d'une tête, faisaient de grands gestes rapides.

— La discussion a l'air houleuse, fit remarquer Chloé. Qu'est-ce qu'ils peuvent bien se raconter ?

— Une histoire drôle ? Genre, quelle est la différence entre un bonhomme de neige et une bonne femme de neige ?

— Et c'est ?

— Deux boules de neige.

— T'as jamais été doué pour l'humour.

Après plusieurs minutes, Hadès revint vers le break en courant. Il s'engouffra à l'arrière, dans la rangée vide entre le chauffeur et les deux invités, et frotta la neige accumulée sur son manteau. Ses lunettes se couvrirent de buée, il dut les ôter et Ilan remarqua à quel point il avait les yeux bleus.

— On a un souci, fit-il en s'adressant à eux ainsi qu'au chauffeur.

— Du genre ?

— Ils ont dérapé et percuté la roche, impossible de sortir leur véhicule du fossé. Nous allons devoir embarquer trois passagers supplémentaires.

— Ils ne peuvent pas appeler des secours ? fit Chloé.

— Avec la tempête de neige et ces montagnes, les communications téléphoniques ne passent pas, ces hommes n'arrivent à joindre personne. Ils se rendent à une trentaine de kilomètres au-delà de l'endroit où nous allons.

Il s'adressa au chauffeur.

— Après nous avoir déposés, vous les emmènerez à bon port, à condition que la route soit praticable tout là-haut. Nous jugerons sur place.

Le chauffeur acquiesça. Dehors, les hommes retournèrent dans leur véhicule. Ils coupèrent les phares puis éteignirent les veilleuses.

— On a vu qu'ils étaient policiers, fit Chloé avec une pointe d'angoisse dans la gorge. Qui transportent-ils ? Un criminel ?

— Probable, oui. Mais n'ayez crainte, il sera menotté. Enfin, je l'espère. Dans tous les cas, ne parlez pas du revolver que j'ai mis dans la boîte à gants ou nous risquons d'avoir des soucis.

Il ressortit en quatrième vitesse. Chloé se rapprocha instinctivement d'Ilan, se serra contre lui.

— On n'a vraiment pas de bol. Un criminel, maintenant.

Le jeune homme fixait la boîte à gants.

— Pas de bol, comme tu dis. Et, comme par hasard, on n'a pas de téléphone. Donc impossible de savoir si Hadès nous dit la vérité sur cette histoire d'absence de réseau téléphonique.

Il prit une grande inspiration, un mince sourire de satisfaction aux lèvres.

— On n'en est pas sortis, Chloé. On est encore dans le jeu.

Il la dévisagea et parla tout bas.

— Tout ça, c'est encore un de leurs coups montés. Ces flics n'en sont pas. Tout comme le type qu'ils vont embarquer ici. Juste des employés, des pions. Tiens, regarde… Bizarrement, ils sont trois. Et combien y a-t-il de sièges libres dans la rangée devant nous ?

Chloé réfléchit quelques secondes.

— Tu vois des coïncidences partout. Et si c'étaient simplement des types qui avaient vraiment eu un accident ? Comment ils auraient pu prévoir qu'il allait y avoir une telle tempête ?

— Ils avaient certainement un autre scénario qui aurait fonctionné sans la neige. Dans tous les cas, ces trois bonshommes seraient montés avec nous. Ce n'est pas toi qui me disais que *Paranoïa* était partout ?

Il écrasa fièrement l'index sur la feuille de papier.

— *Principe numéro 1 : « Quoi qu'il arrive, rien de ce que vous allez vivre n'est la réalité. Il s'agit d'un jeu. »*

Silence dans l'habitacle. Le chauffeur avait coupé la musique et fixait sans bouger la scène qui se déroulait à l'extérieur, l'air inquiet.

— Je ne sais pas, murmura Chloé. Je veux dire, de vrais flics ont très bien pu sortir de la route avec un taré à transférer en prison ou je ne sais où, et se retrouver sans possibilité de joindre quiconque.

Sous la tempête, une grosse ombre noire sortit du véhicule accidenté, serrée entre les deux policiers, dont l'un orientait sa torche dans leur direction.

Ilan plissa les yeux.

— J'ai le sentiment que nous n'allons pas tarder à le savoir.

21

Une grosse bourrasque de neige pénétra dans l'habitacle lorsque la portière coulissa. Ilan se contracta sous son blouson, il était frigorifié en permanence et se demandait si, finalement, il ne couvait pas un virus quelconque.

Très vite, un premier officier de police s'installa juste devant Chloé. Il les salua brièvement et éteignit sa grosse torche aveuglante. Les poils de sa barbe brune étaient quasiment gelés, son visage creusé de ridules semblait coulé dans l'acier. Il se pencha vers le côté et tira leur « prisonnier » vers l'intérieur : mains gantées menottées par-devant, l'individu était vêtu d'une combinaison orange et portait un gros blouson en skaï vert, genre *bomber*. Les flics lui avaient mis une espèce de sac de toile beige sur la tête, comme s'ils l'emmenaient à l'échafaud ou s'apprêtaient à le pendre. L'homme émettait des grognements étouffés et Ilan n'eut aucun doute : sous son sac, il était bâillonné.

Le deuxième policier, un colosse qui devait bien mesurer un mètre quatre-vingt-dix, s'installa à son tour, sans même se retourner vers Ilan et Chloé. Il ôta son bonnet et dévoila un crâne chauve.

— Allons-y, ordonna-t-il au chauffeur.

Le véhicule démarra. Ilan observa avec attention la voiture accidentée sur le bas-côté. Il s'agissait d'une vraie voiture de police, avec la grille qui séparait l'avant de l'arrière et le gyrophare bleu et rouge réglementaire. Hadès avait encore une fois les yeux fixés sur le rétroviseur. Il finit par se tourner vers les flics et demanda :

— Cela vous dérange si je mets un peu de musique classique ? Du Schubert ?

— Allez-y. Ça le détendra. Il n'arrêtait pas de hurler et, comme vous pouvez le constater, nous avons dû prendre quelques dispositions.

Chloé restait dans son coin, calée contre la portière et les bras croisés. La musique arriva et les airs de piano ne détendirent rien du tout. À supposer qu'il ne s'agisse pas du jeu, Ilan se demanda quel genre de crime cet homme pouvait bien avoir commis. Où l'emmenait-on dans ces montagnes ?

D'un coup, sans qu'Ilan s'y attende, le prisonnier se retourna dans sa direction et ne bougea plus. Malgré le sac de toile, le jeune homme eut l'impression d'être transpercé du regard. Le flic au crâne chauve lui donna un coup de coude dans le flanc.

— On se calme Chardon, d'accord ?

L'individu n'émettait plus aucun son, même le coup le laissa de marbre. Il restait immobile et le flic dut faire un effort pour le contraindre à se rasseoir normalement. Ilan se figea soudain. À cause du mouvement du policier, le sac en toile s'était relevé un peu et il remarqua le sillon légèrement coloré à la base du cou. La marque était à peine visible, c'était sans doute l'affaire d'un jour ou deux avant qu'elle disparaisse complètement, mais Ilan était certain qu'il s'agissait du genre de trace qu'aurait pu laisser une tentative de pendaison.

Comme dans son fichu rêve.

Il s'enfonça dans son fauteuil, profondément perturbé. Il ne croyait pas aux prémonitions ni à toutes ces conneries. Mais alors, quelle était l'explication ? Il songea soudain à ses trous de mémoire, ces petits vides qui semblaient ponctuer son existence.

Il ne tenait plus, il fallait qu'il sache, alors il demanda :

— On peut savoir ce que votre prisonnier a fait ?

Le flic de gauche, celui à la barbe gelée, lui adressa un regard en coin.

— Ce qu'il a fait ? Ce charmant individu a massacré huit personnes dans un refuge de montagne, l'année dernière, à trois jours de Noël. Trois femmes et cinq hommes qui ont eu le malheur de se trouver à ses côtés au mauvais moment.

Il se retourna complètement, une main agrippant la banquette.

— On a dénombré en tout quatre-vingt-sept coups de tournevis sur les corps. Quatre-vingt-sept, vous imaginez ? Personne n'a été épargné. Ils n'avaient aucune chance, parce qu'ils dormaient. Le pire, c'est que des experts psychiatriques ont estimé qu'il n'était pas responsable. Mais nous, on sait qu'il a eu parfaitement conscience de ses actes. Qu'il simule la folie, l'oubli, pour échapper à la prison à perpétuité. Un jour, il sortira de l'hôpital psychiatrique où on l'emmène et il recommencera, j'en mettrais ma main au feu.

Il donna une petite claque sur le sac en toile.

— Hein, Chardon ? T'es l'enfoiré le plus intelligent et pervers que je connaisse. On te ramène à la maison, chez les fous.

Ilan encaissa la nouvelle, il avait l'impression de sombrer dans les abysses de la folie. Le tournevis, à présent, qui avait servi d'arme à un octuple meurtre. Ce ne pouvait pas être le hasard, ces flics et cet homme au visage caché étaient forcément des complices de *Paranoïa* et ils cherchaient à lui embrouiller l'esprit.

Et pourtant, Ilan avait l'impression du contraire. Le prisonnier lui glaçait le sang et il avait remarqué le regard d'Hadès, dans le rétroviseur. L'homme semblait avoir peur de quelque chose. Était-ce l'uniforme qui l'effrayait ? Le fait que les flics puissent mettre leur nez dans ses affaires ?

— Et le drame a eu lieu ici, dans les Alpes ? chercha à savoir Ilan.

— Vous posez beaucoup de questions, répliqua l'autre flic. Qu'est-ce qui nous vaut tant d'intérêt ?

— Curiosité morbide.

— Gardez-la pour vous.

Ils se turent. Ilan préféra ne pas en rajouter et appuya la tête contre la vitre. Il y voyait le reflet de cet étrange prisonnier, bâillonné, rendu aveugle comme un esclave. Les policiers avaient-ils cherché à cacher la marque de pendaison à l'aide du sac ?

Ou était-ce encore les pages de l'un des scénarios diaboliques de *Paranoïa* ?

Impossible de savoir pour le moment.

Très vite, ses yeux se troublèrent et une image se superposa au reflet du prisonnier sur la vitre : cette femme de la rue de Rennes, Annie Beaucourt, plantée avec le tournevis orange dans le dos. Ilan plissa les yeux, le cadavre se tenait toujours là, sauf qu'il était étendu dans la neige. Et le jeune homme se vit, une fraction de seconde, tenir ce tournevis et l'enfoncer de toutes ses forces. Il entendit même le bruit du métal contre les omoplates.

Dans un sursaut, il plaqua sa main sur la vitre et tout s'évanouit instantanément. Il se tourna vers Chloé, encore tout chamboulé, faillit lui demander si elle avait vu ce reflet elle aussi, mais se retint.

C'était juste dans sa tête. Encore et toujours sa tête. *Mais tellement réel.*

Après une demi-heure d'un trajet apocalyptique, le véhicule se trouvait au milieu de nulle part. Il avait quitté la route principale pour s'enfoncer dans une voie plus petite, le long d'une grande étendue noirâtre qui devait être un lac. La couche de neige avoisinait les vingt centimètres. Des lumières apparurent, au loin, comme accrochées à la montagne. Après le passage d'un pont, au ralenti à cause des congères, les formes se précisèrent : de longues structures s'étendaient au bord de la roche, un peu en altitude. La voiture peina à grimper la pente mais les chaînes autour des pneus mordirent la neige avec efficacité. Le flic au crâne chauve se frotta les mains l'une contre l'autre, l'air grave, et se tourna vers Chloé :

— Et vous êtes vraiment volontaires pour vous enfermer là-dedans ?

Elle acquiesça en silence.

— C'est très curieux, poursuivit le flic. Parce que les huit qui se sont fait massacrer, ils participaient aussi à un jeu organisé.

— Quel genre de jeu ? demanda Ilan, qui ne savait plus quoi penser.

Hadès s'empressa de tendre des papiers aux flics pour couper court à la conversation.

— Regardez, nous disposons évidemment des auto-risations du gouvernement français pour occuper les

160

lieux durant cette période. Il s'agit d'un endroit très utilisé par le cinéma, pour les tournages de films à ambiance.

Les deux hommes parcoururent les papiers à la lumière des veilleuses. Ilan tenta d'y voir quelque chose, sans succès. Les policiers rendirent les imprimés. Chloé, dans son coin, ne réagissait pas. Ses yeux fixaient une grande grille noire apparue dans la lueur des phares et envahie par une végétation à l'agonie.

Ilan se recroquevilla sur lui-même quand il vit également l'enseigne branlante aux lettres à demi effacées, et qui se balançait furieusement au bout d'une chaîne.

Elle indiquait : « Complexe psychiatrique de Swanessong ».

22

Le col de son imperméable relevé, le chauffeur sortit, poussa les vantaux qui s'étaient rabattus à cause du vent et revint en courant. La voiture s'engagea alors dans l'enceinte qui paraissait gigantesque, longea des bâtiments aux vitres brisées, dont la hauteur se perdait dans la nuit.

Ilan était tétanisé, Chloé n'en menait pas large non plus. Un hôpital psychiatrique désaffecté. Les éléments de son cauchemar se matérialisaient devant lui, mélangés, désordonnés. C'était dément, improbable.

Et pourtant réel.

Même sans les terribles coïncidences du mauvais rêve, les organisateurs n'auraient pas pu choisir un endroit plus malsain et lugubre. Du béton, des grilles, de la folie, perdus au milieu de nulle part. Et les conditions météo extrêmes ne faisaient qu'amplifier le sentiment d'isolement qui les écrasait déjà.

Entre les flics, le prisonnier ne bougeait pas, mais il respirait bruyamment par le nez. Ilan essayait de lui imaginer un visage. Quel regard avait-on lorsqu'on avait massacré huit personnes ? Pouvait-on lire l'horreur de ses crimes au fond de ses yeux ? La folie revêtait-elle un visage particulier ?

Le véhicule s'arrêta enfin à côté de quatre autres voitures, devant un immense bâtiment de plusieurs étages dont on devinait les arêtes et les toits en pointe. Hadès eut un soupir de soulagement.

— Nous sommes enfin arrivés.

Il donna ses instructions au chauffeur, qui devait décharger les dossiers des candidats et le matériel rangé dans le coffre. Ilan comprit qu'il ne voulait pas ouvrir la boîte à gants à cause du revolver. Il salua les flics d'un mouvement de tête.

— Bonne fin de voyage.

— Ouais, il est temps que ça se termine, grogna le policier assis à gauche.

Hadès sortit et vint faire coulisser la portière. Ilan mit le pied dehors, suivi de Chloé. Ses muscles étaient douloureux, raides. Le froid les cueillit instantanément, les flocons leur fouettèrent le visage. Ilan releva sa capuche et appuya le regard sur le prisonnier immobile, dont l'ombre finit par disparaître au fur et à mesure que le véhicule s'éloignait au ralenti.

Il lutta contre le vent pour rejoindre Hadès et Chloé jusqu'à l'entrée du mastodonte.

— Ils vous ont dit où ils allaient ? demanda-t-il en soufflant dans ses mains.

— Oui. Dans une Unité pour Malades Difficiles, un endroit où l'on enferme les personnes extrêmement dangereuses. C'est à une trentaine de kilomètres d'ici, elle est située juste à la frontière franco-suisse et elle est le prolongement de cet institut. Ici, les fous. Là-bas, les fous furieux meurtriers. Destinée à fermer très bientôt, elle aussi, faute de moyens et non pas faute de fous.

Ils entrèrent dans un sas et se retrouvèrent devant une autre porte en bois, haute comme deux hommes.

Ilan remarqua de nombreuses traces de pas fraîches et humides sur le sol, ce qui le rassura un peu : ils n'étaient pas seuls.

— Le problème est qu'ils vont avoir le sommet du col à franchir, et, pour être déjà passé par là, je ne suis pas certain que ce soit praticable avec ce temps, même avec les chaînes aux pneus.

— Et dans ce cas, ils reviendront ici, c'est ça ?

— Avons-nous d'autre choix ?

Ilan et Chloé échangèrent un regard convenu sans qu'Hadès s'en aperçoive : probable que c'était prévu, monté de toutes pièces. Ces flics allaient finir par revenir avec leur prisonnier. Et Dieu seul savait ce qui risquait de se passer.

Il continuait à parler :

— Nous nous trouvons dans ce qui fut l'un des plus anciens centres psychiatriques de France. Situé au cœur des Alpes, l'ensemble du complexe s'étend sur plusieurs dizaines d'hectares et accueillait toutes sortes de malades mentaux, des plus légers aux plus atteints. Pour information, la première trace de civilisation, en dehors de l'UMD, est à trente kilomètres.

— Swanessong, fit Chloé. Réputé pour avoir été l'un des premiers centres à appliquer la leucotomie frontale transorbitaire, dans les années quarante.

— Tu peux être plus claire ? fit Ilan.

— La méthode du pic à glace dans le lobe orbitaire en passant par le coin de l'œil pour te transformer en légume.

— C'est très rassurant.

Hadès reprit la parole :

— Nous évoluerons dans le plus vaste des pavillons, celui où les patients entraient mais ne sortaient jamais. Il y a une île, un peu plus bas sur le lac, qui appartenait au tout premier directeur de l'établissement. La légende dit que depuis la maison du directeur, lorsque les vents étaient favorables, on entendait des cris épouvantables sans parvenir à discerner s'il s'agissait d'êtres humains ou d'animaux.

— Vraiment sympathique.

Ilan savait que Chloé cherchait à faire bonne figure, à ne pas se laisser impressionner. Psychologiquement, elle était déjà dans la compétition depuis longtemps. Hadès poussa l'autre lourde porte, qui s'ouvrit péniblement. Le bois humide avait gonflé et frottait contre le sol.

— Ilan Dedisset, Chloé Sanders, bienvenue sur votre futur terrain de jeu.

23

L'endroit, éclairé au néon, était effroyable et glacial. À gauche, à droite, en face, des couloirs carrelés de noir et de blanc s'étiraient si loin qu'on peinait à en voir le bout. La peinture s'écaillait sur les murs, des flaques d'humidité auréolaient des plafonds d'une hauteur effroyable. Un vitrail ovale perçait la structure, des escaliers menaient aux étages supérieurs et inférieurs, mais l'accès était bloqué par de grosses grilles vertes, tout comme les fenêtres. Chloé et Ilan avancèrent aux côtés d'Hadès, emmitouflés dans leurs gros manteaux.

— Je ne vous en dis pas plus pour le moment. Je vous emmène chacun dans votre chambre et vous ferai un petit speech juste après, à tous les huit en même temps et par micros interposés.

— Où sont les autres ? demanda Ilan. Les joueurs, leurs accompagnateurs ?

— Ils ont déjà pris leurs quartiers. Ne vous inquiétez pas.

— Si, justement, je m'inquiète. Vous n'avez pas l'impression qu'on va mourir de froid ?

— J'ai fait installer des chauffages électriques dans les différents lieux de vie. Toute l'électricité fonctionne mais il y a un problème de fioul – le camion censé nous livrer est incapable de prendre la route à cause des conditions météo. Malheureusement, j'ai peur que le ravitaillement ne tarde un peu. Il faudra faire avec.

Ilan regarda Chloé, il avait envie de serrer sa main dans la sienne, de prendre de sa chaleur, de se rassurer à son contact. Leurs précédentes chasses au trésor les avaient déjà menés dans des endroits originaux, parfois effrayants, mais celui-ci remportait la palme du lugubre.

Ils tournèrent encore à droite, puis à gauche. Des escaliers condamnés par des grilles partaient régulièrement vers les étages. Ils passèrent devant de vieux écriteaux placardés sur les murs, indiquant des directions : « Théâtre », « Cantine ». L'endroit était immense, labyrinthique, et ne semblait pas avoir de limites. Ilan imagina également des sous-sol, des lieux d'intendance comme les cuisines, les laveries, voire les archives, avec toute la tuyauterie, les kilomètres de câbles électriques, les pièces sombres et secrètes.

Il fallait l'admettre : cet hôpital abandonné était l'endroit idéal pour une chasse au trésor d'exception.

— Il y a des caméras, constata Chloé.

Hadès acquiesça. De la condensation se dégageait de leurs bouches, à tous, dès qu'ils parlaient.

— Évidemment. L'ensemble du bâtiment est équipé de soixante-quatre caméras placées à des points stratégiques. Cela me permettra de suivre la progression de chacun d'entre vous depuis un gigantesque panneau de contrôle. Mais elles sont aussi là pour une autre raison.

Il les emmena un peu plus loin. Au fond d'un couloir, enfoncée dans le mur, se trouvait une grande vitre derrière laquelle reposaient des liasses et des liasses de billets. Ilan se rappelait un jeu programmé à la télé tout récemment, où les candidats voyaient la somme qu'ils pouvaient gagner sans la toucher. Une serrure incrustée dans un cadre en acier permettait probablement d'ouvrir le coffre.

— Voici les trois cent mille euros. La vitre est quasi incassable mais vous comprenez pourquoi nous tenons à garder le lieu de notre partie secret.

Les yeux de Chloé pétillaient. C'était impressionnant de voir tant de billets.

— Autant de moyens et d'argent pour un jeu, dit-elle. Nous sommes tous des anonymes, et personne sur cette planète ne donne de l'argent sans raison. Qui finance, et pourquoi ? Il y a forcément une motivation.

Hadès ne répondit qu'après quelques secondes de réflexion :

— Vous le découvrirez si vous allez au bout. En tout cas, j'espère que cette somme vous stimulera chaque heure de chaque journée.

— Vous n'avez pas vraiment répondu à la question. Vous savez rester mystérieux.

— Il le faut quand on a mon rôle.

Ils firent demi-tour. Après quelques minutes de marche, ils arrivèrent dans un endroit un peu moins délabré qui avait dû être un espace de vie pour les malades. Sur la gauche, des douches communes apparemment rénovées, des toilettes propres, puis ce qui ressemblait à une grande cuisine équipée, quasiment neuve. Plus au fond, vers la droite, un ensemble de portes. Virgile Hadès ouvrit l'une d'elles et fit place à Ilan.

— Vous êtes dans une partie que nous avons entièrement aménagée pour un confort que nous espérons optimal. Voici votre chambre. Je vous invite à y entrer pour attendre les explications que je vous donnerai d'ici quelques minutes par l'intermédiaire d'un haut-parleur.

— Moi qui m'attendais à un grand accueil chaleureux avant la partie, dit Ilan, avec de la musique joyeuse et des bouteilles de champagne, histoire de bien nous mettre dans l'ambiance. Où sont les pom-pom girls ?

Ilan se présenta sur le seuil. C'était horriblement spartiate. Un simple lit, une table avec un plateau-repas dont le contenu fumait encore, quatre murs, une fenêtre protégée par une grille et des toilettes dans un renfoncement. Le jeune homme aperçut le haut-parleur dans un coin et fixa la porte, côté intérieur. Il releva des yeux sombres vers Hadès.

— Pas de poignée, de nouveau. Comment sort-on d'ici si vous fermez la porte ?

— Vous avez trouvé la première fois. Cette fois encore, vous y arriverez, j'en suis persuadé.

— Et Chloé ?

— Sa chambre sera à quelques mètres de la vôtre. Je l'y accompagne.

— J'aimerais lui parler une minute seul à seule, si vous le permettez.

— Naturellement.

Hadès s'éloigna. Ilan tira Chloé à l'intérieur de sa chambre. Le chauffage électrique, installé au pied du lit, diffusait une chaleur vraiment bienvenue.

— Tu te rappelles, le matin où tu es venue chez moi pour me parler de *Paranoïa* ? J'avais fait un cauchemar horrible, juste avant que tu m'appelles. Depuis tout ce temps, il n'arrête pas d'y avoir des coïncidences troublantes entre la réalité et ce cauchemar.

— Ilan… Ce n'est peut-être pas le moment.

— Si, justement, parce qu'on est en plein dedans. Le prisonnier accompagné par les deux flics, il avait une marque autour du cou, comme celle laissée par une trace de pendaison. Eh bien dans mon rêve, un type avec une taie d'oreiller sur la tête se pendait aux barreaux d'un lit. (Il désigna le lit.) Des barreaux comme ceux-ci. Et devine dans quel endroit ?

Elle haussa les épaules.

— Dans une chambre d'hôpital psychiatrique ! Même si elle était un peu différente de celle-ci, avoue que c'est complètement dément. Comment tu peux expliquer une chose pareille ?

— Pour la marque autour du cou, tu es sûr ? Je n'ai rien vu. Comme tu dis, le prisonnier avait un sac de toile sur la tête. Tu peux très bien avoir…

— Imaginé, c'est ça ?

Chloé soupira et dit :

— Le cerveau est en perpétuelle restructuration, il arrive dans certaines situations de stress que l'esprit modèle les souvenirs pour qu'ils collent à la réalité et t'y fasse croire dur comme fer. Je l'ai vécu avec les croix mortuaires. Tu as traversé beaucoup d'épreuves ces derniers jours, un mélange éprouvant de fiction et de réalité. Tout cela a dû embrouiller ton esprit. Le souvenir que tu as de ton rêve évolue peut-être au fil du temps, en intégrant naturellement les éléments qui t'entourent.

— Non. Tout est vrai. Je…

— Tout est vrai ? Tu parles d'un rêve, Ilan, quelque chose qui ne s'est passé que dans ta tête. Tu as bien conscience de ça, j'espère ?

— J'en ai conscience.

— Ce cauchemar, tu n'en as parlé à personne ?

— Non.

— Alors, comment peux-tu seulement imaginer qu'il y ait un rapport avec ce qui se passe ici ? Si tu penses que le souvenir de ton rêve est exact, ce dont je doute franchement, alors on va mettre ça sur le compte des coïncidences troublantes, d'accord ? À moins que tu n'aies une autre explication ?

Ilan ne répondit pas. Il savait qu'il ne se trompait pas mais n'avait aucune réponse cohérente.

— On se voit plus tard, ajouta-t-elle. Mais ne flippe pas, d'accord ? Il va falloir que tu sois au top. On est dans Swanessong. Cet hôpital est une véritable légende, j'aurais donné beaucoup pour le visiter un jour. Toute l'histoire de la folie et de la psychiatrie, depuis la fin du dix-neuvième siècle, est condensée ici, entre ces murs abandonnés. Cet hôpital est entièrement à nous, c'est une chance inespérée.

Il lui attrapa la main, toujours aussi glaciale. Il la fixa tendrement.

— Quand je suis allé chez toi et que j'ai vu ton appartement vide, j'ai cru que tu étais avec eux. J'ai cru que tu m'avais trahi et entraîné dans une spirale infernale, pour je ne sais quelle raison. Je suis désolé d'avoir pensé une chose pareille.

Elle lui sourit.

— C'est tout pardonné. Tu n'étais pas vraiment dans ton état normal.

— Un dernier truc… C'est par rapport au prisonnier. Ce qu'ont dit les flics, sur ces huit joueurs assassinés, tu ne trouves pas ça étrange ? Eux aussi, participaient à une compétition. Ils étaient huit, comme nous. Et c'était en décembre également.

— C'est trop gros, justement. Je crois qu'ils étaient surtout là pour nous faire flipper. Tu avais raison : ces policiers font sans aucun doute partie du jeu et on doit s'attendre à les revoir, à un moment ou à un autre. Bonne chance pour demain.

Après qu'elle fut sortie, Hadès posa la main sur la poignée extérieure.

— Petit speech dans quelques minutes. Sinon, on se

voit demain matin. Reposez-vous bien cette nuit, vous aurez besoin de tous vos esprits pour la partie.

Il ferma. Sans poignée, Ilan ne pouvait plus sortir pour le moment. Et cette fois, le système de fermeture n'était pas comme dans la salle d'expérimentation. Il s'agissait juste d'une serrure.

Ilan l'ausculta et eut soudain une idée : il sortit de sa poche la clé qu'il avait trouvée chez la fausse flic et essaya de la glisser dans la serrure, en vain. Il se dit qu'elle devrait forcément lui servir, à un moment donné.

Il défit la chaîne en argent autour de son cou et y glissa la clé, avant de la remettre en place.

Troublé, il fit le tour de la pièce. À côté du lit, il y avait une petite commode sur laquelle reposait un réveil à quartz et des stylos. Ilan ouvrit le tiroir et découvrit quatre cartes : des huit d'un jeu de tarot divinatoire.

Il se laissa choir sur le lit, stupéfait. Dans son cauchemar, il y avait aussi un jeu de tarot. Ce personnage avec la taie d'oreiller sur la tête avait même retourné la lame représentant le Pendu.

Il dut admettre l'improbable : ou son esprit inventait complètement, au fil des minutes, ou il avait fait un véritable rêve prémonitoire. Il leva les yeux au plafond et fut à demi rassuré lorsqu'il vit le néon et non pas une ampoule protégée par une petite grille comme dans le cauchemar.

Ses yeux se plantèrent sur l'armoire, en face de lui. Il se redressa et entreprit de jeter un œil à l'intérieur. Il y avait du savon, des produits pour la toilette, une brosse à dents neuve, des serviettes, des sous-vêtements blancs en coton et un tas de tenues toutes identiques : des pulls à col roulé en laine, des pantalons ainsi que des surchemises bleus. Ilan en retira une de son cintre.

Il s'agissait à l'évidence de vêtements dont on habillait les patients, les malades mentaux.

24

Ilan jeta un œil à son plateau-repas. Il laissa le plat principal – du porc et de la purée – et mangea la crème brûlée devant la fenêtre grillagée donnant sur l'extérieur. Il ne distingua que la nuit noire et les flocons qui venaient s'écraser sur la vitre. Il resta là en songeant aux candidats qui patientaient aussi dans les autres pièces. Quelles épreuves avaient-ils subies pour arriver jusqu'ici ? Il imagina leur état de tension, leur excitation. Il y avait une sacrée somme à la clé. Naomie Fée faisait-elle partie de la sélection ? Hadès avait parlé d'une candidate arrivée dans la matinée. Au fond de lui-même, il espéra que c'était cette garce. La compétition n'en serait que meilleure.

Au moment où il finissait son dessert, la petite enceinte crépita.

— Bonsoir à tous, ici Virgile Hadès. Tout d'abord, félicitations. Vous êtes la crème des chasseurs de trésor. Des joueurs acharnés, intelligents, qui chercheront à aller jusqu'au bout, j'en suis certain. Comme vous avez pu le constater, *Paranoïa* dispose de plusieurs strates de sélection, vous les avez franchies avec succès, et vous voici à présent aux frontières du jeu pour une course à trois cent mille euros minimum. Cet hôpital est votre aire de jeu. Ses moindres recoins, ses salles les plus reculées vous appartiennent le temps de la partie. Il a été construit en 1870, sa structure est admirable. Vu du ciel, il ressemble à une chauve-souris géante aux ailes déployées. Il a été abandonné depuis plus de cinq ans et accueillait des adultes des deux sexes. Les femmes se trouvaient dans une aile, et les hommes dans l'autre. Chaque aile était divisée en quatre zones, de A à D. Une zone à chaque étage. L'aile D, au troisième, accueillait les cas extrêmes : psychotiques, déments, hystériques, schizophrènes. Vous vous situez dans la zone A de l'aile des hommes, qu'on appelait « la dure-mère », allez savoir pourquoi. En sous-sol, la structure possède également de nombreux tunnels, dont je crois que personne, en ce bas monde, ne connaît le réseau exact, tant il est vaste. Leur existence demeure un mystère...

De mieux en mieux. Tu le fais exprès, vieux schnock.

— ... En montagne, dans des conditions climatiques souvent rigoureuses, la dégradation est accélérée. Aussi certaines pièces sont-elles déjà délabrées, rongées par l'humidité et envahies par la moisissure mais, globalement, votre aire de jeu est encore dans un état acceptable. Je vous invite à prendre connaissance des quelques informations que vous trouverez dans une enveloppe au fond de l'armoire. Elles vous présenteront les premiers éléments, essentiels pour votre partie.

Ilan se dirigea de nouveau vers le placard.

— Concernant la logistique, vous disposez d'une cuisine avec de grands réfrigérateurs et congélateurs. Vous avez à votre disposition de nombreuses douches hommes et femmes, des sanitaires propres, en plus de ceux dans votre chambre, et une armoire à pharmacie dans la salle des douches, en cas de petite blessure ou

174

de coup de fatigue. À vous de vous organiser, vous y parviendrez sans problème, vous avez l'habitude, n'est-ce pas ? Vous avez tous participé aux plus grandes chasses, mais celle-ci est exceptionnelle…

Il y avait bien une enveloppe, plaquée contre le fond de l'armoire. Ilan s'en empara et l'ouvrit.

— … Rendez-vous demain, à 9 heures, dans le grand hall d'entrée. Nous comptons sur vous pour trouver le moyen de sortir de votre chambre, mais ne le faites pas avant 7 h 30, demain matin, car nous avons encore quelques détails à régler et un petit incident arrivé aujourd'hui en route m'a donné quelques idées supplémentaires particulièrement excitantes, que je vais essayer de mettre en place durant la nuit…

Ilan pensa à leur aventure avec le prisonnier. Était-ce ce à quoi Hadès faisait allusion ?

— … Vous aurez une heure trente pour vous doucher et déjeuner. Vous ferez aussi connaissance. Je vous demanderai de porter les vêtements qui vous ont été fournis et de ne pas essayer de sortir en dehors de notre « chauve-souris », à aucun moment. D'une part parce que vous pourriez vous retrouver dans l'ancien cimetière, situé juste derrière l'édifice. Et d'autre part, vu la somme d'argent conservée entre ces murs, des chiens dressés montent la garde autour de l'enceinte du complexe. Je vous souhaite une bonne nuit. Et n'oubliez pas : *Pour 300 000 euros, oserez-vous défier vos peurs les plus intimes ?*

Quelques crépitements, puis plus rien.

Enveloppe en main, Ilan ausculta avec attention les recoins de la pièce, s'assurant qu'il n'y avait pas de caméras ou de micros. Puis il jeta un œil aux cartes à jouer, buvant un peu d'eau. Pourquoi quatre cartes ?

Pourquoi des huit ? Il réfléchit, sans comprendre pour le moment.

Il s'attarda alors sur le contenu de l'enveloppe : il y avait deux feuilles. L'une, très grande, représentait un plan en deux dimensions, qui semblait décrire une partie de l'intérieur de l'hôpital. Ilan la déplia complètement, à plat sur le lit.

L'hôpital avait effectivement la forme d'une chauve-souris aux ailes parfaitement symétriques s'étendant de part et d'autre du centre. Des couloirs partaient dans toutes les directions, les pièces de toutes tailles s'enchaînaient. Un véritable labyrinthe. Ilan identifia rapidement l'entrée. De l'index, il chercha l'endroit où se trouvaient les chambres. Il était inscrit, en petit : « Chambres des candidats », « Cuisine », « Douches ». Il repéra également le lieu où reposaient les billets derrière leur vitre, ainsi que d'autres emplacements qui lui glacèrent le sang : « Aile des déments », « Chirurgie », « Soins ». Entre autres. Mais la plupart des couloirs ou des pièces n'étaient pas légendés.

Ilan reposa le plan dans un frisson et s'intéressa à l'autre feuille, un texte tapé à l'ordinateur.

« *Cher candidat,*

Comme vous pouvez le constater, vous disposez d'un plan succinct, simplifié, qui représente l'ensemble des pièces et couloirs accessibles pour le moment. Cet immense hôpital est évidemment bien plus complexe et vaste que ce que vous voyez là. Votre véritable terrain de jeu sera destiné à s'agrandir, au fil des heures, entre le sous-sol et les trois étages supérieurs. À vous d'en bâtir le plan définitif.

Il comprend des portes, des grilles, des accès verrouillés, un peu partout. Certaines issues sont définiti-

vement condamnées, d'autres pourront être ouvertes à l'aide de clés, vous faire progresser dans ce gigantesque dédale et vous mener vers des étapes supérieures.

Comment allez-vous obtenir ces clés ? Dès demain, vous allez ouvrir une première enveloppe qui contiendra un objectif à remplir et une clé. La clé permettra de déverrouiller une issue qui vous mènera vers une autre enveloppe identique à la première : autre objectif, autre clé. Et ainsi de suite.

Dans chaque nouvelle pièce, chaque recoin, vous pourrez peut-être trouver de petits cygnes noirs. Ces cygnes ne sont la propriété de personne. Le premier qui en trouve un est autorisé à le garder. Et prenez soin de bien les cacher pour éviter les tentations ou les vols que nous ne sanctionnerons pas : ils font partie du jeu, à vous d'être vigilant et de protéger vos trésors.

Plus vous remplirez vos objectifs rapidement, plus vite vous obtiendrez vos cygnes et aurez de chance de découvrir l'ultime clé, cachée quelque part dans le complexe, qui vous permettra de déverrouiller le coffre avec le pactole de 300 000 euros. Il sera nécessaire de posséder au moins dix cygnes noirs pour accéder à cette ultime clé. De plus, chaque cygne découvert vous apportera une prime de 10 000 euros. Au final, vous pourrez gagner plus de 400 000 euros. De quoi vivre un rêve éveillé.

Quelques informations essentielles :

– le jeu se déroule de 9 heures à 19 heures. Une sonnerie marquera ces limites. Il est interdit de démarrer avant. Dès l'heure de fin, vous devrez cesser toute progression. En dehors de ces horaires, vous êtes libres de voyager dans les pièces et couloirs, d'y réfléchir, mais sachez que toutes les lumières de l'hôpital, *à part celles de vos chambres, des douches et de la cuisine, s'éteindront à 20 heures. Aussi est-il déconseillé de traîner dans les couloirs aux alentours de cette heure-là, car le noir est absolu et vous peineriez à retrouver votre chambre. Passer une nuit complète, seul, dans ces couloirs glacés, n'est pas ce qu'il y a de plus réjouissant, croyez-moi ;*

– ne jamais révéler à quiconque quels sont ses objectifs. Toute allusion, maladresse, sur votre mission, entraînera une élimination. Nous sommes partout et nulle part, soyez sûr que nous finirons par savoir si vous avez respecté cette règle ou pas ;

– vous ne pourrez passer à l'étape suivante, c'est-à-dire chercher quelle issue ouvre votre prochaine clé, qu'en ayant rempli votre objectif en cours. Là aussi, tout manquement à la règle entraînera une élimination sans appel ;

– ne pas remplir ou refuser un objectif impliquera une pénalité d'une journée : vous ne pourrez passer à la phase suivante que le lendemain, 9 heures. Autant dire que cela représente un grand handicap pour la course à la victoire.

Bonne chance.

Virgile Hadès »

Ilan relut la lettre plusieurs fois. Il était à moitié satisfait et la peur s'estompait un peu : l'aventure prenait la tournure d'une véritable chasse au trésor, avec ses règles et ses différentes étapes. Restait à découvrir la réelle nature des objectifs.

Il se déshabilla, régla son réveil sur 7 heures et se mit à réfléchir au moyen de sortir de cette chambre, histoire de gagner du temps. La porte était solide, avec un renfort métallique. Impossible de la forcer. Il ausculta la serrure et commença à fouiller les recoins de la petite pièce. Il y avait forcément une clé cachée quelque part. Il vérifia partout : sous les meubles, à l'intérieur de la chasse d'eau, derrière le haut-parleur. Après une heure et demie de recherche, ce fut dans la doublure de l'un des pantalons accrochés dans la penderie qu'il la découvrit enfin.

Soulagé, il la glissa dans la serrure et vérifia que la porte s'ouvrait. Bingo.

Ilan passa la tête dans le couloir. Il sentit la chaleur des chauffages électriques lutter contre le froid de l'immense structure dans un courant d'air. Sur la droite, des flaques de lumière glissaient sous différentes portes, un peu plus loin. Ilan se dit qu'il occupait la toute première chambre du couloir. Il regarda sur la gauche, par où ils étaient arrivés : noir absolu, juste une grande bouche d'ombre qui semblait s'ouvrir sur lui.

Il rabattit rapidement la porte et ferma à clé, parcouru d'un frisson.

Il vérifia son lit. Draps propres, et ça sentait bon. Il s'allongea, les mains derrière la tête. Des chiens erraient à l'extérieur et, rien qu'à cette pensée, Ilan se crispa. Il n'était donc pas question de mettre le nez dehors.

Ilan songea à ces couloirs qu'ils avaient traversés et à la structure du bâtiment. Quel endroit effroyable. Des malades mentaux avaient vécu entre ces murs, d'autres étaient enterrés dehors, dans un cimetière. Des êtres humains dont le cerveau avait un jour déraillé et qui s'étaient retrouvés parqués comme des pestiférés, bien loin d'une société qui préférait les ignorer. Ces êtres à part avaient-ils compris la raison de leur présence dans cet hôpital ? S'étaient-ils crus normaux ou avaient-ils été conscients de leur folie ?

Ilan se recroquevilla sur le côté, soudain mal à l'aise. Il pouvait arriver n'importe quoi, qui l'entendrait hurler ici ? Qui était au courant de leur présence dans ces lieux horribles ? Les deux flics ? Et s'ils étaient vraiment complices, eux aussi ? Avaient-ils réussi à franchir le col ou étaient-ils finalement revenus dans l'enceinte ?

Ilan frissonna. Il éteignit la lumière et se glissa sous la couverture. Le silence était complet, mais parfois le bois craquait, comme dans un vieux navire. La tempête sévissait contre la fenêtre. D'autres bruits arrivaient, de temps en temps. Des écoulements gargouillant dans des tuyauteries, des claquements bizarres de ferraille... Ilan ralluma, se leva et tira la commode jusqu'à la porte. Elle n'empêcherait pas quelqu'un d'entrer mais, au moins, il se réveillerait à la moindre intrusion. Mieux valait rester prudent, il n'oubliait pas que ce fichu jeu était censé lui fiche la trouille de sa vie. Cette fois, il ne se laisserait plus avoir, quoi qu'il arrive. Il fallait absolument garder en tête qu'il s'agissait juste de fiction. De mensonge.

Lorsqu'il passa la main sous son oreiller, il sentit une feuille de papier.

Il ralluma et lut :

« *Principe numéro 2 : L'un d'entre vous va mourir.* »

25

Jour 1

La nuit lui avait paru interminable.

Ilan avait eu l'impression étrange que le temps s'était dilaté, que les aiguilles sur son réveil avaient décéléré, comme si le bâtiment tout entier avait basculé dans une dimension plus lente. Toute la nuit il avait songé au tableau de Dalí, *Les Montres molles*, l'une de ses œuvres préférées. Pour le peintre, il s'agissait d'un mélange de souvenirs de voyages en France – les camemberts – et d'une façon d'exposer sa hantise de la mort.

L'un d'entre vous va mourir.

Aussi, dès qu'il entendit les premiers bruits d'activité humaine dans le couloir, Ilan ressentit-il un immense soulagement. Comment interpréter la sentence effroyable qu'il avait trouvée sous son oreiller ? Si les organisateurs avaient décidé de plomber l'ambiance dès leur arrivée et de semer de nouveau le trouble, ils avaient réussi.

D'abord, il lui fallait une bonne douche bien chaude. Ilan décrocha l'une de ces horribles tenues bleues de patient, un pull à col roulé anthracite, une serviette, et prit du savon. Malgré la diversité des produits, il n'y avait rien pour se raser. Il sortit de sa chambre et affronta le courant d'air dans un frisson.

Les néons crachaient une lumière blanche, crue, qui agressait la rétine. Les douches se trouvaient sur la gauche. De grandes cabines individuelles, en bon état, étaient plantées dans un coin d'une véritable salle d'eau d'époque : carrelages abîmés, tuyauteries rampantes, trous dans le plafond. S'étalaient, le long des murs, d'antiques baignoires crasseuses avec des sangles de contention et des cadrans à boutons. Elles étaient profondes, sur pieds, et une espèce de gouvernail métallique, protégé par une petite grille, indiquait « glacé/froid/tiède/chaud/brûlant ». Ilan s'imagina là-dedans, sanglé comme une bête. Même dans ce lieu d'intimité, de purification, on avait privé les patients de leur liberté.

Il prit sa douche rapidement et se vêtit dans la cabine. Sous-vêtements blancs standards, pantalon bleu ciel en coton, le fameux pull, et large surchemise à boutonner. Il replia un peu ses manches, enfila les baskets fournies qui lui allaient à la perfection, sortit et s'observa dans un miroir neuf accroché au mur, au-dessus de lavabos récents eux aussi. Pas de quoi participer à un défilé de haute-couture. Une vraie dégaine de malade mental. Ilan ébouriffa ses cheveux et poussa un grognement, tordant la bouche comme un fou furieux.

— Pas mal, ton imitation. C'est bien une imitation, j'espère ?

Ilan sursauta. La main d'un homme brun, encore vêtu de ses propres habits, se tendit vers lui. L'individu devait être un peu plus âgé et était légèrement plus grand. Ils se serrèrent la main. Celle de l'homme était glaciale.

— Frédéric Jablowski. Appelle-moi Fred.

— Ilan Dedisset. Tu peux m'appeler... Ilan.

— C'est la tenue qu'ils t'ont refilée ?

— L'une des tenues toutes identiques, tu veux dire. T'as la même chose ?

— On ne peut pas dire ça, non. Mais le bleu dentiste, ça te va plutôt bien, *beauté*.

Il hocha le menton vers une cabine.

— L'eau est bonne ? Parce que, c'est pas pour dire, mais j'ai l'impression qu'on va se les geler sévère.

— Elle est parfaite.

— On se voit tout à l'heure.

Frédéric Jablowski s'éloigna.

— Au fait, t'as eu le mot sous ton oreiller, toi aussi ? demanda Ilan.

— Faut pas en tenir compte. Des conneries.

Il disparut derrière une porte et, après quelques secondes, Ilan entendit l'eau couler. Il retourna dans sa chambre pour y déposer ses affaires, se donner un coup de peigne puis il se rendit dans la cuisine. Elle se trouvait à l'opposé de la salle d'eau, vers la droite dans cet interminable couloir qui semblait sans fin. Les carrelages en damier, au sol, renforçaient l'effet de perspective et donnaient l'impression que les deux murs pourtant parallèles finissaient par se rejoindre.

L'aile A des hommes, la dure-mère.

Deux candidats étaient déjà dans la grande pièce de vie qui comprenait réfrigérateurs, congélateurs, four, plaques chauffantes... Ilan reconnut immédiatement l'un d'eux : il s'agissait du gros aux dreadlocks blondes, qu'il avait croisé lors des tests chez Effexor.

Il était assis devant la table et était en train de parler avec l'autre type.

— … du métal à mémoire de forme : un alliage de titane et de nickel, qui n'existait nulle part et qui d'un seul coup, après le crash de Roswell, commence à faire son apparition entre les mains de l'armée américaine. C'est pas bizarre, ça ?

« L'autre » se tenait au fond, debout à proximité d'un radiateur électrique. En le voyant, avec ses lunettes à monture carrée, ses courts cheveux frisottants et sa bouche en coin, Ilan pensa immédiatement à un informaticien ou à un type collé devant un écran à longueur de journée. Il n'avait pas trente ans. Contrairement au gros type habillé en civil, il avait passé une tenue de patient identique à celle d'Ilan.

Les deux paires d'yeux convergèrent vers lui lorsqu'il s'approcha de la grande table en acier vissée dans le sol. Ici, tout était scellé dans le béton : les chaises, les meubles, même la poubelle.

— Et voilà un troisième patient, fit le mastodonte. Je vois que tu as aussi bien dormi que nous. Je m'appelle Gaël Mocky, *alias Bull 20*.

— Moi, c'est Ilan Dedisset. Pourquoi *20* ?

— Une vieille histoire sans importance.

Ils se serrèrent la main. Ilan crut que ses os allaient exploser lorsque les doigts boudinés et froids se rabattirent sur les siens.

— T'as bien caché ton jeu chez Effexor, fit-il avec une grimace.

— Quand il s'agit de jouer, je suis redoutable. Tu finiras par t'en apercevoir.

Le gros Mocky désigna les placards.

— Si t'as faim, c'est raté, parce que tout est vide. Pourtant, les placards, les frigos, les congélos, c'est pas ce qui manque. Il y a même une friteuse avec des pains de graisse. Mais pas un biscuit, rien. Et j'ai fouillé partout. Hadès est le roi des comiques. Une friteuse, t'y crois, toi ?

Interpellé, Ilan se dirigea vers le second individu, qui tenait ses cartes de tarot dans la main gauche. Dans cette pièce éclairée elle aussi par des néons, les fenêtres avaient été murées depuis peu.

— Moi, c'est Vincent Gygax, fit-il d'un ton plutôt sec et sans lui serrer la main.

— Gygax... T'as quelque chose à voir avec Gary Gygax, le créateur de *Donjons & Dragons* ?

— Je suis le fils adoptif de l'un de ses neveux. Il était une espèce de grand-oncle, si vous voulez, mais je ne l'ai quasiment jamais vu.

— Ce jeu a bercé mon adolescence. Un grand-oncle... Ça en jette, quand même.

— Pas vraiment, non.

Gygax gardait une mine fermée. Quand il serrait les lèvres, sa bouche ressemblait au fil d'un rasoir. Il désigna la poche d'Ilan.

— Vous avez vos cartes de tarot avec vous ?

— Oui, pourquoi ?

— De quelles figures il s'agit ?

— Pas des figures, mais des huit. Les quatre huit. Et toi ?

Gygax mit les mains dans les poches.

— Vous n'y croyez pas au principe numéro 2, hein, vous n'y croyez pas ?

— Bien sûr que non, il n'y croit pas, fit Mocky. Le principe numéro 1 dit de ne pas croire au principe numéro 2. C'est bien ça, Ilan ?

Ilan acquiesça.

— Personne ne va mourir, évidemment. Ils parlent sans doute d'une élimination.

Il se tourna vers Mocky.

— Tu n'as pas eu de joli uniforme bleu, comme nous ?

— Si, si, avec ce qu'il y a dans mon armoire, j'ai de quoi habiller une équipe de foot. Mais hors de question que j'enfile une tenue de patient. Personne ne va me dire comment m'habiller, et je trouve ces... costumes complètement débiles.

Ilan se dirigea vers les congélateurs et les réfrigérateurs, il voulait vérifier par lui-même les propos de Mocky. Ils étaient bien vides.

— Comment vous êtes arrivés jusqu'ici ? demanda-t-il. Qu'est-ce qu'Hadès et toute son équipe vous ont fait subir ?

Gaël Mocky parla le premier :

— J'habite du côté du Havre. Je suis livreur, électro-ménager et compagnie. Il y a trois ou quatre jours, je rentre chez moi par une petite route que j'emprunte toujours et là, au milieu de nulle part, un type se tient sur le bas-côté, sa voiture est en panne. Moi, je ne m'arrête jamais pour un auto-stoppeur, on ne sait pas ce qui peut arriver. Mais manque de chance, j'ai crevé à trois ou quatre cents mètres de là. Un clou en plein dans le pneu, comme par hasard. Et là, je me rends compte que je n'ai pas de roue de secours. Disparue. C'est de cette façon qu'ils sont entrés dans ma vie. Avec un putain de clou. Eux, *Paranoïa*... À cause du type en panne, je me suis retrouvé, de fil en aiguille, avec un kilo de cocaïne à devoir planquer chez moi. T'y crois, toi ?

— De la vraie cocaïne ?

— Non, juste de quoi faire un kilo de crêpes mais ça, je l'ai su qu'à la fin. Après deux jours d'enfer absolu, voilà que je me retrouve sur le parking des transports Réfrigérum, à devoir livrer cette poudre si je ne veux pas finir raide mort, enterré au milieu des bois par une bande de fous furieux. Quand Hadès est apparu et m'a expliqué, je l'ai presque serré dans mes bras.

Il haussa ses grosses épaules carrées.

— Et toi ? Explique.

Ilan se plia au jeu. Le courrier, le rendez-vous à l'appartement, le cadavre, la fuite avec Chloé, une autre participante... Rien qu'en racontant, il sentait l'angoisse revenir au galop. Gaël Mocky s'extirpa péniblement de sa chaise – l'espace entre le dossier et la table vissée était juste pour un type de sa corpulence – et ouvrit le robinet de l'évier. Il fit couler l'eau très fort et invita Ilan à s'approcher.

— Il y a une caméra dans l'angle, ne regarde pas maintenant, fit-il tout bas. On a affaire à un réseau puissant, extrêmement bien organisé. Le personnel, le matériel du gouvernement comme des voitures de police, l'accès à des données privées, les espions sur les forums ultra confidentiels. Ils connaissent ta pointure de chaussures, la taille de tes fringues, ont accès à des fichiers sensibles.

— Tu penses à quoi ?

— Je n'en sais rien pour le moment, on va voir. Mais à mon avis, il n'y a pas que le jeu derrière tout ça. Qui serait capable de réquisitionner un tel hôpital, même désaffecté, ou de rénover cette partie pour qu'on puisse y loger ? L'eau, l'électricité, toute cette intendance, ça coûte un pognon monstre. Et avoue qu'en ce moment, le pognon, c'est pas ce qui court les rues. On a peut-être affaire à un nouveau concept de télé-réalité et ils vont vendre les droits à quarante pays ? Ou alors, une dizaine de multimillionnaires anonymes sont en train de nous regarder en ce moment même et font des paris ?

Ilan repéra la caméra en allant s'asseoir et demanda à Gygax de lui faire part de son expérience. Mais le type aux lunettes carrées croisa les bras sans répondre.

— À moi non plus, il n'a rien voulu dire, lâcha Mocky en fermant le robinet. Ça n'a pas dû être glorieux.

Bull sortit une cigarette de sa poche, la renifla.

— Il me reste au moins quelques clopes. Dites, tous les deux, vous savez pourquoi ils ont fermé cet hôpital ?

Une voix parvint de l'entrée et répondit :

— Problème de fric, sans doute. Mais en tout cas, faudrait sérieusement penser à décontaminer le site si on veut continuer à y faire entrer des êtres humains. Parce que cet hosto, c'est une belle saloperie.

Celui qui parlait était le type qu'Ilan avait croisé dans les douches : Frédéric Jablowski. Il portait un pantalon en toile blanc, ainsi qu'une longue blouse blanche, par-dessus son col roulé. Il s'approcha de Mocky avec un petit morceau grisâtre dans la main qu'il agita devant lui.

— De la crocidolite. On l'a beaucoup utilisée dans les années quarante pour sa résistance au feu et son caractère imputrescible. C'est la pire des cochonneries, et ce bâtiment en est bourré jusqu'à la moelle.

Il le plaça devant le nez de Mocky.

— Peut-être bien qu'une poussière de cet amiante s'est logée au plus profond de tes poumons, bien au chaud, *gueule d'amour*, et que d'ici quelques années elle va entraîner la naissance de belles petites cellules

cancéreuses qui se chargeront de te ronger intégralement de l'intérieur.

Mocky repoussa sa main durement.

— Vire ça de mon nez, s'il te plaît !

Avec un sourire, Jablowski jeta le morceau à la poubelle et, à son tour, examina les lieux. Il pointa une
cafetière.

— Tu me fais un café bien serré ? Je crois qu'on va
en avoir besoin.

— Ça va être difficile, on n'a ni boisson ni nourriture. Je suppose qu'il faut attendre le début du jeu pour
résoudre ce mystère.

Gygax se décolla de son mur pour aller sur celui qui
faisait face aux réfrigérateurs. Il se rongeait les ongles
comme un lapin dévore une carotte.

— Pourquoi vous avez une tenue de médecin et pas
nous ? demanda-t-il.

Jablowski avait coiffé ses courts cheveux bruns vers
l'arrière. Il avait un visage acéré, semblable à un silex
taillé, et plutôt un physique de sportif.

— Mon armoire est pleine de ces blouses. Je me suis
planté dans mes études de médecine, c'est sans doute
un hommage.

Tout en palpant quelque chose dans sa poche droite,
il s'assit.

— Je ne sais pas pourquoi j'ai cette tenue et pas
vous. On dirait qu'il y en a qui vont jouer les psys et
d'autres les fous. Et franchement, je préfère mon rôle.

Ilan tenta de cacher son inquiétude. Des médecins,
des patients, dans un hôpital psychiatrique. Rien que
les tenues impliquaient une notion de hiérarchie et, s'il
fallait faire des équipes, il se voyait déjà mal associé
à des types comme Mocky ou Gygax. Question de
feeling.

Des coups lourds provinrent soudain du couloir. Ilan abandonna sa tasse sur la table et se précipita. Les autres suivirent. Le bruit venait de l'une des chambres.

— On peut m'ouvrir ? fit une voix.

Chloé sortit presque en même temps de sa pièce. Elle était habillée en tenue de médecin. Échanges de regards silencieux, de hochements de tête en guise de salut. Elle vint se positionner aux côtés d'Ilan.

— Ça va, toi ?

— Bof, bof. T'as vu le message sous l'oreiller ?

Elle acquiesça gravement.

— Tu comprends la raison de ces tenues ? demanda Ilan.

— Sûrement pour nous mettre dans l'ambiance.

— Ça fait chier. On ne sera pas ensemble.

Frédéric Jablowski prit les devants et s'adressa au candidat enfermé dans sa chambre, un petit sourire aux lèvres.

— Un problème, on dirait ?

— Où est cette putain de clé ? fit la voix.

Le grand brun recula un peu et considéra Chloé et Ilan.

— Tiens, un patient et son médecin qui se connaissent ? À qui ai-je l'honneur ?

— Chloé Sanders. On participe à deux au jeu, avec Ilan.

Jablowski ne se départit pas de son sourire.

— J'ignorais que *Paranoïa* recrutait des équipes, c'est toujours propice à la triche. Bon… On le laisse gueuler et on retourne dans la cuisine, histoire de papoter tranquillement en attendant le début des hostilités ?

Mocky s'approcha de la porte.

— La clé est certainement dans une poche ou une doublure de l'une des tenues accrochées dans le placard.

— Merci, répliqua la voix.

Jablowski vint lui presser l'épaule par-derrière.

— T'étais pas obligé de le lui dire. Je te parle gentiment, là, maintenant, mais n'oublie pas que c'est une compétition.

— Et alors ? Ça exclut le *fair-play* ?

— Trois cent mille euros, ça exclut tout, mon gars. Mieux vaut être sept à participer que huit, si tu vois ce que je veux dire.

Un homme d'une trentaine d'années finit par ouvrir. Il était torse nu, plutôt beau gosse, genre surfeur blond. Un nuage de poils clairs ombrageait ses pectoraux et ses cheveux étaient regroupés en queue-de-cheval.

— Pas trop tôt, fit-il. Qui m'a filé un coup de pouce pour sortir ?

Mocky leva brièvement la main.

— Moi.

— Merci pour ton aide, ça m'a évité de perdre du temps à chercher.

Il pointa Jablowski du doigt.

— Toi, t'es pas cool.

Il enroula une serviette autour de ses épaules et, tenue de patient sous le bras, se dirigea vers les douches.

— Et tu t'appelles ? demanda Chloé.

— Ray Leprince. Je te filerai ma carte si tu veux.

Il avait un sourire de star et marchait en slip devant tout le monde.

Un nouveau claquement de porte les fit se retourner. Plus au fond du couloir, Naomie Fée apparut. Elle referma sa chambre derrière elle et glissa la clé dans une poche de sa blouse blanche.

— Voilà l'odieuse petite garce, murmura Chloé à l'oreille d'Ilan. Habillée en médecin, évidemment.

Fée se contenta d'un simple « salut » collégial. Elle fixa le couple d'un air neutre, avant de revenir vers Jablowski.

— On peut manger un morceau dans le coin ?

— Il y a un endroit sympa pour petit-déjeuner, oui, c'est la taverne du schizo, on y sert du fou en barre, des céréales au Valium, mais rien d'autre. En fait, niveau bouffe, on n'a que dalle pour le moment.

Il sortit quelque chose de sa poche.

— Par contre, j'ai ça. En tant que blouses blanches de cet établissement, vous en avez une aussi les filles, je suppose ?

Chloé et Naomie Fée acquiescèrent.

Toutes les deux présentèrent une seringue pleine d'un liquide translucide.

26

Quatre candidats en tenue de médecin.

Trois en tenue de patient, Mocky refusant toujours de porter la sienne.

Et quatre seringues, posées côte à côte sur la table de la cuisine.

Le quatrième « médecin », Maxime Philoza, était le dernier des candidats à être sorti de sa chambre et à avoir rejoint le groupe.

Les huit participants étaient là. L'estomac vide, l'inquiétude marquée sur leurs visages creusés par une nuit blanche.

Chloé avait ôté la petite coque de plastique qui protégeait l'aiguille de sa seringue et versé une minuscule goutte sur la table. Elle avait reniflé. Selon elle, la gamme des produits possibles était large : sédatifs, antipsychotiques, neuroleptiques, anesthésiques. Quelque chose de costaud, dans tous les cas. Quant à la matière du tube, c'était du verre, comme ce qui se faisait dix ou vingt ans plus tôt et non du plastique.

Le participant aux lunettes carrées, Vincent Gygax, tripotait nerveusement ses cartes de tarot.

— Ça pourrait aussi être du poison. En tout cas, personne ne m'approchera avec son aiguille. Non, personne.

— Je propose qu'on les jette immédiatement à la poubelle, dit Mocky. Il n'y a aucune raison que vous en ayez et pas nous.

Naomie Fée reprit sa seringue et la fourra dans sa poche. Jablowski l'imita immédiatement.

— Si, il y a une raison, avança la brune aux piercings. Forcément. Je la garde tant que je n'aurai pas compris son utilité.

— Son utilité ? À quoi sert une seringue bourrée d'un produit bizarre, hormis la planter dans le cul d'un patient ?

Celui qui avait parlé était le « patient » blond surfeur, assis en tailleur sur la table. Ray Leprince, le décomplexé... Ilan détestait ce genre de crétin, avec son air supérieur, ses lunettes de vue dans ses cheveux et sa façon snobinarde de découper les syllabes. Naturellement, de fil en aiguille, le ton monta autour de la question des seringues.

Philoza parla d'une voix posée :

— On essaie de se calmer, d'accord ? Nous sommes tous arrivés ici en situation de stress, et on a tous quasiment passé une nuit terrible, ce qui nous rend extrêmement susceptibles, pour ne pas dire irascibles. Volontairement : ces tenues, le mot trouvé dans nos chambres et l'absence de nourriture sont des éléments de tension supplémentaires, tout comme cet horrible endroit.

Mocky passa une main dans ses dreads, les rejetant vers l'arrière.

— Non, tu crois ? J'ai l'impression que Jack Nicholson va débarquer ici avec sa hache et tous nous découper en morceaux. Il n'y a même pas de chauffage dans les couloirs. Si je ne mange pas d'ici deux heures, je vais tomber en syncope.

— Je suis persuadé que tout se résoudra à 9 heures, lorsque nous rencontrerons Hadès dans le hall. En attendant, je propose qu'on se présente. Je m'appelle Maxime Philoza, j'ai presque trente ans. Je travaille à La Défense, dans la sécurité des réseaux informatiques, et à mon avis, je vais être viré en revenant. Heureusement, il y a les trois cent mille euros minimum sans compter les cygnes, et ils seront pour moi.

Il sourit et sortit ses cartes de tarot de sa poche.

— J'ai découvert ces quatre cavaliers dans ma chambre. Sans doute parce que je suis un passionné d'échecs et de tout ce qui est logique, ce qui ne m'empêche pas d'avoir fait quelques études en théologie.

— Dieu et tout le tralala ? demanda Mocky.

— Exactement. Mais décrypter les énigmes, c'est ça mon truc. Au fait, quelqu'un s'y connaît en tarot divinatoire et serait capable d'expliquer ce que ces cavaliers signifient ?

Personne ne répondit. Il hocha alors le menton vers le surfeur blond qui présenta à son tour ses cartes. Des trois.

— Moi, c'est Ray Leprince, trente-quatre ans. Trois, c'est le nombre de voitures que je vais acheter si je remporte le pactole. Une pour sortir les chiens, une pour emballer les filles et la dernière pour aller bosser. Je vends depuis plus de quinze ans des systèmes d'alarme, le business a explosé avec la crise et ça, c'est le pied. J'ai bossé dix ans aux States, du côté de Los Angeles, avant de venir m'installer en France. C'est un gamin chez qui je vérifiais une alarme qui m'a branché sur *Paranoïa*. Un gosse brillant, un autiste, qui aurait sans aucun doute eu sa place ici s'il n'avait pas été aussi jeune. Ni autiste…

— Je vois, fit Jablowski. Lui bosse, et toi, tu récoltes. Ray, c'est pour Raymond ? Tu sais, les lunettes de vue dans les cheveux, ça ne sert pas à grand-chose. Bon, moi, c'est Fred, vingt-sept ans. Mon premier job, c'est la décontamination d'endroits comme celui-ci, surtout l'amiante. Et mon second, c'est le jeu : le poker, et tout ce qui peut rapporter du...

— Et moi ? Moi, pourquoi j'ai eu ces cartes-là ?

Gygax s'était approché de la table, le visage fermé. Il y balança quatre cartes identiques, côté face. Des squelettes avec leurs faux. Les arcanes sans nom. La Mort.

Mocky frotta ses grosses joues d'un mouvement rapide.

— Ça déménage mais c'est plutôt cool.

— Parce que vous trouvez ça « cool », vous ?

— Au moins, on sait à qui s'adresse le principe numéro 2.

Curieusement, personne ne rit à la blague, et encore moins Gygax, qui le fusilla du regard puis demanda à voir les cartes de tous les joueurs. Des cinq pour Fée, des sept pour Chloé... Rien d'aussi morbide que ses squelettes. Il récupéra ses arcanes et les fourra minutieusement dans une poche, les unes derrière les autres, avant de retourner dans son coin, les deux poings fermés devant la bouche.

Les discussions se poursuivirent. Ilan observait les visages, les comportements. La carte au trésor de son père ainsi que son courrier avaient été dérobés, et il se souvenait des propos d'Hadès : *Un concurrent serait allé jusqu'à pénétrer chez vous pour vous écarter de la compétition ?*

D'emblée, par intuition, il voyait assez mal Mocky ou Gygax dans le coup ; Chloé était hors de cause, mais les autres ? Fée, Jablowski, Philoza, Leprince...

Certains racontèrent la façon dont ils étaient arrivés jusqu'ici. Implications dans un kidnapping, panne à proximité d'une maison occupée par une famille de tarés, cauchemar éveillé... Les anecdotes, les suppositions autour du jeu fusaient, détendant l'atmosphère, mais seulement en apparence. Ilan angoissait. À cause de ce qu'il avait vécu. Et de ce qui était à venir. De plus, ils n'avaient rien à manger, ce qui n'était franchement pas bon signe.

Soudain, une longue plainte lancinante se mit à résonner dans le couloir. Le son pénétra chaque espace vide comme une puissante vague de froid. Ilan sentit un grand frisson lui parcourir le dos. Le son était partout et nulle part. Et il les appelait, tel le cri maudit des sirènes ayant piégé Ulysse.

Naomie Fée fut la première à se lever.

— Quand on parle du loup. Je crois que Virgile Hadès nous attend.

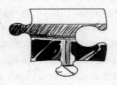

27

— Ça fait plus d'une demi-heure qu'on glande. J'ai l'impression qu'Hadès ne viendra jamais.

Les huit candidats déambulaient dans le vaste hall d'entrée qui, selon la carte que tenait Jablowski, représentait la tête de la chauve-souris. Des couloirs partaient en face, vers la partie administrative, ainsi qu'en direction des ailes droite et gauche. Sans oublier les multiples cages d'escalier, protégées par des grilles. D'un extrême à l'autre, l'hôpital devait s'étendre sur plus de cinq cents mètres.

Emmitouflé dans son col roulé et sa blouse bleue, sa propre carte pliée dans la main, Ilan avait du mal à se réchauffer. Peut-être voyait-il le mal partout, mais cette histoire de fioul et de camion bloqué lui paraissait de plus en plus étrange, car pourquoi Hadès, si prévoyant, ne s'y était-il pas pris plus tôt pour remplir les cuves ?

De la buée sortait des bouches et chacun piétinait pour combattre le froid. Autour d'eux, l'abandon avait coulé dans chaque recoin une chape grise d'amertume. Tout était neutre, sombre, sans vie, et les flocons qui s'abattaient sur le vitrail ovale, sept mètres au-dessus du sol, renforçaient le sentiment d'écrasement qui habitait chaque candidat.

— On ne va pas attendre ici indéfiniment, dit Maxime Philoza. Hadès nous observe avec ses caméras, là-haut, et il doit attendre qu'on réagisse. Le jeu devait commencer à 9 heures et il est 9 h 35. Ça signifie donc qu'en ce moment même on est en train de jouer.

— C'est vrai qu'on s'éclate comme des phoques sur une banquise, ajouta Mocky. Mes kilos crèvent de faim, alors désolé, mais moi, il me faut ma dose de calories. Il se passerait quoi si, réellement, on n'avait rien à manger ? D'après ce que j'ai compris, la première ville se trouve à vingt ou trente bornes. Et avec ce qu'il tombe dehors...

Gygax essayait d'ouvrir l'immense porte d'entrée, mais elle était verrouillée. Les petites fenêtres qui donnaient sur l'extérieur étaient condamnées par des grilles solidement vissées dans le mur.

— Il est arrivé quelque chose à Hadès, fit-il. J'en suis sûr. Oui, j'en suis sûr.

Il répéta cette même phrase au moins cinq ou six fois. Ilan jeta un œil à travers les mailles serrées des grilles pour ne découvrir que d'autres façades qui bouchaient la vue, quelle que soit la direction vers laquelle on regardait. La tempête sévissait toujours autant, le vent s'engouffrait entre les bâtiments extérieurs, soulevant des nuées blanches de poudreuse. Il chercha des traces de pas au sol qui auraient indiqué l'entrée, mais en vain : la neige avait tout recouvert. Naturellement, il songea au faux – ou vrai ? – prisonnier rencontré la veille. Les flics étaient-ils finalement revenus ici, bloqués par les conditions météo ? Où étaient Hadès et les organisateurs ? Qui avait déclenché la sirène ?

Lorsqu'il se retourna, Fée revenait en courant de l'aile gauche, plan à la main.

— Non, il n'est rien arrivé à Hadès, évidemment. (Elle fixa Gygax.) L'argent est toujours derrière sa vitre, tout va bien. Personne n'a fichu le camp en nous abandonnant ici. On n'a pas encore commencé et déjà la paranoïa qui s'installe, Gygax ?

Le type aux lunettes carrées continua à longer les murs, tel un détenu dans une cour de prison. Il marchait vite, puis lentement, puis vite…

— Je propose qu'on se sépare, poursuivit la brune. On constitue trois groupes, et chacun part dans un couloir. Les ramifications sont innombrables, on peut se perdre facilement, alors fiez-vous à ce semblant de plan ou déplacez-vous comme dans un labyrinthe, en suivant en permanence le mur de gauche. Si l'un d'entre nous découvre quelque chose, il crie pour informer les autres et on se regroupe tous, OK ?

Elle fit un geste à l'intention de Jablowski et Maxime Philoza.

— Allez, on y va. On repart vers l'aile gauche.

Le surfeur blond avait chaussé ses lunettes de vue et considérait sa carte.

— Et moi, la partie administrative, fit-il. Qui m'accompagne ?

Chloé et Ilan s'étaient regroupés vers l'aile droite et Gygax s'était greffé à eux sans rien demander. Mocky haussa ses lourdes épaules.

— Je crois que je n'ai pas le choix. Leprince tu t'appelles, presque comme les biscuits ?

Il partit avec Ray Leprince et les groupes finirent par disparaître. Ilan, Chloé et Gygax s'engagèrent dans l'aile d'où ils étaient venus. Après deux minutes de marche, ils passèrent devant les douches, la cuisine, leurs chambres, et poursuivirent dans le long couloir au carrelage à damier.

— Tout le monde s'est présenté en détail sauf toi, fit Chloé en s'adressant à Gygax. On connaît juste ton nom, ton prénom, ton grand-oncle, mais on ne sait pas comment tu es arrivé ici. C'était quoi, ton épreuve ? Et ton rapport au jeu, à *Paranoïa* ? Explique un peu.

Gygax évita des plaques en mousse qui s'étaient décollées du plafond. Il gardait les bras croisés, comme s'il avait peur de toucher les murs.

— Allez vous faire foutre avec ça, d'accord ?

Il accéléra et partit seul devant.

— Aussi sympa qu'un parpaing, le type, marmonna Chloé. On dirait qu'il a un léger problème de sociabilité.

— Et même plus, ajouta Ilan.

Les portes ouvertes ou verrouillées se succédaient et donnaient sur des chambres en sale état, toutes de la même taille.

— Cette histoire de nourriture, ça m'inquiète, confia Ilan. Mocky a raison. Que se passera-t-il si... enfin, je veux dire, imagine qu'Hadès ait purement et simplement quitté les lieux en nous abandonnant ici sans ressources. Vu ce qu'il nous a fait subir avant, il en est bien capable.

— Non, non. Fée a raison, ça ne rimerait à rien. Pourquoi il aurait laissé l'argent ? De toute façon, même avec les grilles aux fenêtres, je suis sûre qu'on peut sortir d'ici. On pourrait toujours regagner une ville et...

— Tu oublies les chiens, dehors, et la tempête de neige. Le grand mur d'enceinte, il mesure cinq ou six mètres de haut, c'est comme une prison. Et ce fric, qui te dit que ce sont de vrais billets ?

Il y eut un léger virage, puis de nouveau un interminable couloir inaccessible, car situé de l'autre côté d'une grille fermée. Chloé essaya de la forcer, mais sans succès.

— Sans clé, impossible d'aller plus loin. Il faut faire demi-tour et explorer les autres ramifications de l'aile.

Ilan observait le plan qu'il venait de déployer.

— Ce schéma est vraiment très incomplet, cette partie n'y figure même pas. On retourne sur nos pas et on prend à droite, il y a une grande partie « Soins », pas très loin d'ici.

Ils suivirent les indications d'Ilan et bifurquèrent sur la droite dès qu'ils le purent. Très vite, le décor changea. Les murs lisses laissèrent place à des surfaces en carrelage blanc. Le plafond était plus bas, percé d'ampoules allumées protégées par de petites grilles. La première pièce accessible – car non verrouillée, contrairement à d'autres – était un cabinet de dentiste. Un grand fauteuil trônait au milieu, avec ses sangles, le bras articulé, les aspirateurs à salive. Certains instruments étaient encore disposés dans leurs bacs.

— C'est si étrange, fit Ilan. Tout est encore quasiment intact. Et plutôt moderne.

— Et il n'y a même pas de poussière. Ils ont astiqué avant notre arrivée.

— On dirait que le temps s'est arrêté d'un seul coup. Où sont passés tous les patients et le personnel qui vivaient dans cet endroit ? Pourquoi ce matériel n'a-t-il pas été embarqué ? Il y en a pour un paquet d'argent, non ?

Sa question resta sans réponse. Ils progressèrent encore, Chloé s'invitait dans chaque pièce, les yeux pareils à ceux d'un gamin face à une friandise.

— C'était une véritable ville, fit-elle. Podologie, radiographie… Et là…

Elle essaya d'ouvrir une porte sur laquelle était marqué « Électrochocs ».

— Fermée, malheureusement.

— Je dirais plutôt « heureusement ». Pas envie de savoir ce qu'il s'est passé là-dedans. Ça existe encore, les électrochocs ?

— Évidemment, ça s'appelle l'électrothérapie. Les chocs électriques donnent des résultats encourageants très rapidement, notamment lorsqu'il s'agit de la mémoire et des souvenirs enfouis. Ici, on devait en user et en abuser, je suppose.

Cette fois Gygax restait en retrait, il marchait lentement, évitait les morceaux de verre au sol comme un chat qui ne voudrait pas se couper un coussinet. Il suivait sans parler. Juste ses grands yeux ronds, qui roulaient sous ses lunettes carrées. Ilan se demanda comment un type qui paraissait aussi déconnecté, aussi « bizarre », avait pu arriver jusqu'ici et déjouer toutes les astuces de *Paranoïa*.

Ils doublèrent une salle capitonnée complètement dépouillée, tournèrent encore, marchèrent longtemps, jusqu'à atteindre la dernière pièce. Impossible d'aller plus loin, le couloir se terminait en cul-de-sac.

— Bon Dieu, la voilà enfin, s'exclama Chloé en restant immobile dans l'encadrement d'une porte. La fameuse salle dédiée à la lobotomie préfrontale. L'une des toutes premières du genre, qui a fait la sombre réputation de cet hôpital.

Avec Ilan, elle s'avança doucement dans la vaste pièce dont la lourde porte métallique était grande ouverte. Il y avait le même genre de baignoire que dans leur espace de vie, avec les sangles et les boutons. Juste à côté reposaient trois grandes tables en acier, rehaussées chacune d'un panneau de contrôle sur lequel on pouvait brancher des fiches électriques. Sur l'une d'elles s'étalait une camisole de force intégrale, toute grise, qui avait dû emprisonner des patients du sommet du crâne jusqu'aux pieds. Il y avait un simple trou pour le visage et une dizaine de sangles qui permettaient de la rendre solidaire de son support métallique.

— Regarde…

Sur un mur se trouvait une fresque peinte représentant un coucher de soleil avec un cygne noir nageant sur un lac. Neuf cercles de taille croissante entouraient l'animal comme autant de ronds dans l'eau, suggérant le mouvement. Chloé s'approcha, interloquée.

— Le cygne noir, le symbole de *Paranoïa*, entouré de neuf cercles…

Ilan fit glisser sa main sur le mur.

— La peinture est très ancienne, elle s'écaille. Hadès et toute sa bande n'ont pas pu la peindre récemment. Ou alors, c'était il y a des années.

Avec Chloé, ils se regardèrent, inquiets.

— Ça veut dire que ce cygne noir, il a été réalisé par… les gens de l'époque, peut-être des patients, estima Ilan. Comment pourrait-il y avoir un rapport avec *Paranoïa,* qui n'existait pas il y a tant d'années ?

— Une question à laquelle il faudra répondre, j'ai l'impression.

Cette fois, Ilan avait noté de l'anxiété dans la voix de Chloé. Il jeta un œil vers l'entrée : Gygax n'était plus là. Chloé s'approcha de l'une des paillasses carrelées, prit en main un instrument chirurgical avec une poignée et une interminable pointe en acier.

— Le leucotome, le fameux pic à glace. On l'enfonçait dans le lobe orbitaire des patients sur quasiment toute sa longueur après avoir soulevé la paupière. On sectionnait alors les fibres fronto-thalamiques de la substance blanche, libérant ainsi l'esprit de contraintes émotionnelles pathogènes.

— On euthanasiait leur psychisme, souffla Ilan avec une grimace, on les transformait en mollusques. C'est ignoble.

Il considéra l'instrument de mort.

— Il a l'air tout neuf. Ça fait plus de cinq ans qu'il est abandonné ici, pourtant.

— Voire davantage, la lobotomie n'est plus pratiquée depuis un bail. Mais ces instruments-là ne rouillent jamais.

Ilan se frottait les épaules machinalement, observant les tables, la camisole. Tout son corps se raidit.

— Merde… Tu n'as pas remarqué quelque chose qui cloche ? Il y a de la poussière partout, sauf sur les instruments et la camisole. Regarde, elle a l'air intacte, comme si elle sortait de la machine à laver. Et dans le cabinet de dentiste, j'ai remarqué que c'était la même chose pour le fauteuil.

Chloé dut bien admettre qu'Ilan avait raison.

— Sortons d'ici, dit Ilan. Cet endroit me fiche les jetons.

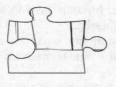

28

Lorsqu'ils retournèrent dans le couloir, ils constatèrent que Gygax s'était définitivement volatilisé.

— Ce type est franchement louche, murmura Chloé. Il ne parle presque pas, a de drôles de manières, semble changeant comme une girouette. Et je n'aime pas son regard. Il ne m'inspire pas confiance.

— Parce que quelqu'un t'inspire confiance, ici ? Ces gens sont là pour gagner. Ils ne feront aucun cadeau et ne sont pas dans le jeu pour se faire des amis.

À ce moment, une voix d'homme très lointaine appela.

— Je crois que nos chers « amis » ont trouvé quelque chose, fit Ilan.

Le couple remonta les couloirs à vive allure et perçut, en plus de l'appel, des bruits provenant d'une aile transversale qu'ils n'avaient pas encore visitée.

— Tu as entendu ?

Chloé acquiesça. Ilan fit un détour, entraînant sa partenaire avec lui. Cette fois, des peintures ornaient les murs et les plafonds. Un taureau monstrueux, un gros fleuve noir, des cercles concentriques de couleurs différentes.

— On dirait le Minotaure, dit la jeune femme en levant la tête.

— Et encore les neuf cercles qu'on a vus autour du cygne peint dans la salle de lobotomie. Comme dans *L'Enfer* de Dante.

— *La Divine Comédie.*

Ils s'approchèrent d'une salle éclatante de couleur.

— Thérapie par l'art, fit Chloé en s'arrêtant. Un moyen de forcer la maladie à s'exprimer.

Sur chaque centimètre carré de mur, des photos, des dessins, des peintures se chevauchaient. Il y en avait des centaines. Des figures réelles, d'autres étranges, des formes artistiques jaillies de cerveaux malades. Les cercles étaient encore là, concentriques, imbriqués, ainsi que les monstres mythologiques : les Furies, Méduse, le Centaure, peints de la même main.

— Encore ce rapport à la mythologie, aux monstres, à l'enfer, dit Ilan. Drôle de façon de se soigner. L'un de ces patients était sacrément doué, mais... je n'aimerais pas l'avoir en face de moi vu la noirceur de ses peintures.

Ils s'intéressèrent aux photos. Sur certains clichés, il y avait des portraits. Des patients photographiés dans leur quotidien à l'hôpital en train de manger, de discuter, de passer le temps dans des ateliers. Des visages gais ou en souffrance, des yeux qui dévoraient l'objectif, provoquant à la fois attrait et répulsion.

Ilan se sentait mal à l'aise, plongé dans l'intimité de tous ces gens. Où étaient-ils à présent ? Morts ? Enfermés ailleurs ? Libres ? Pourquoi n'avait-on pas récupéré leurs photos ? Il prit Chloé par la main et ils sortirent. Ils poussèrent une grande porte entrouverte tapissée de velours pourpre d'où filtrait la lumière du jour.

Face à eux, un théâtre. Une centaine de sièges, sur une dizaine de rangées. Un plafond voûté et abîmé, de grandes fenêtres protégées, comme toujours, par des grilles. Et une scène encore encombrée de quantité de décors vieillots, au milieu de laquelle se tenait Gygax, assis en tailleur, la tête dans les mains.

Ses lunettes posées sur le sol, il pleurait à chaudes larmes.

Ilan et Chloé restèrent un moment sans réaction, avant de s'approcher doucement entre les fauteuils poussiéreux. Chacune des six grandes fenêtres était frappée par les bourrasques de neige. De part et d'autre, à l'extérieur, s'élevaient les murs gris d'autres bâtiments.

Gygax releva la tête et aperçut ses coéquipiers. D'un geste maladroit, il frotta ses larmes avec sa manche droite, ramassa ses lunettes et sauta de l'estrade. Puis il fonça entre eux deux et se dirigea vers la porte sans leur adresser le moindre mot.

— On aurait dit un gosse de dix ans, murmura Chloé. Ses manières, sa façon de nous regarder et de marcher.

Alors qu'elle sortait sans comprendre, Ilan resta là, quelques secondes supplémentaires, à observer cette scène de théâtre figée dans le temps et l'abandon. Ces arbres en carton-pâte, ces fausses maisons, ces nuages suspendus par des câbles grossiers, et les projecteurs allumés… Que s'était-il passé dans cet hôpital pour que tout reste en l'état ?

Il pensa à Gygax et se demanda alors ce qui était le plus difficile : un acteur sain interprétant la folie, ou un fou cherchant à paraître sain.

L'homme aux lunettes carrées était assurément l'un des deux.

Et Ilan commençait à entrevoir lequel.

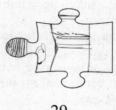

29

C'étaient Gaël Mocky et Ray Leprince qui avaient trouvé.

Quelque part dans ce qui représentait le corps de la chauve-souris, une grille protégeait une petite pièce au sol de linoléum, à l'intérieur de laquelle se nichaient des stocks importants de nourriture, huit casiers numérotés de 1 à 8, ainsi qu'un emplacement supplémentaire sur lequel était inscrit « À lire en priorité ». Chaque casier contenait une enveloppe marron. Ils étaient malheureusement inaccessibles.

Gygax était revenu, il s'était assis contre le mur face à la grille. Ses yeux brillaient, mais il avait séché ses larmes, rechaussé ses lunettes et tenait ses genoux regroupés contre son torse.

— Je suppose que ces enveloppes contiennent nos objectifs, dit Naomie Fée.

Mocky lorgnait sur les pizzas, les pommes de terre, les crèmes desserts, les paquets de céréales hors d'atteinte, tandis que Fée auscultait attentivement le gros cadenas à six molettes.

— Ça aurait été trop facile qu'on y accède directement, fit-elle. Bon... Chiffres de 0 à 9 et lettres de A à F sur chaque molette. Ça nous fait...

— Un sacré de putain de nombre de possibilités, répliqua Ray Leprince.

Il tenta de forcer sur la grille aux mailles épaisses, sans succès.

— Je ne sais pas si vous avez remarqué, mais il y a des grilles partout, cet hôpital est pire qu'un chenil. Et maintenant, on fait quoi ?

— On réfléchit, intervint Jablowski. Parce que c'est bien ce que t'as dû faire pour arriver jusqu'ici, non ? Réfléchir ? Ou alors, t'as laissé ton cerveau sur le bureau du môme à qui t'as volé les recherches ?

— Arrête avec ça, OK ? Il ne pouvait pas venir, il était trop petit, trop malade, il vivait encore chez ses parents. Tu le verrais traîner sur une péniche, ou même ici ? Si je gagne, je lui donnerai un peu de fric.

— On te croit, oui, *Raymond*.

Leprince haussa les épaules. Il examina le cadenas de près, plaqua son oreille contre le métal en tournant les molettes.

— Système anti-crochetage… Et des goupilles qui arrêtent les chiffres et les lettres exactement au bon endroit, ça perturbe l'écoute. Ce n'est pas de la camelote, il va être impossible à ouvrir sans la combinaison. Quelqu'un a une idée ?

— Je serais d'avis qu'on commence par tester tout ce qui est dates, mots-clés, ou ce qui nous passe par la tête, intervint Maxime Philoza. À moins que quelqu'un ait autre chose à proposer ?

— Bonne idée, *Spinoza*, fit Jablowski. On teste.

Gygax n'ouvrit pas la bouche, tandis que les sept autres candidats y allèrent chacun de leurs propositions. Les minutes puis les heures s'enchaînèrent, au rythme des essais. Des insultes commençaient à fuser à l'attention d'Hadès, de cet endroit, de ce cadenas ; les nerfs se tendaient.

— Le jeu aurait dû commencer à 9 heures et il est déjà plus de midi, grogna Mocky. Va falloir trouver vite, maintenant.

Après concertation, les candidats se répartirent dans les alentours, à la recherche d'indices ou de la combinaison qui était peut-être notée quelque part bien en évidence. Gygax, lui, ne bougeait pas, ses cartes de tarot dans les mains.

Lorsque Ilan revint bredouille auprès de la grille, il découvrit que Gaël Mocky s'était confectionné une espèce de grappin avec une bande de tissu arrachée à un vieux drap et un morceau de pied de chaise noué à l'extrémité. Assis devant la grille, il était parti à la pêche et avait pu ramener deux paquets de pâtes et un sac de riz.

— Jolie pioche, sourit Ilan. Au moins, on ne mourra pas de faim.

— Pas tout de suite en tout cas, répliqua Philoza, toujours en train de tester des combinaisons.

Il s'interrompit et souffla sur ses doigts.

— J'ai fait ça il y a quelque temps, essayer de *cracker* ce qui pourrait ressembler à un mot de passe sur un ordinateur. C'était même mon job à l'époque. Le problème c'est qu'ici il y a plus de seize millions de combinaisons possibles.

— T'as une calculatrice dans la tête ?

— Disons que je me débrouille en calcul mental. Depuis tout petit, j'ai toujours compté dans ma tête. Une chose est certaine : on n'y arrivera pas de cette façon. Comme toujours avec *Paranoïa*, il doit forcément y avoir une astuce. Voire un indice évident. Le code est peut-être sous notre nez.

À presque trente ans, *le Philosophe*, comme l'appelait désormais Jablowski, avait un visage lisse, brillant, percé de deux yeux volontaires. Ilan s'assit à ses côtés et essaya d'engager la conversation, mais Philoza, qui avec les molettes avait écrit le mot « Décédé », mit tout de suite les points sur les i :

— On ne se connaît pas, on est même adversaires. Je ne te ferai pas de cadeau pour accéder au trois cent mille euros, j'en ai trop besoin. Alors, à quoi bon sympathiser ?

Il n'en rajouta pas plus et continua sa tâche inutile, crachant sa buée et soufflant sur ses doigts glacés. Sur la gauche, Frédéric Jablowski revenait, serré de près par Naomie Fée. Ilan échangea un regard complice avec Mocky.

— Rien de rien, fit le grand brun. On a exploré une partie de l'administration, ou tout au moins les quelques pièces qui sont accessibles. (Il s'approcha de Gygax.) Ça va ? Pas trop fatigué ?

Vincent Gygax glissa ses cartes entre ses jambes, ôta ses lunettes et en frotta méticuleusement les verres avec une peau de chamois qu'il avait dans sa poche. Jablowski s'accroupit juste devant son nez.

— Tu parles pas, tu bouges pas, t'es pire qu'un chiotte au fond d'un jardin. C'est quoi ton problème, exactement ?

Gygax ne le regardait toujours pas, il décrivait de petits cercles très précis avec son chiffon. Après un moment, il finit par répondre :

— Fée et Sanders sont trop petites. Mais vous, Philoza et moi, on fait à peu près la même taille.

— Et alors ?

— J'exige une tenue de médecin. Et je veux la seringue qui va avec.

Jablowski partit d'un rire qui résonna jusqu'au bout du couloir, alors que les derniers candidats revenaient, bredouilles.

— Et puis quoi, encore ? Les règles sont les règles.

Cette fois, Gygax le regarda dans le blanc des yeux.

— Ça fait plus de deux heures que j'ai compris comment ouvrir le cadenas. Vous ne trouverez jamais. Et je ne dirai rien tant que je n'aurai pas ce que j'ai demandé.

Sa réponse instaura un blanc qui ne dura qu'une fraction de seconde avant que Jablowski le soulève par le col. Les cartes de tarot s'éparpillèrent au sol.

— Très bien, *Poil de carotte*. J'ai l'impression que, et d'un, tu nous prends pour des idiots, et de deux, on ne s'est pas compris, toi et moi. T'es là pour quoi, exactement ? Nous chier dans les bottes ?

— Laisse-le, fit Ilan en lui attrapant l'épaule. Ça ne sert à rien d'en venir aux mains.

Jablowski poussa son adversaire contre le mur.

— Ce petit con se fout de notre gueule depuis le début. Pourquoi il ne dit rien, bordel ?

Gygax ramassa ses cartes comme le ferait un gamin qui a fait tomber ses bonbons, puis s'assit de nouveau. Il recommença son nettoyage de lunettes. Mocky se leva dans une grimace, embarquant ses paquets de pâtes et de riz et pointa Gygax du doigt :

— T'es vraiment pas cool, mec. Bon, ras le bol de la pêche, je vais toujours aller faire cuire ça, bien au chaud dans notre superbe cuisine. Qui a un petit creux me suive…

Il disparut en traînant les pieds. Naomie Fée se mit à aller et venir, les bras croisés, l'œil sur Gygax. Elle sortit ses propres cartes de tarot et les observa avec attention.

— J'ai remarqué qu'il manipulait ses cartes depuis tout à l'heure. Des cartes qui, pour le moment, ne nous servent à rien. Il y a peut-être un rapport.

Chloé observa ses propres cartes, des 7. Elle les tournait, les retournait, tandis que chacun tentait de convaincre Gygax de lâcher la combinaison, en vain. L'homme aux lunettes carrées semblait s'être enfermé dans une bulle que personne ne pouvait crever.

Puis soudain, le regard de Fée s'illumina. Elle demanda les cartes de Jablowski et en examina les tranches.

— J'ai trouvé ! Fred, appelle les autres.

Jablowski poussa un cri à travers les couloirs. Quand tout le monde fut là, Fée expliqua :

— Ça se joue sur la tranche. Regardez bien, il y a de petites traces de stylo. Si on rassemble nos trente-deux cartes dans un certain ordre, je suis certaine qu'on recrée le message qui a été écrit sur l'épaisseur du jeu.

— Alors c'est ça, compléta Philoza qui n'avait pas quitté Gygax du regard. C'est très astucieux. Comment tu as réussi à deviner une chose pareille ?

Il n'obtint évidemment aucune réponse.

— On se passera des cartes de cet arriéré, fit Jablowski. Qu'il les garde et crève avec. Allez...

Chacun posa ses cartes à plat sur le sol, mains et bras se croisaient, de manière à faire coïncider les marques, les unes après les autres. Après plus d'un quart d'heure, un nombre s'afficha enfin sur les deux centimètres d'épaisseur de la tranche, malgré les quatre cartes manquantes de Gygax.

C A 2 1 0 7.

Personne n'avait la moindre idée de ce que cette série signifiait, mais elle ouvrait bien le cadenas. Un grognement de satisfaction échappa de la bouche de Mocky.

— On dirait bien que t'es la meilleure, fit Jablowski à l'attention de Fée.

Ilan et Chloé se regardèrent sans sourire, tandis que Mocky murmura à l'oreille d'Ilan :

— Je parie un bras que notre médecin préféré va très vite goûter à ces jolis piercings.

— Si ce n'est pas déjà fait.

Chacun put enfin pénétrer dans la pièce. Lorsque Gygax franchit le seuil, Jablowski planta son index devant son nez.

— Je te préviens gentiment : tu recommences une chose pareille et je te garantis que je te fais avaler tes lunettes et la peau de chamois qui va avec.

Fée avait pris les devants. Du casier « À lire en priorité » elle sortit un cadenas à clé cette fois, et une lettre qu'elle lut à voix haute.

— *Veuillez sortir la nourriture, lire les objectifs qui se trouvent dans le casier associé à votre numéro d'arrivée que vous connaissez, les mémoriser, les remettre dans le casier et fermer la grille avec ce gros cadenas. Bonne chance. N'oubliez pas : personne ne doit connaître votre objectif. Et voici le dernier principe, le numéro 3 : « Vos amis sont vos ennemis. Saurez-vous détecter le ou les intrus ? »*

Elle replia la lettre et la laissa dans son emplacement.

— Les intrus ? fit Leprince. Qu'est-ce que ça veut dire ?

— Peut-être qu'un ou plusieurs d'entre nous ne sont pas réellement des candidats, suggéra Ilan. Ça expliquerait le fait qu'Hadès et sa bande puissent savoir si on respecte ou non les règles, notamment celle de ne pas révéler ses objectifs. Il y aurait donc des taupes parmi nous.

— Des taupes au service de *Paranoïa*, répéta Jablowski. Ça, c'est la meilleure. En tout cas, je n'en fais pas partie, je vous le garantis.

Il sonda les candidats, les uns après les autres, et laissa son regard s'attarder sur Gygax tandis que Leprince soulevait des bouteilles de lait et les orientait vers la caméra, dans l'angle de la pièce.

— On boira à votre santé, Virgile Hadès, fit le sur-feur blond. Je n'aurais pas craché sur un whisky, bon Dieu.

Il s'éloigna en riant.

Chacun mit de côté ses suspicions et se chargea du transport de la nourriture. Les congélateurs et réfrigé-rateurs se remplirent de viande, de poisson, de poêlées rapides à préparer, de desserts et, globalement, de quoi satisfaire un ventre comme celui de Mocky pendant une bonne semaine. Après ce premier succès, les sou-rires et la bonne humeur avaient été de nouveau refroi-dis par cette histoire d'intrus. *Paranoïa* disait-il vrai ou bluffait-il de nouveau afin de semer le trouble et de diviser les candidats plus encore ? Mocky s'en fichait, il plaisantait et sortait quelques vannes, tandis que Fée et Chloé gardaient bonne distance. Chaque fois qu'elles échangeaient un regard, les deux filles parais-saient sur le point de s'étriper.

Puis chacun se positionna devant son casier. Ilan, qui se trouvait face au 8, s'étonna que Fée ne fût qu'au numéro 4 puisque dans le break Hadès avait laissé sup-poser qu'elle était arrivée dans le trio de tête. Aussi incroyable que cela puisse paraître, c'était Gygax qui occupait la tête du classement avec, juste après lui, Philoza et Mocky, qui mangeait un biscuit.

216

— On lit chacun notre objectif et on rapporte l'enveloppe dans cinq minutes, dit Fée. Ensuite, on ferme la grille définitivement.

Les candidats prirent leur enveloppe et s'éloignèrent les uns des autres. Ilan s'isola dans une pièce annexe où ne restaient plus que deux chaises et des vestiges de meubles. Il décacheta son enveloppe avec appréhension. Elle contenait une clé ainsi qu'une feuille. Lorsqu'il en lut le texte, il resta sonné, comme s'il avait reçu un coup de poing dans la tempe.

Il fallut qu'il perçoive la voix de Chloé pour revenir à la réalité.

— Tu n'entends pas qu'on t'appelle ? fit la jeune femme. Allez, dépêche-toi, on doit tout remettre en place et fermer la grille.

Il la considéra longuement depuis l'endroit où il se tenait, avec sa feuille dans la main, puis regarda la caméra juste au-dessus de lui. Il se leva, essaya d'accrocher le regard de son amie mais celle-ci détourna la tête.

— On ne peut rien se dire, Ilan, tu le sais.

Elle accéléra le pas. Les autres candidats attendaient aux abords de la grille, leurs enveloppes étaient déjà à leur place, dans les petits casiers. Certaines mines s'étaient fermées, Gygax se rongeait les ongles, plus en retrait. Philoza avait un mince sourire sur le visage. Ilan rentra fébrilement dans la pièce et déposa ses papiers dans le casier numéro 8 d'une main tremblante. Quand il fut sorti, Naomie Fée posa le gros cadenas à clé à la place de celui à molettes.

— Tout le monde a bien mémorisé son objectif ? Parce qu'on ne pourra plus jamais ouvrir.

Les candidats acquiescèrent.

— Alors, je ferme.

Il y eut un déclic.

— Bonne chance à tous, fit Mocky.

Et il disparut en marchant vers le hall d'entrée.

Très vite, le couloir fut déserté, les candidats s'orientèrent dans des directions différentes, à des rythmes divers.

Chloé resta face à Ilan, son plan dans la main.

— On se voit ce soir.

— Ton objectif... Ça va aller ?

— Ça va aller. On y va à fond, d'accord ? On doit tous les battre.

Et elle disparut en courant.

Seul, Ilan fixa la clé qu'il avait récupérée dans son enveloppe. Il la glissa dans la poche de son pantalon bleu dentiste et prit la direction de l'aile des hommes. La phrase de sa première mission résonnait encore dans sa tête, comme si une voix masculine l'avait prononcée devant lui.

Objectif numéro 1 : Exploration de la chambre 27.

30

La chambre 27 se situait au fond de l'aile des hommes, pas très loin de l'unité de soins. Le numéro écrit en petits caractères noirs était presque effacé mais encore lisible. La porte était fermée. Ilan essaya de regarder à travers le hublot, cependant la poussière sur la vitre intérieure l'empêchait de voir. Il glissa sa clé dans la serrure et entendit le déclic caractéristique.

Il pénétra avec appréhension.

À l'intérieur de son propre cauchemar.

Cette fois, la chambre était rigoureusement identique à celle imprimée dans son crâne : le lit à barreaux, l'ampoule au plafond protégée par une grille bleue, la commode, disposée exactement à la même place. Les draps avaient disparu, le matelas était en sale état, constellé de grosses taches brunes ; la pièce avait pris un coup de vieux, mais c'était bien elle. La chambre 27...

Sur le mur du fond était écrit, en diagonale et au marqueur noir : « Laissez toute espérance, vous qui entrez. »

Ilan s'approcha des barreaux du lit. Dans son cauchemar, l'homme à la taie d'oreiller sur la tête avait caché à l'intérieur de l'un d'eux un morceau de drap où l'inscription « Il AN 2-10-7 » avait été brodée. Il déglutit lorsque le troisième petit tube d'acier bougea davantage que les autres. Il le tira à lui et observa à l'intérieur : vide.

— Où tu te caches, fichu morceau de drap ?

Ilan se surprit à parler à voix haute. Il se redressa et se frotta les mains l'une contre l'autre. Désormais, il n'y avait plus aucun doute : Dieu seul savait comment, mais *Paranoïa* était forcément au courant de son rêve. Et Hadès et toute sa bande lui faisaient revivre son cauchemar en direct.

Décontenancé, Ilan réfléchit longuement et se posa la question autrement : et si, au final, ses souvenirs du rêve avaient été créés de toutes pièces ? On l'avait peut-être drogué alors qu'il dormait et on lui avait induit, par hypnose, ces scènes bien particulières du patient qui se pendait dans la chambre 27.

Des souvenirs injectés à son insu, et d'autres effacés.

Oui, ça pouvait fonctionner de cette façon, c'était d'ailleurs la seule explication rationnelle. Ilan ne put s'empêcher de faire le rapprochement avec ses parents : ils avaient travaillé sur les secrets de la mémoire, ils avaient été tués. Et si tout ce qui arrivait en ce moment même était lié à leur disparition ? À leurs recherches si importantes ?

Mais quel était le lien ? Pourquoi l'avait-on amené ici avec d'autres joueurs ?

Ilan était perdu, il ne comprenait pas et, surtout, il avait peur. Il s'approcha du hublot, en ôta la poussière avec la manche de sa surchemise et regarda à travers. Il se rappelait l'infirmier de son rêve, Alexis Montaigne. Cet homme avait-il réellement existé ? Avait-il travaillé dans cet hôpital par le passé ou était-il juste une invention ? Ilan se dit que, si son rêve coïncidait avec une forme de réalité, il devait forcément y avoir des traces de cet infirmier quelque part. Dans les archives de l'hôpital, peut-être.

Il poursuivit ses investigations. Lorsqu'il ouvrit le tiroir de la commode, il y découvrit une petite bible à la couverture noire, sur laquelle était gravé grossièrement « Lucas Chardon ». Chardon… N'était-ce pas le nom que l'un des deux flics avait prononcé en parlant au prisonnier ? Ilan ferma les yeux et se rappela. Oui, c'était bien ça, Chardon.

Perturbé, Ilan feuilleta rapidement la bible. Toutes les pages étaient cornées, le livre sentait le vieux papier et la poussière. Contrairement à ce Lucas Chardon, Ilan n'avait jamais cru en Dieu. Il fourra le livre dans sa poche, c'était peut-être l'un des éléments du jeu qui trouverait son utilité par la suite.

Dans le tiroir, il y avait aussi un crucifix noir, un jeu de tarot complet et des dessins monstrueux d'animaux mythologiques, réalisés à l'encre de Chine avec une grande minutie. Ainsi, c'était sans doute ce Chardon l'auteur des peintures dans la salle de thérapie et les couloirs proches. Était-ce dans le cadre du jeu, ou Chardon avait-il réellement été, un jour, interné dans cet hôpital avant de commettre son octuple meurtre ?

Comme Ilan, le patient de la chambre 27 avait un véritable talent pour le dessin. Mais ses œuvres à lui étaient d'une noirceur extrême.

— Vous avez drôlement bien bossé, Hadès. Quel est le truc ?

Ilan murmurait à présent. Il avait remarqué la caméra, dans l'un des angles, et surtout ces drôles de gestes qu'il faisait pour se parler à lui-même. Très vite, il se ressaisit et inspira un bon coup : heureusement il n'était pas seul, d'autres candidats étaient embarqués dans la même galère, et cela le rassura un peu. Il s'empara de la croix, du jeu de tarot et des dessins, qu'il glissa contre son ventre en les maintenant avec l'élastique de son pantalon.

Puis il pensa au jeu : on l'avait dirigé dans cette pièce, il devait donc y avoir quelque chose de précis à découvrir, hormis le contenu du tiroir. Peut-être un petit cygne noir ou, alors, un autre objectif. Quelque chose qui lui permettrait d'avancer et de comprendre davantage, en tout cas.

Il ne tarda pas, en effet, à dénicher une autre enveloppe, cachée sous le matelas. Elle contenait deux nouvelles clés, ainsi que les prochaines instructions.

Ilan était définitivement entré dans la partie.

Paranoïa lui ouvrait grand ses portes.

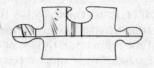

31

« *Félicitations, vous en êtes à l'objectif numéro 2. Ceci était une petite mise en jambes, rien de bien compliqué. Nous pouvons passer aux choses un peu plus sérieuses à présent.*

Vous avez en main deux nouvelles clés. La première ouvre et ferme la salle des électrochocs. La seconde vous dirigera vers votre prochain challenge, à n'utiliser qu'une fois la nouvelle épreuve remplie.

Cette nouvelle épreuve, la voici : vous avez certainement compris que Gaël Mocky était un individu désobéissant. Les rebelles, dans les hôpitaux psychiatriques, doivent être sanctionnés pour le bien des autres patients et pour la bonne tenue de l'établissement. En tant que patient responsable, vous devez donc l'entraîner dans la salle des électrochocs dont vous possédez la clé, l'attacher sur la chaise avec les bracelets, sortir et verrouiller la porte derrière vous. Une fois toutes ces étapes franchies, votre objectif sera atteint. Vous pourrez alors vous diriger vers votre troisième objectif, quelque part dans la morgue de l'hôpital, en utilisant la seconde clé en votre possession.

Bonne chance.

Virgile Hadès »

Ilan relut le message plusieurs fois et replia la lettre fébrilement. C'était dément, maléfique. Attacher quelqu'un sur une chaise à électrochocs... Qu'est-ce que cela signifiait ? Le texte indiquait de sortir et de refermer derrière soi. Mais que se passerait-il ensuite pour Mocky ? Comment se détacherait-il ? Qu'allait-il lui arriver ?

L'un d'entre vous va mourir.

Le jeune homme s'appuya contre un mur, il avait besoin de réfléchir. Cette fois, il ne s'agissait pas de trouver des enveloppes ou des cygnes, il fallait s'en prendre directement à un adversaire. Un type qu'il aimait bien, en plus, avec qui il avait un bon feeling.

Chaque candidat avait-il pour mission de s'attaquer à l'un des autres participants ? Ilan songea aux seringues des médecins et frissonna. Un Frédéric Jablowski ou une Naomie Fée seraient-ils capables d'injecter leur mystérieux produit à quelqu'un si on le leur demandait ? Et Chloé ? Il se rappelait son regard, après la lecture des premiers objectifs. Que lui avait-on demandé de faire ?

Et qui étaient ce ou ces fichus intrus parmi eux ?

Ilan songea au premier principe : *Quoi qu'il arrive, rien de ce que vous allez vivre n'est la réalité. Il s'agit d'un jeu.* Oui, c'était juste le jeu que d'attacher un colosse comme Mocky sur une chaise de contention. Oui, il le prendrait bien, il sourirait même : « Ah, c'est génial ton truc, ça me fait penser à ces séries américaines où on grille des types comme des saucisses sur les chaises électriques. J'ai toujours eu envie d'essayer. Et on peut tourner les boutons ? »

Pourtant, tout ceci avait forcément une signification. Les organisateurs de *Paranoïa* devaient avoir eux-mêmes un objectif, un but caché, autre que celui de distribuer plus de trois cent mille euros.

Ils ont peut-être pénétré chez toi pendant ton sommeil. Ils t'ont drogué et manipulé. Ils t'ont incrusté un rêve dans la tête impliquant Lucas Chardon, vrai ou faux patient de cet hôpital psychiatrique. Il faut découvrir pourquoi.

Ilan ne savait pas quoi faire. Il pouvait au moins aller jeter un œil à cette salle d'électrochocs afin d'essayer de dissiper ce brouillard qui l'entourait. Il relut le message face à lui : « Laissez toute espérance, vous qui entrez. » Encore une référence à *La Divine Comédie*, lui semblait-il. Cette phrase était celle gravée sur une porte ouvrant sur l'enfer.

Il voulut se décoller du mur, mais il éprouva soudain une violente douleur à l'intérieur du crâne. C'était comme si toute sa tête se fragmentait. Il se traîna jusqu'au matelas, les mains plaquées sur les oreilles.

Ça recommençait.

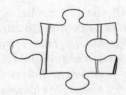

32

La météo était mauvaise, il faisait désormais sombre dans la chambre d'hôpital de Lucas Chardon et il n'allait pas tarder à neiger. Seul un petit néon, placé au-dessus du lit où il était sanglé, soulignait les formes des objets les plus proches. Sous cette lumière, les expressions des visages paraissaient plus fermées, plus dures.

Le téléphone portable ne cessait de vibrer dans la poche de pantalon de Sandy Cléor. Le docteur ne voulait pas interrompre le récit de son patient, mais vu l'insistance, elle consulta tout de même son écran et serra les lèvres. À cause de la chaleur dans la pièce, elle avait ôté son pull-over, laissant apparaître une tunique noire à manches longues.

— Je suis désolée, mais il s'agit d'un appel que je dois prendre absolument. C'est la nounou. Mon fils est malade depuis hier.

— Ah, ces choses-là, on n'y peut pas grand-chose. Je vous en prie, faisons une petite pause, nous poursuivrons juste après. Et si vous pouviez me rapporter un peu d'eau. (Il agita la main avec un sourire, faisant craquer le cuir de la sangle.) Disons que j'ai un peu de mal à me déplacer par mes propres moyens. Et j'ai la gorge tellement sèche.

— Bien sûr.

Elle coupa le Dictaphone et sortit rapidement. Au bout de cinq minutes, elle revint avec une petite bouteille d'eau fraîche, dont elle versa la moitié du contenu dans un verre. Au cœur de cette demi-obscurité, elle le porta aux lèvres de son patient.

— Je n'ai pas trouvé de paille. Allez-y doucement...

Lucas Chardon vida le verre en quelques gorgées et reposa sa tête sur l'oreiller. Sandy Cléor retourna s'asseoir sur sa chaise inconfortable. Malgré son jeune âge, elle ressentait une petite douleur aux articulations. Cela faisait plus de trois heures que Lucas parlait, qu'il lui livrait son histoire. Elle vérifia qu'il restait suffisamment de place sur la carte mémoire de son Dictaphone et appuya de nouveau sur le bouton d'enregistrement.

— Comment va votre fils ? demanda le patient.

La psychiatre afficha une mine relativement décontractée, mais fatiguée. Des cernes avaient commencé à se dessiner sous ses yeux. Ces derniers jours, en plus des soucis avec son fils, elle avait eu énormément de dossiers à traiter, comme si la maladie mentale était une pieuvre sans cesse grandissante qui étalait ses tentacules sur le monde. De surcroît, ce cas-là allait l'occuper de nouveau, ce qui s'annonçait déjà comme incroyablement mystérieux mais particulièrement excitant.

— Plutôt bien. Il dort. J'avais dit que je rentrais en début d'après-midi et la nounou s'inquiétait de ne pas avoir de mes nouvelles.

Elle posa une main sur son crâne.

— C'est dingue, avec tout ce qui s'est passé ces temps-ci, j'ai oublié de la prévenir. Ça ne m'arrive jamais.

— Ah, la mémoire nous joue parfois de drôles de tours. Et ce n'est pas évident d'élever un enfant seul, je crois. Au fond, nous avons notre part de responsabilité, nous, vos patients. C'est notre faute si vous ne pouvez pas rentrer chez vous. C'est notre faute si votre mari en a eu assez de vous attendre. Nous sommes égoïstes et nous ne le savons même pas.

La lucidité de Chardon, après toutes ces journées passées à l'hôpital, était surprenante. Cléor préféra jouer franc-jeu, aussi répliqua-t-elle du tac au tac.

— Cela fait partie du métier. Un mari ne peut pas prendre la psy sans ses patients. Les deux vont ensemble.

— Vous auriez dû être femme au foyer, comme ma mère, ça cause moins de problèmes. Mon père bossait à l'usine et, quand il rentrait, le repas était prêt.

— Vous vous souvenez du métier de vos parents ? fit Cléor, surprise.

Il sourit, éludant la question.

— Dire que pendant tout ce temps où vous m'avez soigné, je n'ai jamais imaginé un seul moment que vous puissiez être mariée. À vrai dire, je ne me posais pas la question. Je ne me suis même pas rendu compte à quel point vous étiez...

Elle croisa les bras, se positionnant légèrement en retrait.

— Vous aviez d'autres préoccupations.

— D'autres préoccupations, oui, dans une pièce de neuf mètres carrés où l'on vous injecte des saloperies à longueur de journée... Pour le moment, que pensez-vous de mon récit ?

— Il est passionnant, et très intrigant. Je dois avouer que...

— Vous n'y comprenez pas grand-chose en l'état actuel des choses. Mais n'ayez crainte, les pièces du puzzle vont se mettre en place progressivement, les unes après les autres. Vous aimez les puzzles, docteur ?

— J'en ai fait beaucoup quand j'étais plus jeune.

— C'est très amusant. Les périodes où l'on fait le plus de puzzles sont l'enfance et la vieillesse. Entre les deux, rien... Moi, j'ai toujours adoré les puzzles. Ils ont tous une particularité : quelle que soit leur taille, ils deviennent complètement inutiles, moches, loupés, s'il vous manque la toute dernière pièce. Celle qui sublime l'ensemble. Qui marque l'aboutissement ultime du temps qu'on y a consacré.

Il ferma les yeux, il semblait serein. Sandy Cléor glissa discrètement le Dictaphone sur ses genoux

— Revenons-en à nos moutons, fit-il. Vous savez, je revois encore parfaitement cette première rencontre dans le break, sur une route perdue de montagne. La voiture de police qui avait dérapé sur le bas-côté... L'impossibilité pour les candidats de joindre le monde extérieur... (Il ferma les yeux.) Tous les ingrédients y étaient. Le carnage qui allait ensuite se produire dans l'hôpital était quasiment annoncé.

Plus Cléor écoutait, plus elle avait l'impression de se perdre dans les explications de son patient. À chaque révélation, il lui semblait tomber dans un gouffre, et au moment où elle croyait toucher le fond, se révélait un autre gouffre, plus profond encore.

Lucas Chardon rouvrit brutalement les yeux et fixa la psychiatre avec intensité. Sous la lumière du néon, Cléor fut parcourue d'un frisson mais essaya de ne pas le montrer.

Qui était vraiment l'homme en face d'elle ?

Quelle était sa part de ténèbres ?

— Le destin sait être cruel, mais il fait parfois tellement bien les choses, souffla Lucas.

33

Ilan était retourné dans l'aile des soins, marchant au ralenti. Les bourdonnements assourdissants au fond de sa tête s'étaient enfin tus, mais pendant tout le temps où il s'était allongé sur le sol, les mains sur les oreilles, il avait bien cru devenir dingue. Cette crise-là avait surpassé toutes les autres. En intensité et en durée.

Ilan avait peur. Non pas de ce qu'il y avait autour ou dehors, mais de ce qu'il y avait dedans, *en lui*. C'était comme un virus qui se déployait petit à petit pour lui dévorer les pensées, l'esprit. Comme si des gens l'observaient depuis le fond de son œil, ou des âmes qui volaient autour de lui et venaient murmurer à ses oreilles. Il sursauta quand il entendit une porte claquer, pas très loin de l'endroit où il se trouvait. Les autres candidats s'activaient, parcourant les couloirs et les pièces de cet hôpital de long en large.

Il déverrouilla la salle des électrochocs et y entra.

La lumière était déjà allumée, comme si l'on attendait sa visite.

La chaise à électrochocs se tenait là, fièrement installée au beau milieu d'une pièce sans fenêtres, aux murs en mousse jaune qui devait tout insonoriser. Elle paraissait presque confortable, avec son dossier beige légèrement incliné vers l'arrière, son repose-tête, ses deux larges bras qui semblaient accueillants. Elle devait être en chêne massif, en tout cas faite dans un bois très dur. Ses quatre pieds étaient vissés dans le sol.

Ilan s'approcha. Il marchait sur du béton gris sans poussière. Les murs étaient en bon état, tout juste commençaient-ils à s'effriter dans les coins. Il y avait un grand miroir, sur la droite. Le jeune homme remarqua une caméra positionnée au-dessus de l'entrée, face à la Rôtisseuse.

La Rôtisseuse : le surnom lui était venu naturellement. C'était curieux, car Ilan aurait plutôt imaginé une table en métal ou en bois, identique à celles de la salle de lobotomie. D'ailleurs, il voyait très bien la scène : une fois le patient attaché, des médecins venaient lui plaquer des électrodes un peu humides sur les tempes, lui fourraient un mors en caoutchouc entre les mâchoires et envoyaient la sauce avec leurs boutons gradués.

Combien de volts pouvait supporter un organisme humain ? Combien de souffrances l'homme était-il capable d'endurer avant que son cœur lâche ? Ilan observa la chaise d'un peu plus près. Elle s'exhibait, avec ses quatre gros bracelets en fer qu'il suffisait de rabattre pour maintenir les bras et les jambes. Elle était vieille – le cuir était craquelé à plusieurs endroits – mais toute propre, et nulle part le jeune homme ne remarqua la trace de câbles électriques ou des fameux boutons gradués. Il y avait juste trois vieilles prises, dans le mur de droite. Sur deux d'entre elles était écrit « Patient » et « Électrodes actives ».

Ilan rabattit l'un des bracelets, il y eut le même déclic que lorsque l'on ferme des menottes. Un bouton, sur le côté de l'accoudoir, permit de remettre le bracelet dans sa position initiale. Ilan pensa à ce Lucas Chardon – *l'homme à la taie d'oreiller de son cauchemar* –, ou n'importe quel autre patient de cet hôpital qu'on avait sans doute forcé à pénétrer dans cette pièce. Des malheureux que la psychiatrie avait volontairement torturés en leur envoyant du courant alternatif dans l'organisme, pour en « chasser » la maladie.

Face à la chaise, Ilan avait l'impression d'éprouver de la souffrance, des brûlures quelque part au fond de lui-même. Comme s'il connaissait la douleur qu'on ressent quand on reçoit des volts à l'intérieur du corps.

Il ferma les yeux. Oui, il savait. Il savait comme on connaît sa gauche ou sa droite.

Sans doute le souvenir d'un vieux coup de jus ?

Mais Ilan ne se rappelait pas s'être un jour électro-cuté accidentellement. Son père avait raconté que mettre les doigts dans une prise, c'était le genre de truc dont on se rappelait toute sa vie. Alors, comment pouvait-il avoir cette sensation étrange et désagréable au fond de ses tripes ? Un souvenir qu'on lui avait effacé, encore ?

Il eut de nouveau très froid. Il se dirigea vers le fond où traînait un tas de vieux matériel. Il y avait un fau-teuil roulant délabré sur lequel était inscrit « Unité 5 », un gros radiateur en fonte protégé par un grillage, des dizaines de béquilles qui se chevauchaient comme un mikado géant. Le plus curieux était cette baignoire en fonte qui n'avait rien à faire là et qui reposait sur un grand chariot, à un mètre au-dessus du sol, proche du radiateur.

Ilan entreprit quelques fouilles, tout en réfléchissant. Il lui paraissait évident que la chaise à électrochocs ne fonctionnait plus et que l'objectif numéro 2 qu'on lui avait assigné avait pour unique but d'effrayer Mocky.

Pour 300 000 euros, oserez-vous défier vos peurs les plus intimes ? disait le slogan.

Mais comment convaincre le gros bonhomme de venir ici, de s'asseoir sur la Rôtisseuse et de se laisser entraver ?

Ilan regarda sa montre, il était déjà 14 heures, la journée de jeu se terminait à 19 heures. Au pire, s'il ne remplissait pas son objectif, il devrait seulement attendre le lendemain, 9 heures, avant de descendre vers la morgue pour la suite. Il valait peut-être mieux laisser un peu d'avance aux autres que de s'en prendre à un type plutôt sympathique comme Mocky. Il se rattraperait le lendemain.

À force de chercher, il finit par découvrir un petit cygne noir, scotché à une béquille. Il s'agissait d'une statuette en bois sculpté d'à peine trois centimètres. Il lui avait cassé le bec sans le faire exprès en remuant toutes ces béquilles, mais peu importait. Ilan le ramassa avec un sourire : il tenait le premier des dix trophées avant l'accès au pactole.

— Sacrément bien joué, mon gars.

Ilan sursauta et se retourna. Gaël Mocky se tenait juste dans l'entrée. Il avait regroupé ses dreads à l'aide d'un élastique, ce qui lui donnait l'air d'un adorable gros nounours. Ses grosses joues étaient toutes rouges, son front était tartiné de sueur.

— Vachement impressionnante, cette pièce, fit-il en s'avançant. C'est ici que *Paranoïa* t'a demandé de venir fouiner ?

Ilan fourra le cygne dans sa poche. Il cherchait Mocky, et Mocky venait à lui. Restait à savoir si, à présent, il serait capable d'exécuter sa mission jusqu'au bout.

— Tu sais bien que je ne peux rien te dire, répondit Ilan.

Mocky lorgna la caméra, se regarda dans le grand miroir puis revint vers son interlocuteur.

— Un cygne au bec cassé pour toi et zéro pour moi. Sans te dévoiler mon objectif, je cherche juste une salle de musique, elle n'est pas indiquée sur le plan. Ça fait plus d'une heure que je tourne dans ce dédale. T'aurais pas vu un écriteau ou un truc dans le genre, par hasard ?

— Non, désolé. Il y a des salles un peu plus artistiques, y compris un théâtre, dans un couloir parallèle à celui-ci. Ta salle de musique se trouve peut-être dans ce coin-là.

— Bon… Je vais essayer.

Mocky se retourna vers la porte, mais Ilan, après une hésitation, l'interpella.

— Attends. Tu peux venir voir deux minutes ?

Bull 20 revint à l'intérieur. Il poussa la porte derrière lui. Ilan s'était accroupi au niveau de la chaise, auscultant les bras en cuir.

— T'as une idée de la façon dont elle fonctionne ?

— Pourquoi ? Tu comptes te faire des tartines grillées ?

— Je suis juste curieux.

Mocky regarda l'heure puis s'approcha. Il observa l'un des bracelets en fer.

— C'est métallique donc conducteur, je suppose que c'est par là que le courant passe. (Il s'agenouilla avec difficulté et observa le sol sous la chaise.) Au fait, tu sais quand a été utilisée pour la première fois la chaise électrique ?

— Je l'ai su. Fin du dix-neuvième siècle, je crois ?

— En 1890, sur un prisonnier du nom de Kemmler. Le but était de mettre en place un procédé plus humain que la pendaison. C'est vrai qu'avoir la cervelle grillée et sentir tes propres yeux sortir de leurs orbites, c'est vachement humain.

Il essayait de déplacer la chaise, en vain : les vis étaient enfoncées fermement dans le sol.

— Je n'arrête pas de réfléchir à cette histoire d'intrus parmi nous, fit-il. T'as pas l'impression que Ray Leprince n'a rien à faire ici ? On dirait un touriste, ce mec.

— Il ne faut pas se fier aux apparences. Il n'y a qu'à te regarder.

Mocky eut un sourire franc.

— Ouais, mais imagine qu'il ait effectivement volé ou partagé les infos d'un jeune autiste. OK, il pénètre dans *Paranoïa* en se servant des découvertes du gamin. Mais s'il n'a pas l'habitude des chasses au trésor, des énigmes, il n'aurait jamais pu arriver jusqu'ici. Des mecs comme Hadès n'auraient pas laissé passer un charlatan.

— Peut-être la chance. Ou il a utilisé et doublé un autre candidat sur le fil ? Qui sait ?

— On verra bien.

Mocky désigna la prise dans le mur, sous le miroir.

— Aucun câble, rien. De toute évidence, elle n'est plus branchée.

— Ou alors, les câbles passent à l'intérieur des pieds puis sous le sol ?

Mocky se redressa en poussant sur ses cuisses à l'aide de ses mains. Ses genoux craquèrent.

— Je n'en sais rien. En tout cas, à voir les traces d'ongles sur les accoudoirs, elle a dû être pas mal utilisée, ça c'est sûr. Quand tu penses qu'ils voulaient guérir des gens avec cette cochonnerie. Il paraît qu'en plus de t'infliger de la douleur ça te bousille tout à l'intérieur du cerveau, comme quand tu renverses de l'eau sur un circuit électrique.

— Ça peut agir sur la mémoire, aussi ? Sur les souvenirs ?

— Ça me paraît évident. La CIA utilisait ces techniques dans les années soixante pour faire du lavage de cerveau ou du *mind control* : le contrôle de la pensée. Il paraît qu'on était capable d'agir sur les souvenirs d'un individu, en effacer certains, en ajouter d'autres, sans que l'individu en question se doute de quoi que ce soit.

— Dis-m'en plus là-dessus.

Mocky jeta un œil vers l'entrée, puis la caméra.

— Plus tard, si tu veux bien.

Il sortit une clope de sa poche et un briquet.

— C'est ma dernière cigarette, celle du condamné, et ils n'ont pas prévu de recharge dans les stocks de nourriture. Ça te dérange si je la grille tranquillement avant de me remettre en route ? Je dois absolument trouver cette salle de musique qui n'est indiquée nulle part. Je me demande même si elle existe.

Ilan tendit un bras vers la chaise.

— Installe-toi et fume ta cigarette tranquillement.

Mocky eut un petit rire stressé.

— T'es gentil. Je suis maso, mais pas à ce point. Imagine que… je sais pas, qu'elle fonctionne encore et me transforme en méchoui grillé, appliquant à la lettre le principe numéro 2 de notre superbe aventure. Avec ma carcasse en guise de nourriture, vous auriez de quoi tenir un siège. Vas-y, toi.

— Sans façon, merci. Je ne suis pas adepte de la peine de mort.

Gaël tira sur sa clope et souffla la fumée par le nez. Ses paupières s'étaient baissées, ne laissant apparaître que deux yeux fins comme ceux des félins.

— Si, j'insiste. S'il te plaît. Montre-moi que tu en as dans le ventre, qu'elle ne te fait pas peur, cette chaise. T'es un patient, après tout, et tous les patients doivent au moins tester une fois ce genre d'engin.

— Non, non. Franchement, pas envie.

Il voulut s'écarter de la chaise, mais Mocky se plaça devant lui.

— Ce sera beaucoup mieux si tu le fais de ton plein gré. Allez.

Cette fois, des signaux rouges clignotèrent dans la tête d'Ilan. Le regard de Mocky avait changé, il s'était durci. Ilan tenta de se faufiler sur le côté mais Mocky l'attrapa par l'épaule et le poussa sur le siège. Lorsque Ilan voulut se redresser, il eut l'impression d'être écrasé par un trente-huit tonnes. Clope aux lèvres, l'obèse s'était quasiment assis sur lui. Il lui plaqua les bras sur les accoudoirs avant de rabattre les bracelets sur ses poignets.

— Bouge pas comme ça. Tu vas te faire mal.

— Libère-moi ! grogna Ilan.

Mocky lui agrippa les chevilles fermement et les pressa contre le fauteuil avant de les piéger dans les cerceaux d'acier. Ilan se retrouva complètement immobilisé, incapable de se défaire de ses entraves.

— Qu'est-ce qui te prend, bon sang ! Laisse-moi partir !

Mocky se redressa dans un nuage de fumée. Il fixa Ilan sans trop savoir quoi faire ni quoi dire, puis jeta sa clope qu'il écrasa du talon d'un air dépité.

— Ils font chier, bordel. Je ne voulais pas ça, c'est toi qui l'as cherché. Qu'est-ce que tu fichais ici ? Tu ne pouvais pas… je ne sais pas, te planquer ailleurs ?

Il leva les yeux vers son adversaire qui gesticulait en serrant les dents.

— Je suis désolé mec, c'est pas ma faute. Je ne cherchais pas de salle de musique, c'était juste un prétexte. C'est… C'est eux. Ils veulent nous monter les uns contre les autres.

— Ne fais pas une chose pareille, Gaël. Il se passe des choses pas claires avec ce jeu. Toi comme moi, on le sait. Libère-moi, s'il te plaît.

Mocky se plaqua les mains sur les oreilles et les retira aussitôt.

— Arrête !

Il se mit à faire les cent pas.

— Ça va aller, d'accord ? Je te laisse ton cygne dans ta poche pour te prouver ma bonne foi, parce que d'autres se seraient pas gênés pour te le piquer. Dans une heure ou deux, tu seras sorti d'ici, j'en suis persuadé. Tu réussiras à appuyer sur ces boutons qui débloquent les bracelets.

— Comment, bordel ?

— Tu vas y arriver, si, si. Ou alors, ça se débloquera tout seul à 19 heures. Oui, ça doit être ça. N'oublie pas, c'est qu'un jeu, un simple jeu. Je ne te veux pas de mal. Tu me comprends, j'espère ?

Mocky fit quelques pas à reculons sans cesser de s'excuser, tandis qu'Ilan le suppliait.

Puis il se retourna, sortit et ferma la porte derrière lui.

Ilan entendit le bruit de la clé dans la serrure.

Avant le grand silence dans cette pièce où même les cris ne trouvaient pas d'écho.

34

Il n'était plus question de jeu.

Ilan se trouvait seul dans une pièce fermée à clé, privé de sa liberté de mouvements. Il était frigorifié. Ses jambes, ses épaules s'engourdissaient, une pointe de douleur due à sa position naissait dans sa nuque. Quant à sa voix, elle était cassée à force d'avoir crié.

Il n'arrivait pas à distinguer le cadran de sa montre, il aurait fallu relever la manche à élastique de sa sur-chemise et celle de son gros pull, mais Ilan était per-suadé que deux ou trois heures s'étaient écoulées et que bientôt la sonnerie de fin de jeu retentirait.

Il allait passer sa première nuit ici, sans eau, sans nourriture, face à ces murs jaunes et insonorisés. Chloé s'apercevrait de sa disparition, mais que ferait-elle ? Toutes les lumières de l'hôpital s'éteindraient, les can-didats seraient confinés dans leur espace de vie comme des rats dans une cage. Au mieux, elle essaierait de lui venir en aide le lendemain, mais de quelle façon ? Mocky finirait-il par avouer qu'il l'avait enfermé ici ? Probablement pas : ce type n'en avait pas l'air, mais il était sûrement un joueur redoutable.

Ilan fixa de nouveau la caméra, cet œil de verre braqué sur lui. Puis il tourna la tête vers le miroir. Il imagina Hadès juste là, derrière un pupitre, à l'observer comme un animal de foire, à prendre des notes.

— Qu'est-ce que vous voulez, à la fin ?

Il avait juste murmuré, à bout de forces. Il laissa son menton retomber sur son torse et ferma les yeux.

Principe numéro 1 : Quoi qu'il arrive, rien de ce que vous allez vivre n'est la réalité. Il s'agit d'un jeu.

Jeu ou pas, il commençait à avoir envie d'uriner et n'osa imaginer ce qu'il adviendrait, d'ici une heure ou deux. Allait-il devoir se pisser dessus ? Était-ce ce que ces ordures attendaient ?

Principe numéro 2 : L'un d'entre vous va mourir.

La sentence résonnait, toujours plus fort. C'était lui qui allait mourir. C'était lui qu'une bande de pervers allait lentement regarder crever par caméras interposées. Peut-être des gens avaient-ils payé pour assister au spectacle, des observateurs sadiques, des espèces de richards qui s'offraient des morts cruelles en direct. Ou alors une toute nouvelle génération de télé-réalité, du trash extrême.

Il fallait se rendre à l'évidence : ça avait été de la folie de s'aventurer dans cet endroit nauséabond, en pleine montagne, sans avoir prévenu personne. Comment n'avait-il pas senti le piège ? Comment en était-il arrivé là ?

Principe numéro 3 : Vos amis sont vos ennemis. Saurez-vous détecter le ou les intrus ?

Le ou les intrus… Et si c'était Mocky, l'intrus ? Et s'il était, sous ses airs de gros nounours, le bras droit d'Hadès, une sorte d'exécuteur ?

Ilan n'en pouvait plus. Combien de temps pouvait-on tenir, attaché sur une chaise ? Oui, c'était ça : tous les candidats allaient y passer, les uns après les autres, et on ne retrouverait jamais leurs corps.

Ilan rouvrit les yeux. L'espace tournait, comme dans un rêve, la porte oscillait devant lui, on aurait dit qu'elle flottait. Son organisme manquait assurément de sucre, de calories, une hypoglycémie guettait, peut-être, déréglant son fonctionnement.

Plus tard, Ilan redressa la tête, les paupières lourdes, à demi fermées. Il fixa la poignée de la porte d'entrée. Elle tournait ! Ses doigts engourdis se crispèrent sur les accoudoirs.

— Je suis là ! Je suis Ilan Dedisset, candidat numéro 8, et je suis enfermé dans cette pièce ! Ouvrez, je vous en prie !

Rien, aucune réaction. La petite poignée ronde restait désormais complètement immobile. Ilan s'agita furieusement d'avant en arrière, faisant grincer le cuir. Il n'avait pas rêvé, quelqu'un avait essayé d'entrer. Quelqu'un allait venir le secourir.

Encore des minutes qui s'écoulent… les yeux qui roulent dans leur orbite… un sommeil qui arrive et repart, laissant un goût pâteux dans la bouche.

Soudain, une voix qui résonne, partout et nulle part à la fois. Ilan grimaça, rentra la tête dans les épaules. Il s'attendait à une nouvelle crise. À ces milliers de crabes qui grouillaient dans son corps et lui pinçaient les nerfs.

— *L'objectif de ce test est de démontrer que l'individu développe des capacités mémorielles accrues lorsqu'il sait que chaque erreur de sa part entraînera une punition. C'est la fessée que vos parents vous donnaient, lorsque vous vous trompiez. C'est la main posée à plat sur une plaque brûlante.*

Pour une fois, Ilan entendait distinctement les mots, même s'ils étaient distordus, comme crachés par une voix truquée, très grave, ni féminine ni masculine.

Mais incroyablement monocorde, dépourvue d'émotion. Et si elle ne venait pas de l'intérieur de sa tête, cette fois ? Et si elle était réelle ? Il chercha les haut-parleurs, en vain.

— Quel test ? fit-il de sa voix fatiguée. Qui parle ? C'est toi Mocky ? Espèce de...

— *Nous allons mesurer à quel degré la punition peut avoir une influence sur la mémoire.*

Ilan s'agita encore.

Il aurait bien aimé se mettre les mains sur les oreilles, pour savoir si c'était seulement au fond de son crâne.

— *Je vais vous lire une série de vingt couples de mots. Un nom suivi d'un adjectif. Je vous donnerai ensuite l'adjectif, vous me direz à quel nom il se rapporte. Nous répéterons l'opération dix fois, en tout et pour tout. Soyez brillant. À chaque erreur, une punition vous sera administrée.*

— Une punition ? Le jeu n'est pas censé toucher à l'intégrité physique des candidats ! Vous m'avez attaché, laissé enfermé ici. Je m'en fiche, de votre test. Je veux sortir !

Ilan se rendit compte qu'il parlait à voix haute. Il discutait avec quelqu'un de réel, il en avait à présent la certitude.

Il fixa furieusement la caméra immobile, puis essaya de retrouver son calme : on ne l'avait pas complètement abandonné. Peut-être que tout allait bien se terminer après ces fichus tests. On le relâcherait et il se tirerait de cet endroit maudit, neige ou pas.

La neige, peut-être, mais les chiens...

— Allez-y. Dictez-la, votre putain de liste.

En même temps, Ilan essayait de réfléchir : des tests sur la mémoire, comme par hasard. Il songea évidemment à ce qui lui était arrivé durant son sommeil, chez lui. Les ombres, l'injection, la carte dérobée. C'étaient peut-être les mêmes individus qui le manipulaient, jouaient avec lui. Ou juste cet enfoiré de Mocky qui continuait sa torture. Il avait découvert un autre objectif et il était revenu ici pour terminer le boulot. Il répétait les instructions qu'on lui demandait de lire et, par la même occasion, progressait dans le jeu.

La voix revint :

— *Voici donc les couples de mots, je vous laisserai ensuite une minute pour les mémoriser. Écoutez attentivement et concentrez-vous :*

Chien, féroce. Nombre, curieux. Esprit, malade. Lumière, blanche. Cadavre, froid. Énigme, compliquée. Vent, violent. Croix, noire. Lac, bleu. Trou, boueux. Couleur, sombre. Frontière, floue. Strate, profonde. Père, secret. Cercle, coloré. Cerveau, vigilant. Trésor, enfoui. Peau, arrachée. Âme, volante. Présence, absente.

La voix se tut. Ilan essaya de ranger la liste dans un coin de son esprit, les mots résonnaient, le son rapetissait progressivement dans sa tête, comme si les lettres fondaient. Les yeux fermés, il essayait de visualiser les noms, les adjectifs. *Trou, frontière, croix...* Croix, noire. Comme celle posée chaque jour sur la porte de Chloé. Y avait-il un rapport ? Forcément, oui, ce ne pouvait pas juste être une coïncidence, encore une. C'était trop bizarre, trop...

— *La minute est écoulée. Voici le début du test. Premier mot : bleu.*

Ilan s'agitait. L'adrénaline lui avait redonné un peu de forces, il tira sur ses poignets en vain. Les boutons permettant d'ouvrir les cadenas étaient juste là, sur le côté des accoudoirs, mais inaccessibles.

— Lac, répliqua Ilan.

L'association était venue spontanément, et Ilan se dit que l'exercice ne serait peut-être pas si compliqué.

— *Correct. Mot suivant : sombre.*

— Esprit.

— *Incorrect.*

Il avait répondu trop vite, il se savait. Il sentit alors un picotement lui traverser le corps. Cela dura à peine une seconde, ça provenait d'en dessous de lui. De la Rôtisseuse.

— Ça chatouille méchamment votre truc, ça ne me plaît pas. Arrêtez, maintenant.

— *Coloré.*

— J'ai dit « arrêtez », d'accord ?

— *Je répète : coloré.*

— Va te faire foutre.

Ilan grimaça, ses doigts se raidirent un peu. Cette fois, le chatouillement avait viré à la décharge assez désagréable. Il l'avait sentie dans tout le corps, comme si une colonie de fourmis l'avait traversé de haut en bas.

— *Réfléchissez avant de dire n'importe quoi, s'il vous plaît. Mot suivant : enfoui.*

— Trésor. Trésor, ça vous va ?

— *Correct. Mot suivant : secret.*

— Père ! répondit Ilan du tac au tac.

Encore une fois, l'association était venue instantanément, sans qu'Ilan fouille dans sa mémoire, et elle était bonne. À quoi jouait-on ? Qu'attendait-on de lui ? Pourquoi des références à la croix noire de Chloé, aux secrets de son père, à des mots comme « Énigme » et « Trésor », qui faisaient allusion à la carte codée ?

— *Correct. Mot suivant : froid.*

Ilan fouilla dans sa mémoire. *Trou, boueux. Peau, arrachée. Présence, absente.* Plus le temps passait, plus son stress grimpait et plus les mots s'estompaient comme de petits papiers pris dans le...

— ...Vent. Le vent est froid.

C'était incorrect et Ilan le paya cher. Il poussa un cri lorsque passa le courant. Parce que c'était bien ce à quoi ces salauds s'amusaient : ils lui envoyaient de l'électricité dans l'organisme, avec des intensités croissantes à chaque erreur de sa part.

— Arrête ça, Mocky. Arrête immédiatement où je te jure que...

— *Essayez de ne plus vous tromper, d'accord ?*

— Qui parle ? C'est vous Hadès ? Un candidat ? Fée ? Gygax ? Écoutez, j'ai des problèmes de mémoire, je n'y arrive pas. Ce n'est plus un jeu maintenant. Qui que vous soyez, vous pouvez tout arrêter. On doit être proche de 19 heures, non ? Alors abandonnez votre objectif et attendez demain matin. Et surtout, libérez-moi.

— *Mot suivant : profonde.*

— J'en sais rien, bon sang. Couleur ?

Un silence. Ilan perçut un raclement de gorge.

— *Incorrect.*

Le choc arriva. Cette fois, ça commençait à être franchement douloureux. Ilan cria plus longuement et il sentit son dos se décoller un peu du dossier en cuir. Quand l'électricité fut partie, ses doigts étaient restés raides, encore engourdis. Il s'agita comme un fou, jusqu'à se faire mal aux poignets. Qui pouvait lui infliger des douleurs pareilles ? Jablowski ? Leprince ? Ces types étaient prêts à tout pour le fric.

— *Huitième mot : compliquée.*

Ilan plissa les yeux. Il se rappelait ce mot, il était là, affleurant sa conscience. *Frontière, strate, présence...*

— Féminin ou masculin ? demanda-t-il.

— *Le mot est « compliquée »... J'attends la réponse.*

L'éclair jaillit soudain, et Ilan envoya avec certitude :

— Âme. C'est âme, j'en suis sûr !

Il roula des yeux, ses muscles tremblaient. Rien ne se produisit, un début de sourire nerveux s'esquissa sur ses lèvres.

Un grésillement. Puis la décharge arriva. Violente comme une vague furieuse qui s'écrase sur un corps. Ilan voulut hurler, mais le son se bloqua au bord de ses lèvres. Ses mâchoires étaient serrées et ne s'écartèrent qu'une fois le courant passé.

— *Incorrect. Le mot était : énigme.*

Ilan redressa la tête. Une tache de salive maculait le haut de sa tenue. La voix bourdonnait, partout autour de lui. Sans consistance, presque irréelle.

— *Plus que deux mots. Deux, OK ? Essayez de bien répondre maintenant. L'adjectif est « féroce ». Allez, trouvez le nom associé. Prenez votre temps, mais répondez correctement.*

Ilan ne parvenait plus à réfléchir. Il entendait juste cette voix qui semblait vouloir qu'il réussisse. *Une voix de candidat... Un enfoiré qui prend une forme de plaisir à t'électrocuter. Il va aller jusqu'au bout. Pour le fric.*

— Animal, balbutia Ilan.

— *Chien ! C'était chien !*

— Non... S'il vous plaît.

Le néon s'éteignit et se ralluma aussitôt dans un crépitement. Ilan eut l'impression que ses pieds allaient se briser, que ses tendons allaient lâcher. Quand le courant quitta son organisme, il ne savait plus où il était et était incapable de relever la tête, comme si ses muscles n'obéissaient plus. Des images vinrent lui percuter la conscience : son père, qui lui lit la Bible, assis au bord de son lit. Il tourne les pages doucement, une veilleuse éclaire son visage.

Il entendit à peine le dixième mot : « vigilant », répondit quelque chose d'incompréhensible, puis sentit son squelette se disloquer en milliers de morceaux avant l'évanouissement.

Et alors que son corps tombait, son cerveau s'activa.

35

Ilan titube, il doit s'appuyer contre un mur pour reprendre ses esprits.

L'un des hommes qui le précèdent, un grand type au dos un peu voûté, se retourne vers lui et s'approche. Il a les yeux légèrement écartés et une bouche aux lèvres épaisses.

— Vous avez besoin de prendre un peu l'air ?

— Ça va aller.

Un néon du plafond ne fonctionne plus et l'architecture du couloir est particulière : sa largeur se réduit tous les cinq ou six mètres, faisant penser à des emboîtements gigognes. Depuis tout à l'heure, Ilan a l'impression de s'enfoncer dans les entrailles d'un monstre. Il porte une chemise noire, un pantalon de la même couleur mais une paire de chaussures de randonnée qui dénote avec le reste. Sa main, posée devant lui sur le mur, est particulièrement blanche. Il l'attrape avec l'autre main et essaie de calmer ses tremblements.

À présent, il ne peut plus faire demi-tour, ces murs qui se rapprochent sont comme les muscles d'un système digestif reptilien qui le forcent à aller de l'avant.

Il se remet en route, tandis que les hommes devant lui viennent de passer une porte. Deux d'entre eux sont

248

en tenue de policier, le troisième est vêtu d'un ensemble bleu de médecin légiste. Chacun de ses mouvements est un effort, une lutte de son organisme pour le contraindre à affronter l'horreur. Ilan respire un grand coup, son visage se plisse de dégoût. Ici, la mort n'a pas juste un visage, elle a aussi une odeur. Un mélange de chairs ouvertes et de gaz intestinaux qui s'imprègne jusque dans le moindre alvéole de ses poumons.

Les individus l'attendent à l'intérieur d'une pièce dans laquelle on entre en ouvrant deux portes successives qui constituent un sas. Une grande horloge murale indique 4 h 10, mais le plus étrange est l'aiguille des secondes qui tourne à l'envers. Pourtant, celle des minutes vient d'avancer d'un cran.

Le temps est distordu.

Au fond, il y a un ensemble de casiers en acier qui s'élève jusqu'à deux mètres de haut et s'étend sur trois ou quatre mètres de large : un jeu d'échecs morbide où chaque case révèle un mort. Ils doivent être une soixantaine dans ces cercueils impersonnels, à attendre qu'on s'occupe d'eux. Des hommes, des femmes, des jeunes, des vieux, toujours décédés dans ces circonstances douteuses qui méritent analyse.

La pièce est froide, un bourdonnement s'échappe de quelque part et un léger courant aspire l'air vicié d'un côté pour en recracher du pur de l'autre. Malgré ces précautions, la puanteur des chairs en putréfaction est forte, persistante, incrustée dans chaque meuble, chaque objet. On ne peut pas tuer la mort.

Au milieu, sur le linoléum d'un gris neutre, deux tables à roulettes sont placées côte à côte. Elles sont bien alignées, de la même taille. Les cadavres allongés dessus sont recouverts d'un drap vert qu'aucun souffle

249

ne fait bouger. Ilan remarque des traces de sang sur l'un d'eux.

Deux des trois visages sont tournés dans sa direction. Le troisième homme, un jeune flic d'une vingtaine d'années, fixe le sol sans bouger, les yeux dans le vide, les os de ses mâchoires roulant sous sa peau. Il triture son alliance d'un geste discret.

C'est le flic avec la moustache, le plus âgé, qui prend la parole.

— Je vous préviens, c'est assez pénible à voir. Le premier visage a été particulièrement touché. Prenez votre temps. S'il y a des signes distinctifs que vous reconnaissez, signalez-le-nous. Avant d'aller plus loin, nous avons besoin de tous les éléments nécessaires à l'identification.

Il garde le silence une poignée de secondes, puis lâche :

— Vous vous sentez prêt ?

Ilan signifie qu'il l'est sans desserrer les lèvres.

Le médecin attend l'accord du policier et s'exécute.

Le corps d'une femme apparaît. Elle porte une robe bleu marine et un chemisier qui avait dû être blanc. Il est déchiré de part en part et maculé. La victime est pieds nus. Ilan détourne instantanément la tête, les larmes jaillissent. Une main devant la bouche, il laisse une dizaine de secondes s'écouler avant de balbutier :

— C'est elle… C'est ma mère.

Son regard revient vers le corps, puis le fuit de nouveau. Ilan ne sait plus où poser les yeux.

— C'est elle. C'est elle. C'est ma mère, oui. C'est ma mère.

Le drap retombe doucement sur le visage criblé de coupures où scintillent encore des morceaux de verre. Malgré les efforts du légiste pour présenter le corps, le crâne est défoncé juste au-dessus du front et les cheveux encore collés par le sang séché.

Le médecin se décale vers le second chariot et répète le geste qu'il a effectué un peu plus tôt. Il baisse le drap jusqu'à la taille.

Ilan se trouve face à son père. Cette fois, le visage est presque intact, seuls quelques petits éclats brillants se sont fichés sur ses joues et son front. Ses yeux sont fermés, il a l'air serein et est presque beau. Il porte une chemise bleue marquée d'une trace très sombre en diagonale, qui a quasiment brûlé le tissu.

Les yeux d'Ilan glissent vers le bas. Si le drap a une forme bombée jusqu'à la taille, il retombe ensuite complètement à plat sur la table au niveau des jambes. Ilan comprend alors le geste du légiste, qui n'a pas baissé la couverture jusqu'au bout comme il l'a fait avec sa mère : les jambes ne sont plus là.

Ilan retient un gros sanglot et lâche dans une expiration :

— C'est mon père. Oui, c'est lui. Ce sont mes parents...

Le spécialiste lui adresse un regard lourd de compassion et recouvre le corps. Ilan se sent mal, il a d'abord l'impression de tomber, puis de flotter. Il y a comme un trou à l'intérieur de lui-même, où le temps s'écoule et disparaît. Ilan n'arrive plus à fixer le néon, qui oscille dans son champ de vision. L'aiguille des secondes, cette fois, va dans le bon sens. Ilan n'y comprend plus rien.

— C'est terminé. Nous allons vous raccompagner chez vous.

Ilan a bien entendu la phrase que le flic vient de prononcer et, pourtant, les lèvres de ce dernier n'ont pas bougé.

— *Oui, tu peux rentrer chez toi. Et tu boiras un coup à notre santé, hein ? Il y a du champagne à la cave. Du Taittinger. Fais attention en l'ouvrant, tu n'as jamais été doué pour ces choses-là.*

La voix vient de résonner dans la pièce et, cette fois, Ilan est persuadé que ni les flics ni le légiste n'ont parlé. D'ailleurs, ces derniers sortent rapidement, la première porte du sas claque, puis la seconde. Ilan se précipite et se rend compte qu'il n'y a pas de poignée, il ne peut plus sortir. Il se met à tambouriner sur le verre du hublot.

— Oh ! Laissez-moi sortir !

Un courant d'air glacial passe dans son cou. Il voit les silhouettes des individus s'éloigner dans le couloir gigogne, sans qu'aucun se retourne ou se soucie de ses cris. Ilan secoue la porte mais celle-ci ne bouge pas. Il sent alors une pression sur son épaule. C'est le flic avec la moustache, juste derrière lui.

— C'est terminé. Nous allons vous raccompagner chez vous.

Ilan a l'impression de rêver. Le type pose la main sur la poignée, la première porte du sas s'ouvre, les deux flics et le légiste passent devant lui et sortent. Les portes se referment de nouveau. Les individus s'éloignent.

Ilan a la désagréable sensation d'être tombé dans un cycle infernal, et tel Sisyphe avec son rocher, il se sent englué et n'arrive plus qu'à bouger au ralenti comme si le temps se dilatait.

Il est piégé, encore.

Le temps retrouve son écoulement normal. Ilan cogne sur le verre.

Une pression sur l'épaule.

Il se retourne et se retrouve pétrifié.

Son père se tient là, en face de lui, son visage à dix centimètres du sien. L'homme cligne des yeux avec lenteur, la tête inclinée comme s'il détaillait chaque trait de son fils. Sa bouche est légèrement de travers, on dirait qu'on l'a retirée de son visage puis recollée avec maladresse. Ilan est certain de rêver et en même temps il sait qu'il est éveillé, que tout ceci est bien réel.

Et pourtant impossible.

Tétanisé, Ilan ne peut s'empêcher de baisser le regard. Joseph Dedisset n'est pas debout, son corps est coupé et posé sur le chariot au niveau du bassin. Sa chemise bleue descend délicatement sur l'acier, de manière à dissimuler la section et probablement tous les ligaments et les muscles arrachés. Une phrase est écrite en lettres de sang sur l'acier du chariot : *C'est la réalité, mais ce n'est pas réel.*

Le père montre son index ensanglanté et sourit. Il a toujours eu de belles dents mais, cette fois, il donne l'impression d'avoir avalé une meuleuse.

— Ça fait tellement longtemps, fiston, t'es un vrai homme maintenant. T'as pas mal enflé, mais ça a l'air de rouler plutôt bien pour toi. Enfin, mieux que moi, je veux dire. On dirait que mes jambes se sont fait la malle.

Ilan ne sait plus s'il doit rire ou pleurer, et lorsqu'un son explose au fond de sa gorge, c'est sans doute un mélange de deux sentiments antagonistes. Il sent un contact froid sur sa joue droite. La mort est toujours froide. Son père la touche du bout des doigts en souriant encore. Ainsi privé de ses jambes, on dirait Johnny Eck dans *Freaks*, le film de Tod Browning qu'Ilan a déjà vu à plusieurs reprises. Il se laisse faire.

— Qu'est-ce qui s'est passé papa ? Raconte-moi. Je croyais que maman et toi étiez morts noyés pendant une tempête, que…

— Chut fiston, chut…

Joseph Dedisset s'appuie sur ses bras pour jeter un œil à travers le hublot. Ses cheveux bruns sont plaqués sur son front, avec son éternelle raie sur le côté. Il n'a pas vraiment changé. Il lorgne avec méfiance autour de lui.

— Ils sont partout, fils. Ils ont bousillé tes souvenirs. Mais le fait que tu sois revenu ici prouve que tu commences à échapper à leur contrôle. Que progressivement les nuages noirs sortent de ta mémoire.

— *Que je sois revenu ici* ? Tu veux dire que j'étais déjà venu dans cette morgue ?

— Ce n'est pas qu'une morgue, c'est aussi un endroit de transition. Ta mère et moi, on attend le Jugement. L'enfer, le paradis… Tu vois ce que je veux dire ?

Ilan est sur le point de succomber, il est fatigué et n'y comprend rien. Il s'appuie à la table, le dos contre la porte. Il est en train de parler à un mort.

— Qui sont-ils ? Qu'est-ce qu'ils me veulent ?

Le père pose un index sur la tempe gauche de son fils.

— Ils veulent ce qu'il y a là-dedans : la solution de l'énigme, l'accès à toutes nos recherches, à ta mère et moi. Ils vont te presser jusqu'au bout pour que tu leur donnes les informations. Ils croyaient pouvoir accéder à l'intérieur de ta tête avec leurs… expériences, mais ils n'ont fait qu'empirer les choses, si bien qu'aujourd'hui tu as oublié.

— De quelles expériences tu parles ? Cette trace de seringue, ce sont eux ?

— Évidemment. Ils sont autour de toi depuis si longtemps.

Joseph se retourne, jette un œil au drap recouvrant sa femme, puis revient vers Ilan. Il chuchote :

— J'aurais tant préféré ne jamais rien te dire. Que tu ne saches jamais.

Il soupire.

— Tu ne devras jamais rien leur révéler, même si tu te souviens. Nos recherches sont trop importantes pour le monde, pour la survie de notre espèce, elles ne doivent surtout pas tomber entre de mauvaises mains.

— Où sont-elles ? Où sont tes recherches ?

— Tu es au milieu de l'échelle, mon fils. La vérité se trouve quelques échelons plus haut, à son sommet. C'est là-haut qu'elle t'attend. Jure-moi que tu vas la découvrir. Jure-le-moi.

Ilan répond comme un fils à son père :

— Je te le jure, papa, mais je ne comprends pas. Cette histoire d'échelle, l'enfer, le paradis, et tout ce que tu me racontes.

Le néon, au-dessus d'eux, s'éteint brusquement, et l'obscurité s'installe. Puis il y a des bruits de pas dans le couloir. Ilan se tourne vers le hublot, il essaie de voir à travers la vitre, mais il fait complètement noir.

Lorsque la lumière revient, Ilan sent une pression sur son épaule.

— C'est terminé. Nous allons vous raccompagner chez vous.

Les flics et le légiste sont derrière lui, ils se fraient un passage et s'engagent dans le sas.

Les portes se ferment avant qu'Ilan puisse passer.

Pour la troisième fois, il les regarde s'éloigner, impuissant.

Une sonnerie assourdissante résonne et brise la vitre en mille morceaux, propulsant le verre sur son visage.

36

Ilan sursauta.

Il mit quelques secondes à se rendre compte de l'endroit où il se trouvait : couché au sol, à côté de la chaise à électrochocs. La bible, le jeu de tarot, le crucifix et les dessins récupérés dans le tiroir de la chambre 27 étaient éparpillés à ses côtés. Le Christ avait été arraché de son support et reposait dans un coin, en morceaux.

Il se redressa avec peine, encore un peu groggy. À l'extérieur, l'horrible sonnerie retentissait. Ilan peina à émerger : venait-il de rêver ? C'était vraiment curieux, parce qu'il n'avait pas eu l'impression de s'être réveillé.

Il toucha son crâne. Chaque image, son ou odeur étaient encore en lui, au fond de sa tête, comme s'il ne s'agissait pas seulement d'un rêve mais plutôt de souvenirs. D'un voyage au plus profond de lui-même.

Oui, il voyait encore distinctement les murs de la morgue, les deux tables, il *se rappelait* qu'un homme avait soulevé les draps et que lui, Ilan Dedisset, avait identifié les visages de ses parents. Plus de doutes : Ilan avait désormais la certitude d'avoir un jour reconnu son père et sa mère sur des tables en acier.

Le souvenir était enfoui en lui et il avait à présent refait surface.

Le jeune homme dut s'y résoudre : on avait retrouvé leurs corps. On les avait autopsiés et probablement enterrés. Mais alors pourquoi Ilan ne s'en était-il pas souvenu avant aujourd'hui ? Pour quelle raison avait-on effacé ces souvenirs de sa mémoire et lui avait-on laissé croire qu'une tempête les avait emportés ?

Ilan plissa les yeux plus fort encore. Il entendit des cloches d'église dans le lointain. Des gens en noir, assis sur des bancs face aux deux cercueils. Un enterrement… Le jeune homme sentait une lutte à l'intérieur de sa tête, *quelque chose* de puissant qui l'empêchait d'accéder à la vérité.

Il continua à réfléchir à ce mélange d'inventions et de souvenirs, ce film improbable qui venait de se dérouler dans sa tête. Il revit distinctement les tables, les corps. Les cadavres de ses parents n'avaient rien de noyés. Sa mère portait une tenue de soirée, comme son père, alors que, lorsqu'ils embarquaient sur l'eau, ils s'habillaient de vêtements beaucoup moins chics. Et que dire de ces morceaux de verre, partout sur leurs visages ? Cette trace noire, sur le torse de son père ?

Comme celle laissée par une ceinture de sécurité…

Ilan entendit alors une voix très cristalline, une voix grave d'homme : *Votre mère a traversé le pare-brise et votre père a eu les jambes broyées par la tôle.*

Ses parents n'étaient pas morts dans un accident de bateau, mais dans un accident de voiture.

Immobile, choqué, il poursuivit ses recherches intérieures, il voulait creuser davantage le trou dans son passé, profiter de la brèche ouverte par cet étrange rêve. Pas vraiment un rêve, mais une sorte de *bug* dans son esprit. Les deux flics et le légiste n'arrêtaient pas de sortir de la pièce, prononçant toujours la même phrase : *Nous allons vous raccompagner chez vous.* L'aiguille des secondes de l'horloge murale tournait parfois à l'envers, le temps ralentissait, puis accélérait. Ilan eut l'image d'un disque rayé. Qu'est-ce que ce dysfonctionnement signifiait ? Que son esprit cherchait à accéder aux zones obscures de sa mémoire ? Que conscience et inconscient se bagarraient en ce moment même dans sa tête ?

Il avait à présent une certitude : les secrets de son père étaient en lui. Une partie de lui-même savait ce que signifiait la carte codée, mais l'information était profondément enfouie, peut-être inaccessible parce que les circuits étaient coupés.

Ils t'ont bousillé la mémoire.

Ilan leva un œil vers la caméra. On l'observait en ce moment. Eux. Ceux qui lui avaient cramé le cerveau. Combien étaient-ils à analyser ses réactions derrière leurs pupitres ? Jusqu'où iraient ces salauds pour qu'il finisse par se rappeler la signification du message codé et qu'il la leur révèle ? Que signifiait la mascarade avec les autres candidats ? Pourquoi étaient-ils impliqués, eux aussi ? Y avait-il un lien à découvrir ? Un point commun qui éclairerait toute cette histoire ?

Il se contrôla, il devait essayer de ne rien laisser transparaître à la caméra. Ne pas montrer qu'il savait, comme il l'avait juré à son père. Juste être en colère. Ilan avait la rage envers le salaud qui l'avait électrocuté. Envers Hadès et son *Paranoïa*.

Retour à la réalité.

Il regarda la chaise et se frictionna les poignets : aucune douleur ni contusion. Les bracelets en fer étaient ouverts. Qui l'avait libéré et posé au sol ? Il fouilla dans ses poches : plus aucune trace du cygne noir au bec cassé. De même, le mégot de cigarette écrasé par Mocky avait disparu.

Furieux, il se baissa pour ramasser les divers objets récupérés dans la chambre 27, les rangea dans ses grandes poches. Pourquoi avoir endommagé le symbole religieux ? Ilan se dirigea vers la sortie et tourna la poignée.

La porte était ouverte. Ilan ressentit un immense soulagement.

Il prit la direction de leur lieu de vie. On l'avait électrocuté, il avait envie de fuir et, pourtant, quelque chose au plus profond de lui-même lui intimait de rester dans cet hôpital psychiatrique.

Rester, pour honorer la parole qu'il avait donnée à son fantôme de père, sans doute.

Découvrir la vérité et retrouver ceux qui lui avaient massacré l'intérieur du crâne.

Ces salopards qui, à l'évidence, se cachaient à l'intérieur de cet établissement pour les fous.

37

Ils étaient cinq dans la cuisine lorsque Ilan débarqua. Gygax se tenait proche de l'évier, il avait relevé la manche gauche de son pull à col roulé et nettoyait une blessure sur son avant-bras avec un antiseptique. Mocky était installé à la table en compagnie de Jablowski, Chloé et Philoza. Le gros croquait dans une pizza aux quatre fromages, prenant soin de ne pas manger la croûte. Sourire béat aux lèvres, il essaya de se lever lorsqu'il aperçut Ilan.

— Quand même, je commençais à m'inquiéter. T'en as mis du temps, mec, pour sortir de…

Ilan se jeta sur lui, le fit difficilement basculer sur le côté et essaya de le cogner. Des verres se renversèrent, de la nourriture se retrouva au sol. Quelques coups partirent, Mocky prit très vite le dessus mais les deux hommes furent séparés par Philoza et Jablowski. Ilan respirait fort, il lui fallut du temps pour retrouver ses esprits. Encore fermement maintenu par Philoza, il pointa un index menaçant vers Mocky, qui se relevait, une main sur le nez.

— Cet enfoiré m'a électrocuté !

Les deux derniers candidats, Fée et Leprince, apparurent à l'entrée, attirés par les éclats de voix. La petite brune avait une mèche de coton imbibée de sang dans la narine gauche. Quant au surfeur blond, il était torse nu sous sa surchemise de patient ouverte, ses lunettes de vue sur le nez.

Mocky se frotta la bouche avec une serviette en papier.

— Je n'ai jamais fait une chose pareille, tu débloques complètement, grogna-t-il. Cette chaise électrique ne fonctionne plus, elle…

— Arrête tes conneries ! Tu m'as attaché dessus, tu m'as enfermé et laissé seul dans cette horrible pièce.

— Et alors ? C'était le jeu. Il y avait des boutons sur le côté des accoudoirs. Tu pouvais très bien te défaire des bracelets avec un peu de temps et de jugeote, j'en suis sûr. D'ailleurs, si tu es ici, c'est que tu as réussi, non ?

Il haussa les épaules et se rassit tranquillement.

— Faut te calmer, l'ami. Électrocuter quelqu'un, moi ? Tu me crois capable d'un délire pareil, franchement ? Pourquoi tu mens ? Qu'est-ce que tu cherches à faire ? Tous nous embrouiller, c'est ça ?

Jablowski sembla regarder Mocky avec méfiance, tandis que Philoza grimaçait de dégoût.

— Tu as des marques quelque part, des brûlures ? demanda-t-il.

Chloé s'était approchée d'Ilan et s'était placée devant lui pour essayer de canaliser sa colère. Elle l'entraîna un peu à l'écart, vers la fenêtre murée. Gygax ne bougeait toujours pas, les yeux rivés en direction de son verre d'eau vide. Comme s'il était indifférent à ce qui se passait autour de lui.

— Il a raison, dit Chloé. Qui pourrait faire une chose pareille ? Des chocs électriques ? Tu te rends compte,

Ilan ? Comment cette chaise pourrait-elle encore fonctionner ?

Ilan ne l'écoutait pas. Il se décala sur le côté.

— Non, je n'ai pas de brûlures, mais quelqu'un m'a fait passer du courant dans le corps après m'avoir lu une liste de mots à mémoriser. Et si ce n'est pas Mocky, c'est forcément l'un d'entre vous.

Les regards se croisèrent, des épaules se levèrent. Naomie Fée s'alluma une cigarette, appuyée contre le mur proche de l'entrée. Malgré sa blessure au nez, elle semblait plutôt relax.

— T'es toujours aussi tordu, Dedisset. Tordu et salement parano. Personne ne cherche à te faire de mal, personne ne te surveille ou je ne sais quoi. T'étais déjà comme ça il y a deux ans, hyper *borderline*. Tu croyais la planète entière liguée contre toi. Et je vois que rien n'a vraiment changé.

Elle souffla un nuage de fumée vers le couloir.

— Entre Gygax, Sanders et toi, on a hérité d'une belle brochette de bras cassés. *Paranoïa* se serait-il trompé dans son casting ?

Gygax lui adressa à peine un regard, fixant plutôt avec envie le briquet qu'elle tenait. Ilan signifia à Chloé qu'il s'était calmé. Il s'avança vers la table.

— Juste une question : qui, parmi vous, a rempli ses objectifs aujourd'hui ? Qui a réussi ? Combien de cygnes noirs avez-vous récoltés ? Je peux les voir ?

Ilan fixait plus particulièrement Mocky, qui n'avait pas perdu son appétit.

— Demande d'abord aux autres, fit le candidat aux dreadlocks.

Ilan s'en prit à Gygax.

— Vas-y, dis-moi.

Gygax le regarda avec franchise cette fois. On aurait dit qu'il avait encore pleuré. Il s'apprêtait à ouvrir la bouche quand Jablowski s'interposa :

— Personne n'est obligé de te répondre.

Le grand brun en blouse blanche avait les deux poings serrés sur la table.

— On a tous eu une journée particulièrement éprouvante, *mon gars*, au cas où t'aurais pas remarqué. Ma blouse ressemble à un paillasson et j'ai les pieds en compote, t'imagines même pas. Je crois que ces putains de baskets chaussent une pointure en dessous. T'es pas le seul à jouer et à en chier pendant les épreuves. Naomie s'est arraché la moitié du nez à cause de cette saleté d'hôpital délabré, Gygax s'est ouvert l'avant-bras en passant trop près d'un clou qui dépassait, si j'ai bien compris, et *David Hasselhoff*, là-bas, se croit dans un remake d'*Alerte à Malibu* avec son torse à l'air. Alors maintenant, je te conseillerais de te calmer au lieu de nous accuser sans preuve.

Il sortit de table et vint s'intercaler entre Gygax et Ilan.

— Ou tu restes et tu manges tranquillement, ou tu dégages.

Ilan n'en démordit pas.

— Toi, tu les as réussis tes objectifs, j'en suis persuadé, cracha-t-il. T'es prêt à écraser tout le monde pour aller au bout.

— On est tous là pour ça. Si t'as des états d'âme, c'est que tu t'es trompé d'adresse. Tu peux toujours déclarer forfait.

— Et comment ? J'appelle un taxi ?

Ilan laissa finalement tomber et se dirigea vers un pack d'eau posé près du réfrigérateur. Il ouvrit une petite bouteille et la vida. Mocky se leva, se frotta la bouche et s'approcha de lui.

— Si c'était pas moi qui t'avais enfermé, c'est toi qui m'aurais piégé. Tu crois que je n'ai pas compris ton petit scénario dans la salle à électrochocs ? Tu l'aurais fait, j'en suis sûr, parce que c'est juste le jeu. Comme dit Jablowski, on est là pour ça. Alors, ne me reproche pas d'avoir fait ce qu'on me demandait de faire.

Mocky ouvrit le robinet d'eau à fond et parla tout bas.

— Je sais que t'as envie de me bouffer les yeux, mais va falloir qu'on parle sérieusement, tous les deux. J'ai découvert des trucs qui pourraient t'intéresser. On en discute tout à l'heure, quand ce sera un peu plus calme.

Il plongea ses deux mains sous l'eau, se les plaqua sur le visage, ferma le robinet avant de s'éloigner. Ilan le méprisa.

Après être passé aux toilettes, le jeune homme se dirigea vers sa chambre tandis que chacun vaquait à ses occupations. Gygax et Leprince partirent prendre leur douche, Philoza s'enferma dans sa cellule, d'autres mangèrent ou se reposèrent. Certains essayaient de deviner où les autres en étaient dans le jeu, mais les conversations restaient brèves. Chacun protégeait ses découvertes et ne voulait pas dévoiler sa stratégie.

Une fois la bible, le jeu de tarot, la croix et les dessins posés sur son lit, Ilan s'empara d'un stylo et se mit à écrire au dos de la grande carte. Chloé le rejoignit dans sa chambre et examina les objets. Elle tressaillit.

— Cette croix noire, Ilan. On dirait…

— Quoi ?

Elle s'empara de l'objet religieux.

— On dirait l'une de ces croix mortuaires que le malade posait sur la porte d'entrée de mon appartement. Où tu l'as trouvée ?

— Dans une chambre. C'est un crucifix, il y avait un Christ dessus. Mais il s'est… décroché.

Troublée, Chloé la reposa et feuilleta la bible. Puis elle observa les dessins.

— On dirait ceux dessinés sur les murs de la salle de thérapie par l'art. Il y a quelque chose à trouver là-dedans ?

Ilan ne répondit pas. Elle se pencha au-dessus de son épaule.

— C'est quoi, ces mots que tu notes ?

— Ceux qu'on m'a demandé de retenir dans la salle des électrochocs. Certains couples me reviennent bizarrement en tête, alors que j'étais incapable de les réciter quand il le fallait. *Esprit malade. Lumière blanche. Mort froide.*

Il notait sans discontinuer.

— C'est très étrange… *Nombre curieux. Énigme compliquée. Père secret. Trésor enfoui…* Ce sont des couples de mots en rapport avec la carte de mon père. Je crois qu'on cherche à accéder au secret de mes parents. Par mon intermédiaire.

— Tu voudrais dire que…

— La solution est quelque part en moi, oui. J'ai à présent la certitude que mon père me l'avait révélée, mais qu'on l'a effacée de ma mémoire. Des gens, ici, cherchent à la récupérer en utilisant le jeu.

Ilan comprit, à l'expression du visage de Chloé, qu'elle était sceptique. Il songea à *croix noire*, mais évita d'en parler et de le noter. Il se toucha les poignets, les yeux dans le vide. L'air inquiet, Chloé passa la main dans ses cheveux et le massa un peu. Il la regarda tendrement.

— Quelqu'un parmi les candidats m'a fait du mal, Chloé. À la fin, le courant était si fort que je me suis évanoui.

— C'est incompréhensible. J'avais bien des objectifs à remplir, mais ça n'avait rien à voir avec ce genre de torture. Juste des trucs un peu flippants à faire, dans des endroits pas toujours gais. Pourquoi on t'aurait fait ça ? Pourquoi quelqu'un utiliserait-il le jeu pour obtenir les recherches de ton père ? Et nous, qu'est-ce qu'on aurait à voir là-dedans ? Il y a certainement plus simple, non, si on voulait vraiment... Enfin, tu vois ce que je veux dire ?

— C'est bien ce que je compte découvrir. Je veux aussi comprendre pourquoi celui qui m'a infligé cette torture est allé si loin. Il aurait pu me...

Il ne termina pas sa phrase, les yeux dans le vague. Chloé regarda sa montre.

— Tu me montres cette salle ?

Ilan acquiesça, le regard déterminé.

— Bonne idée.

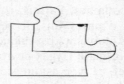

38

Ilan emmena Chloé à travers les couloirs de Swanessong sans se servir de la carte. La jeune femme laissait
courir sa main le long des murs, comme pour les caresser.

— Ça m'a quand même fait quelque chose de marcher seule dans Swanessong tout l'après-midi, dit-elle.
T'as l'impression en permanence que des gens vivent
encore ici. Qu'ils peuvent surgir au détour d'une
chambre et t'emmener avec eux dans les profondeurs de
cet hôpital. Les lieux abandonnés ont vraiment une âme.

— Une âme, oui, répéta Ilan. Surtout celui-ci.

Elle le considéra avec gravité.

— Au fait, il faut que je te touche un mot de Gygax.
On s'est retrouvés à plusieurs reprises dans le même
coin, lui et moi, au cours de la journée. Je l'ai bien
observé, à son insu. Je crois que ce type souffre de
troubles de la personnalité.

— Qu'est-ce que tu entends par là ?

— Plusieurs personnalités dans une même tête…

— C'est dingue. T'es bien certaine ?

— Ce n'est pas aussi marqué que ce qu'on peut voir
au cinéma ou dans les romans, mais j'ai noté qu'il
avait des comportements radicalement différents suivant la situation. Tout à l'heure, je l'ai surpris à se

parler à lui-même, avec une drôle de voix, au débit lent et aux tonalités féminines. Parfois, il a l'air méchamment perturbé et, d'autres fois, il ne présente aucun signe trahissant des problèmes psychiques. On dirait qu'il y a le Gygax intelligent, le Gygax peureux et enfantin, le Gygax parano. Bref, ce type est un sacré cas.

— Et ça le rend dangereux ?

— Ça dépend des personnalités. Mais pour le moment, il est plutôt en retrait qu'autre chose.

— On dirait qu'on en a tous, des problèmes psychiques, souffla Ilan. Et qu'est-ce qu'un type comme ça fait dans la nature ?

— Peut-être qu'il a déjà été interné ? Peut-être qu'il suit un traitement ? Difficile à dire.

Ils arrivèrent devant la salle des électrochocs et pénétrèrent dans la pièce. Le jeune homme désigna la Rôtisseuse.

— C'est sur cette chaise que Mocky m'a attaché et abandonné, en refermant la porte derrière lui. Puis quelqu'un m'a interrogé et m'a balancé la sauce. Tu n'as vu personne rôder dans le coin cet après-midi ?

— J'étais carrément à l'opposé.

— Curieusement, je crois Mocky. Je pense qu'il n'y est pour rien dans cette punition, il avait l'air vraiment surpris quand je l'ai accusé. C'était l'objectif de quelqu'un d'autre, j'en suis quasiment sûr.

— À qui tu penses en particulier ?

— Difficile à dire pour le moment. Mais l'un d'entre nous n'est pas net et cache bien son jeu.

Il fixa le miroir.

— T'as déjà assisté à des interrogatoires de flics à la télé ? Tu connais le coup de la glace sans tain ?

Il se dirigea vers le fond d'un pas décidé et tira la baignoire sur roulettes jusqu'au mur opposé à celui

portant le miroir. Chloé essaya de s'avancer, mais Ilan tendit un bras.

— Je te conseille de rester à l'écart.

— Tu ne vas quand même pas...

Il propulsa la masse vers le miroir, qui explosa. La baignoire se fracassa et chuta au sol, tandis que le chariot se renversait. Derrière le miroir, il n'y avait aucune salle secrète ni poste d'observation. Juste un mur en béton.

Déçu mais pas abattu, Ilan regarda son visage fracturé dans le miroir en miettes, puis se précipita vers le tas de béquilles. Il en attrapa une, façon batte de base-ball, et se mit à cogner sur la chaise avec la partie métallique, explosant le dossier, les accoudoirs. Chloé lui intimait d'arrêter mais il ne l'écoutait pas, le visage défiguré par la rage. De tout son poids, il essaya de basculer la Rôtisseuse sur le côté, mais les pieds étaient trop solidement vissés dans le sol.

— Je suis sûr que les fils électriques sont là-dessous, haleta-t-il. Il y a forcément une source d'alimentation.

— Arrête. Tu risques d'avoir des problèmes avec Hadès.

— Pour bris de matériel de torture ? Il va porter plainte, tu crois ? Qu'il sorte de son trou. Je n'attends que ça.

Il suait, s'acharnait, arrachait le cuir, sans découvrir le moindre câble. Il sortit de la pièce et se rendit devant les portes des salles adjacentes. Mais elles étaient fermées à clé et inviolables. Ilan avait beau cogner sur le bois avec sa béquille, rien n'y faisait. Épuisé, essoufflé, il se laissa choir et s'assit sur le sol, les genoux regroupés contre le torse.

— Au moins, elle ne fera plus de mal à personne.

Chloé se posa à ses côtés et prit la même position.

— Ça va aller Ilan, d'accord ? Tu vas te calmer, manger un morceau et passer une bonne nuit de sommeil.

Il aperçut une caméra, un peu plus loin au plafond, et chuchota, penché vers l'oreille de son amie :

— J'ai besoin que tu me croies, Chloé. Ce n'est pas juste un jeu, il y a quelque chose d'autre en rapport avec moi, avec nous. Dis-moi que tu me fais confiance. J'ai besoin de toi pour continuer. Pour découvrir la vérité.

Chloé mit du temps à répondre. Trop.

— Cette liste de mots, dit-elle. Pourquoi tu t'en souviendrais maintenant, et pas tout à l'heure ? Tu ne les as peut-être pas entendus *via* un haut-parleur, peut-être qu'ils viennent de l'intérieur de ta tête. Comme le rêve. Tu vois ce que je veux dire ?

Ilan soupira, voilà qu'elle remettait ça. Chloé poursuivit :

— Un jour, je t'ai parlé de l'expérience de Milgram, tu te rappelles ?

Ilan secoua la tête négativement.

— Si, je suis sûre que si. Il s'agissait d'une expérience identique à celle que tu viens de décrire : un complice, attaché sur une chaise électrique, et un cobaye, qui interroge celui sur la chaise et lui envoie des chocs électriques croissants en cas de mauvaise réponse. Il s'agit d'une expérience de soumission à l'autorité. Elle correspond exactement à la description que tu nous as faite dans la cuisine.

— C'est comme pour le rêve, c'est ça ? Mon esprit est encore en train d'inventer en utilisant des bribes de réalité, pour me faire croire dur comme fer que c'est la vérité ?

— C'est fort possible, répliqua Chloé. Et cet endroit abandonné, coupé du monde, participe à cette construction de ton esprit.

— Je te garantis que ce courant dans mon organisme, ce n'était pas de la fiction.

— Je sais ce que tu traverses. Mais… quand on sera sortis d'ici, on va tout faire pour que ça aille mieux. Je ne te laisserai plus tomber. Plus cette fois.

Ilan afficha un pâle sourire et lui caressa le menton. Il se rappelait le message, écrit sur le chariot en acier, dans son rêve : *C'est la réalité, mais ce n'est pas réel.*

— Oublie tout ce que je viens de te dire, fit-il. J'invente complètement et je suis incapable de m'en rendre compte. Je suspecte tout le monde, j'ai la certitude que chaque personne ici est contre moi. Gygax souffre de dédoublement de personnalité et moi de paranoïa. Paranoïa… comme le jeu, c'est drôle, non ?

— Ilan…

Il se releva en grimaçant. Les douleurs dues à ces heures où il était resté attaché sur la chaise électrique étaient encore bien présentes.

— Ce qui est encore plus drôle, ajouta-t-il, c'est que j'en ai conscience. Si je suis vraiment paranoïaque, comment se fait-il que je sache que je le suis ?

— Il peut y avoir différents degrés de…

Ilan lui posa un index sur les lèvres.

— Chut. N'en parlons plus, d'accord ? Oublions. J'ai la conviction que la fin de l'aventure va bien se passer, qu'on va remporter les trois cent mille euros, voire bien plus avec les cygnes en bonus, et profiter de longues semaines de bon temps, quand tout sera terminé.

Chloé afficha un sourire modéré, Ilan s'efforça de le lui rendre. Ils se mirent en route vers leur lieu de vie en silence.

En doublant la salle des électrochocs, Ilan fixa la chaise détruite, le miroir brisé. Son visage s'assombrit.

C'était comme si une tornade avait ravagé la pièce.

Le pire des forcenés de cet hôpital psychiatrique n'aurait pas fait mieux.

39

Ilan se glissa sous une douche brûlante.

Cette souffrance du feu sur sa peau lui fit du bien.

Il tourna le robinet à fond, comme s'il cherchait à chasser toute la crasse accumulée aux confins de son esprit. Autour de lui, la vapeur montait, elle dessinait des courbes qui ressemblaient à des fantômes. Ilan y chercha des visages du passé, des figures qui pourraient le laisser accéder à d'autres zones de sa mémoire fragmentée. Le bruit de l'eau qui frappait le sol était hypnotique, Ilan creusait, creusait au plus profond de lui-même, mais les trous ne se comblaient pas. La magie du rêve où il avait vu son père l'aider dans sa quête n'opérait plus.

Le choc d'un corps contre la paroi gauche de sa cabine le tira de ses pensées. Il vit deux pieds sous la cloison, qui disparurent vite. Ilan coupa le jet d'eau et s'essuya avec une serviette. Il n'était plus seul dans la grande pièce, un autre candidat prenait sa douche, juste à côté. Il se frottait énergiquement les cheveux lorsque son regard tomba sur le robinet. La marque du matériel était gravée sur le côté, d'une écriture cursive bleu foncé. Ilan essuya les traces de buée avec son pouce pour être certain qu'il ne se trompait pas.

273

Hudson Reed.

Le nom du bateau de ses parents, celui gravé le long de la coque de leur navire.

Ilan resta pétrifié, incapable, sur le coup, de mesurer la portée de sa découverte. Ses parents ne pouvaient pas avoir donné le nom d'une marque de robinetterie à leur petit voilier, c'était stupide. Le hasard ? Impossible. D'ailleurs, maintenant qu'il y songeait précisément, pourquoi l'auraient-ils baptisé d'un nom anglais ?

Ilan plaqua ses deux mains sur le mur et rentra la tête dans ses épaules. Quelques heures plus tôt, il était encore persuadé que son père et sa mère étaient morts en mer, alors qu'ils avaient eu un accident de voiture. Les images des policiers venant frapper à sa porte cette nuit-là pour lui annoncer qu'on cherchait leurs corps se mélangeaient à celles d'officiers qui lui parlaient d'un accident de la route.

Des incompatibilités.

Ce sont eux... Encore et toujours eux...

De quoi se souvenait-il sans se forcer ? Ses parents, astiquant le bateau. Ses parents, embarquant pour quelques jours. Ilan voyait précisément le voilier mouiller au milieu des autres, dans le port de Honfleur, et ses parents en parler avec fierté. Il avait même le souvenir d'être monté une fois ou deux sur le pont. Une fois, ou deux, d'ailleurs ?

Hudson Reed.

Il chercha en vain des souvenirs différents, plus lointains peut-être. Des moments qu'ils auraient passés à trois en pleine mer, des histoires de marins que ses parents lui auraient racontées, des anecdotes de pêche. Mais rien ne vint. Juste des images factices.

Leur putain de bateau portait le nom d'une marque de robinetterie.

Leur putain de bateau n'existait que dans sa tête.

Ilan dut se mordre les lèvres pour ne pas hurler. On lui avait bousillé le cerveau, on lui avait arraché son passé pour le remplacer par un film monté de toutes pièces. Ses souvenirs n'étaient que des diapositives incrustées de force dans sa tête.

Ilan n'avait plus rien à quoi se raccrocher, il ne pouvait même plus se faire confiance. Il poussa d'ailleurs son analyse au bout : et si Ilan Dedisset n'était pas le Ilan Dedisset qu'il connaissait, mais quelqu'un d'autre ? Comme dans ces romans d'espionnage où le héros à la mémoire effacée découvre soudain qu'il est capable de tuer d'un coup de poing et dispose d'une dizaine de passeports.

Il se rhabilla avec une tenue propre de patient et sortit de sa douche complètement déboussolé. De grosses volutes de vapeur s'échappaient de la cabine voisine, les chocs contre les parois se poursuivaient. Au-dessus de la porte, il y avait deux blouses de médecin côte à côte. Sans doute Fée et Jablowski qui baisaient.

Ilan se coiffa devant le miroir, soutenant son propre regard. Il eut alors une conviction. Il n'était pas celui qu'il croyait être : ce type qui, chaque jour, se rendait à une station-service, essayant juste de survivre à un drame. Non, il y avait quelque chose d'autre : une couche intérieure qu'il commençait à peine à gratter.

Le reflet de Mocky se dessina sur le film d'argent troublé par de petites gouttelettes d'humidité. Le candidat aux dreadlocks s'approcha, les mains dans les poches de son pantalon bleu. Il posa un long regard sur la cabine de douche occupée, puis revint vers Ilan.

— Les lumières s'éteignent dans une demi-heure. Il faut que je te montre quelque chose.

— Va te faire foutre, Mocky. Je n'ai certainement pas envie d'aller où que ce soit avec toi. Pourquoi tu ne vas pas en parler à quelqu'un d'autre ?

— Parce que si on omet Gygax, t'es celui qui a l'air le plus parano. Et ça m'intéresse.

Des gloussements s'échappaient entre les nuages de vapeur, sous la douche. Mocky se laissa un instant distraire, puis s'approcha, l'air sérieux.

— Tu as parlé d'une liste de mots à retenir, tout à l'heure. De chocs électriques d'intensité croissante. Je te crois, je suis persuadé que tu dis la vérité : quelqu'un s'en est pris à toi.

— Sans déconner.

Mocky parlait tout bas, comme souvent, profitant du bruit de l'eau.

— Cet hôpital n'est pas clair. Il y a eu des trucs pas jolis-jolis par le passé, à mon avis. Et avec ce qui t'est arrivé, on dirait que rien n'est terminé. Cet endroit est encore vivant, Ilan, et ses murs cachent de terribles secrets.

Ilan se retourna brusquement, il pensait à la chambre 27 de son rêve.

— Montre-moi. Mais je te garantis que si tu tentes quoi que ce soit contre moi…

— Tu n'as rien à craindre, on est en dehors des horaires du jeu, de toute façon. Tu ne vas pas être déçu…

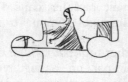

40

Ilan et Mocky s'engagèrent dans le couloir et, après quelques détours, se retrouvèrent devant une grille qui protégeait un escalier menant à l'étage alors qu'un autre descendait vers les ténèbres. Ilan se dit que c'était peut-être par là qu'on accédait à la morgue de l'hôpital.

Mocky sortit une clé de sa poche et la glissa dans la serrure.

— J'ai compris tout leur système d'objectifs et de clés, fit-il en ouvrant. On progresse tous dans des endroits différents de l'hôpital, jusqu'à un point qui est probablement commun et qui cache la clé finale, qui permettra d'accéder à l'argent.

Il laissa Ilan s'engager dans l'escalier. Il faisait particulièrement sombre, les lumières manquaient dans cet endroit.

— Il suffit de refermer chaque grille derrière soi, ajouta-t-il en l'accompagnant, et tu empêches les autres de profiter de ta propre progression. C'est assez astucieux.

Ilan pointa une caméra.

— Tu te rends compte qu'en ce moment Hadès nous voit probablement derrière ses écrans ?

— Et alors ? Il a bien dit qu'on ne devait plus jouer, mais qu'on pouvait circuler dans l'hôpital jusqu'à l'extinction des lumières. On ne transgresse aucune règle.

La cage d'escalier tournait en une espèce de spirale infernale, séparée par un palier avec fenêtre. Des grillages beiges d'au moins deux mètres de haut évitaient toute tentative de suicide.

— Il y a une question que je me pose depuis pas mal de temps, fit Mocky, c'est pourquoi il n'y a aucun tag sur les murs de cet hôpital. On a beau être en montagne, les squatters et amateurs de sensations fortes sont partout, ils réussissent toujours à pénétrer dans les endroits abandonnés. Certains en font même une quête personnelle. Or ici, rien. Même le matériel d'époque n'a pas été volé. Il y en a quand même pour du fric en récupération, surtout côté médical.

Ils arrivèrent au premier étage. Une autre grille interdisait de poursuivre l'ascension.

— Hadès a aussi confié que l'endroit était utilisé pour des tournages de films, compléta Ilan. À l'évidence, c'est complètement faux.

— À quoi tu penses ?

— À un endroit plus surveillé qu'il n'y paraît, et ce depuis bien longtemps.

— Tout à l'heure, tu m'as parlé de CIA et de *mind control*. Dis-m'en plus.

Mocky reprit un peu son souffle. Son cœur devait être gros et gras comme un jambon.

— Dans les années cinquante, il y a eu un projet top secret, appelé MK-Ultra. La CIA, soutenue par différentes institutions scientifiques, a mené des expériences autour de la mémoire et du contrôle de l'esprit dans le cadre de la guerre froide. Faire parler les espions, leur laver le cerveau, accéder à leurs souvenirs, ou les retourner contre leur camp... Les agents de la CIA utilisaient tout un tas de techniques, des chocs électriques aux drogues hallucinogènes comme le LSD, qu'on glissait parfois dans la nourriture à leur insu. Ils incrustaient des souvenirs de force ou, au contraire, tentaient d'en effacer.

— Et ils étaient présents en France ?

— On a aujourd'hui de forts soupçons, oui. Notamment avec l'affaire du pain maudit, une série d'intoxications alimentaires qui a frappé la France à l'été 1951, dont la plus sérieuse a eu lieu à Pont-Saint-Esprit. On raconte que la CIA aurait pulvérisé du LSD sur les cultures.

Il pointa un index vers la gauche.

— On ne montera pas plus haut, et impossible de se rendre dans les ailes de la chauve-souris pour le moment, c'est verrouillé. C'est par là... Tu vas voir, avec ce que je m'apprête à te montrer, j'ai l'impression que les années cinquante et la CIA ne sont pas si loin.

Ils doublèrent un salon de coiffure plutôt banal et franchirent une grille ouverte en sale état. Calée dans un angle, une caméra. Hadès avait parlé de soixante-quatre caméras. Son mur d'écran devait ressembler à une mosaïque de pixels.

— Vu son état, cette grille-là est d'origine, constata Mocky. On arrive dans un endroit où il n'y a que des bureaux beaucoup plus vastes que ceux d'en bas, et qui n'est pas sur la carte. C'est peut-être ici que travaillait la direction. Cet hôpital est une vraie ville. Il fallait bien une espèce de maire et ses sbires pour canaliser les masses de tarés qui hantaient ces couloirs.

Le sol était particulièrement abîmé et poussiéreux. Des feuilles de papier détérioré et noirci semblaient incrustées dans le linoléum. Il y avait parfois des pièces sans porte, d'autres, au contraire, étaient encore verrouillées. Mocky pénétra dans l'une de celles qui étaient ouvertes.

— Au fait, ce niveau-là, il s'appelle l'arachnoïde, fit Mocky. J'ai vu ça sur un écriteau tout à l'heure.

— La dure-mère au rez-de-chaussée, l'arachnoïde au premier. Ce sont les différentes couches autour du cerveau, de la plus extérieure à la plus intérieure.

— C'est bien bizarre de nommer des unités de la sorte.

Au sol, des tiroirs en métal renversés, des armoires défoncées, des casiers broyés. Il y avait un vieux projecteur huit millimètres éventré, les lentilles étaient brisées et des squelettes de bobines attendaient dans un coin. Les murs portaient encore les traces de vieux cadres disparus. Une fenêtre grillagée donnait sur la nuit.

— J'ai pas mal fouillé dans les différentes pièces, à la recherche de cygnes noirs, fit Mocky.

— T'en as trouvé ?

— Un, ouais. Mais ça m'a mené vers une piste bien curieuse.

Il se dirigea vers une armoire rouillée. Elle était tout en métal, avec d'innombrables casiers vides.

— J'ai l'impression que c'est ici qu'on entreposait les dossiers, les films et les enregistrements d'entretiens avec les patients. Il y a de vieilles cassettes audio avec les bandes arrachées, là-bas.

Le candidat aux dreadlocks bascula l'armoire sur le côté et pointa du doigt un tas de feuilles.

— L'armoire était vissée au mur, et, en forçant un peu, j'ai réussi à la décrocher. Dessous, il y avait ces papiers à moitié brûlés, rangés à l'intérieur d'une pochette en carton presque intégralement cramée, elle aussi. J'ai tout laissé en place, je ne voulais pas que les caméras me voient en possession de ces documents.

Il s'empara du paquet de feuilles qui étaient vraiment dans un sale état. Quand elles n'étaient pas en lambeaux, elles étaient froissées ou gondolées par l'humidité. Mocky pointa le tampon de l'établissement, sur celle qu'il tendit à Ilan. Toute la partie inférieure avait brûlé.

— Swanessong, dit-il. Un 17 mars, il y a onze ans.

Ilan fronça les sourcils.

— *Protocole Memnode. Affaire C. J. Lorrain.*

— Un protocole, oui… Regarde la page d'en-tête, sur l'autre face.

Ilan ouvrit le dossier.

— *À l'attention du ministère de la Défense.*

Il y avait une signature à demi effacée. Des noms illisibles. Mocky s'en alla fermer la porte. Il raconta avoir vérifié qu'il n'y avait aucune caméra dans la pièce, puis expliqua à voix basse :

— Le ministère de la Défense, mon gars. Ici, au fin fond des montagnes, parmi les fous. Qu'est-ce que t'en penses ?

Ilan feuilleta les pages délicatement. Il avait l'impression de tenir entre les mains des parchemins millénaires. Il s'assit et posa le document devant lui.

— J'ai passé pas mal de temps à essayer de décrypter ces pages, fit Mocky, s'asseyant à son tour. Il y a des notes officielles, certaines tapées à l'ordinateur et d'autres manuscrites. On y trouve le cas détaillé de cette patiente, C. J. Lorrain. Écoute bien, ça vaut son pesant de cacahuètes. Apparemment, cette femme a été admise ici pour hystérie, il y a dix-huit ans. Elle était complètement barrée.

Les yeux d'Ilan parcouraient rapidement les paragraphes. C. J. Lorrain, vingt ans lors de son internement de force. Longue chevelure noire, yeux noirs, très maigre. Elle n'avait jamais quitté la maison familiale, du côté de Chambéry. Crises à répétition, sentiment de persécution, danger pour elle-même et autrui... Ilan tourna la page et là, ses yeux accrochèrent immédiatement certains termes qui avaient réchappé à l'usure du temps et aux flammes : « chocs électriques », « courant alternatif », « seuil de tolérance », « mémoire refoulée ». Plus loin, il découvrit des pages avec des listes de vingt couples. *Boisson, glaciale... Ciel, ombragé...* Des termes à dicter par le praticien au patient, était-il noté.

— Beaucoup de passages ont brûlé, poursuivit Mocky, il manque un paquet de données et d'explications, mais j'ai tout lu.

— Explique, fit Ilan, constatant qu'il en avait pour un bout de temps à assimiler l'ensemble du dossier.

— D'après ce que j'ai compris, on utilisait l'électricité pour faire ressortir les souvenirs refoulés. Ça entrait dans le cadre d'un protocole appelé Memnode, consistant en un « circuit » complet de travail sur la mémoire. Apparemment, l'électricité n'était qu'une étape parmi d'autres. C'est cette étape qui est décrite dans ces pages : les listes de mots à retenir, les chocs d'intensité croissante. Après plusieurs séances d'électrochocs, à l'aide de listes de mots de plus en plus suggestives, comme *viol noir* ou *souffrance intérieure*, cette fille s'est souvenue. Ce qu'elle a vécu est écrit noir sur blanc là-dedans. Le psychiatre raconte qu'à ce moment de la thérapie elle prenait une voix d'enfant. Tu sais, comme ces histoires de personnalités multiples ?

Ilan songeait à Gygax et à ce que lui avait raconté Chloé.

— Je sais, oui, se contenta-t-il de répondre.

— Au fil des séances d'électrochocs, elle s'est souvenue du calvaire de son enfance, continua Mocky. D'après ce qu'elle a raconté, elle avait sept ans quand son père la réveillait en pleine nuit pour l'emmener au fond des bois. Là-bas, des gens habillés tout en noir, avec des cagoules pointues genre Ku Klux Klan, l'encerclaient. On la forçait à regarder des sacrifices d'animaux, on l'enfermait nue dans une cage et on la violait à de multiples reprises. On faisait ça trois fois par semaine. Trois fois, tu te rends compte ?

Ilan se sentait nauséeux.

— Évite les détails glauques, je t'en prie.

— Très bien. Mais même si une bonne partie du texte est détruite, ce n'est pas difficile de reconstituer le scénario diabolique que ce père a mis en place. La femme avec sa voix de gamine s'est souvenue de toutes ces horreurs pendant les séances d'électrochocs.

Ilan imagina la malade attachée sur la chaise électrique, en train d'être interrogée et de subir les décharges, peut-être plusieurs fois par semaine. Il n'eut pas de mal à visualiser sa terreur, sa souffrance, surtout lorsqu'elle avait commencé à se souvenir. Le passé était devenu sans doute pire que le présent.

Mocky continuait à raconter, l'expression de son visage s'était obscurcie.

— Apparemment ça avait fonctionné, Ilan. Si on en croit ces écrits, ces tests extrêmement barbares donnaient des résultats probants : les traumatismes ressortaient. J'ignore ce qui s'est passé avec cette patiente par la suite, comment elle a évolué – ça doit être noté dans d'autres dossiers. Ce qui est certain, c'est qu'elle est restée enfermée ici encore bien longtemps. Lis l'avant-dernière page du document, tu vas comprendre.

Ilan se rendit à l'endroit que lui indiquait Mocky.

— Swanessong, 4 juillet... Trois ans après le début des chocs électriques.

— Trois ans plus tard, oui... Ce que tu as sous les yeux, c'est un rapport médical sur cette C. J. Lorrain.

Ilan s'attarda sur les termes techniques et fronça les sourcils.

— Le rapport médical stipule qu'elle était... vierge ?

— Comme une huile d'olive de premier choix.

Ilan n'en croyait pas ses yeux.

— Bon sang, elle n'a donc jamais été violée dans son enfance. Qu'est-ce que ça veut dire ?

— Que, peut-être, la fille a vraiment cru en ses souvenirs de Ku Klux Klan. Des souvenirs inventés de toutes pièces, mais qui lui paraissaient bien réels. J'ai l'impression qu'au lieu de la soigner ils lui ont fourré des saloperies dans la mémoire.

Ils sont partout, fils. Ils ont bousillé tes souvenirs.

Les mots de son père lui revenaient cruellement en tête.

— Une chose est sûre, dit Mocky, les types qui ont employé ces méthodes à l'époque, ils s'en sont pris à toi tout à l'heure, par l'intermédiaire de l'un d'entre nous, le fameux intrus peut-être. D'ailleurs, entre parenthèses, je vois bien Jablowski ou Philoza faire le coup. Ce dernier cache quelque chose de pas net.

— Pourquoi tu dis ça ?

— Intuition, et crois-moi, j'ai le nez fin... Pour en revenir à nos moutons, pourquoi c'est toi qu'on a électrocuté ? T'as eu des problèmes psychologiques par le passé ? T'as été violé par des types en cagoule ?

Ilan ne savait plus quoi penser. Il considéra le dossier qui s'effritait quasiment entre ses mains, puis l'état de la pièce. Il se releva, explora l'armoire, les casiers renversés, les cassettes audio défoncées. Il revint vers Mocky avec un rire nerveux.

— Tout est vachement bien imité, mais je n'y crois pas une seconde.

Mocky écarquilla les yeux. Il ramassa le dossier et se redressa à son tour.

— Tu déconnes ?

— Pas vraiment, non. Il y a trois options. La première, ils se sont arrangés pour que tu trouves ce faux document et que tu commences à avoir peur, et éventuellement à faire peur aux autres. La deuxième, t'essaies encore de m'embrouiller. Ça fait partie de ta stratégie, parce que tu as des objectifs à remplir qui me concernent, encore une fois.

— Ilan, je…

— Tu crois franchement qu'on aurait retrouvé ce genre de documents ultra confidentiel des années plus tard ? Cet hôpital est immense et toi, comme par hasard, tu tombes sur un papier qui traite d'électro-chocs et de mémoire ? Et si ces documents faisaient partie du jeu ?

Mocky paraissait halluciné.

— C'est la pure vérité, mec. Il faut que tu me croies. On est tous dans le même bateau.

Ilan s'approcha, menaçant.

— La troisième option, celle en laquelle je crois de plus en plus : tu es avec eux. Tu es l'intrus. Et tu es au courant pour mes faux souvenirs. Qu'est-ce que tu sais sur moi ? Pourquoi tu cherches à savoir des trucs sur mon passé ? Qu'est-ce qu'ils me veulent ?

Mocky secoua la tête, dépité.

— Je sais rien sur toi, d'accord ? J'essaie juste de comprendre dans quelle galère on est tombés. Merde, t'es encore plus taré que je le pensais.

Ilan fixa Mocky sans ciller de longues secondes, tandis que ce dernier ramassait le dossier. Puis il regarda sa montre et fit demi-tour sans plus décrocher un mot.

41

Mocky était repassé devant, la clé de la grille dans une main, le dossier en charpie dans l'autre. Il essayait de garder les feuilles contre son gros ventre pour éviter qu'elles ne tombent en lambeaux. Alors qu'il descendait aussi vite que lui autorisait sa corpulence dans la cage d'escalier, son regard fut attiré par une source lumineuse qu'on entrapercevait par une fenêtre située au beau milieu de l'étage. Il plaqua son visage contre la grille intérieure.

Ilan s'approcha.

— Qu'est-ce qu'il y a encore ?

— Là-bas, à une centaine de mètres, on dirait les phares d'une voiture.

Ilan se pencha à son tour, sceptique. La vitre donnait sur, semblait-il, l'arrière de l'hôpital. Il faisait trop noir, il neigeait trop fort pour qu'Ilan y voie quoi que ce soit, mais ses yeux ne le trompaient pas : deux sources lumineuses de couleur blanche, dont l'une éclairait plus que l'autre, perçaient l'obscurité. Il fixa Mocky dans les yeux, cherchant à savoir si cela aussi faisait partie du stratagème. Le gros haussa les épaules. Ilan se tourna de nouveau vers la fenêtre.

— Celui de gauche éclaire moins que l'autre, constata-t-il. Exactement comme le break qui nous a amenés ici, Chloé et moi.

Il se rappela Chardon avec son sac sur la tête, les flics au visage de granit. Cela le mit encore plus mal à l'aise.

— Elle n'a pas l'air de bouger des masses, en tout cas, fit Mocky.

— C'est la première fois que tu la vois ?

— Il faisait clair quand je suis venu ici, dans l'après-midi, et je n'ai pas fait gaffe à la fenêtre. T'as l'air soucieux.

— Ça peut tenir combien de temps, une batterie avec des phares allumés ?

— J'en sais rien. Une journée ? Cette voiture pose un problème ? C'est juste l'un des organisateurs qui a dû oublier d'éteindre ses phares.

Ilan ne répondit pas et essaya d'y voir davantage. Vu la distance, impossible de savoir si quelqu'un se trouvait à l'intérieur du véhicule. Pourquoi la voiture semblait-elle avoir été abandonnée au milieu de l'enceinte avec les phares allumés ? Il songea aux mystérieux passagers. Étaient-ils tous revenus ici à cause des conditions météo ? Dans ce cas, pourquoi n'y avait-il aucune trace de leur présence dans l'hôpital ? Pourquoi Hadès ne leur avait-il rien dit ?

Mocky l'arracha à ses pensées, le doigt écrasé sur sa montre.

— Moins de huit minutes avant l'extinction. Allez, cette fois, on se tire.

Le gros dévala lourdement les marches. Une fois en bas, il referma à clé la grille derrière lui. Les deux hommes se précipitaient dans les couloirs lorsqu'ils entendirent une porte claquer. Une ombre venait de

288

bifurquer, au loin, sur la droite du grand hall d'entrée, en direction de leur espace de vie.

— Merde, t'as vu ça ? fit Mocky.

— Pas vraiment, non. C'était qui ?

— J'en sais rien. J'ai aperçu la silhouette juste au moment où elle tournait. Impossible de te dire s'il s'agit d'un patient ou d'un médecin. Mais elle avait l'air sacrément pressée.

— Ça sent le cramé, tu ne trouves pas ?

Ilan accéléra le pas. L'odeur de brûlé croissait à mesure qu'ils avançaient vers le hall. Elle semblait provenir de l'un des couloirs de droite. Le jeune homme aperçut alors un peu de fumée grise et se tourna vers Mocky, l'air inquiet.

— Je sais que les lumières vont bientôt s'éteindre, mais on doit aller voir.

— Il reste encore cinq minutes, grand maximum. J'ai synchronisé ma montre grâce à la sirène de ce matin. Pitié, on ne reste pas coincés dans le noir ici, OK ? Je n'ai jamais aimé l'obscurité. J'ai passé cinq ans de ma jeunesse dans une chambre sans fenêtre et ça m'a causé plein de problèmes par la suite, tu comprends, mec ?

Ilan accéléra. Mocky suivit en respirant fort, son gros cœur pompait. Ils se retrouvèrent rapidement dans un endroit qu'Ilan avait déjà exploré avec Chloé. La salle du théâtre se trouvait à une dizaine de mètres. Le Minotaure, les œuvres peintes décoraient chaque pan de plâtre. L'endroit cherchait à s'arracher à son abandon, mais les couleurs s'estompaient, le temps gagnait chaque jour du terrain.

— C'est sinistre, dit Mocky. Celui qui a peint ces horreurs ne devait pas rire tous les jours.

— Il s'appelait Lucas Chardon. Enfin, je crois…

— Comment tu le sais ?

Des nuances orange palpitaient en provenance d'une pièce située sur la droite. Ilan se rappela : il s'agissait de la salle de la thérapie par l'art, avec ses murs tapissés de dessins mythologiques et de photos.

Le nez protégé par sa veste, il se présenta à l'entrée de la pièce.

C'était le chaos. Toutes les œuvres des patients, sans exception, avaient été arrachées des murs, déchirées et regroupées en un tas au centre. Elles flambaient. Les visages des gens du passé se rétractaient, les peintures cramaient, de petits papillons noirs voletaient dans tous les sens. Ilan recula, une main devant le visage, et buta contre Mocky qui restait là, ébahi.

— On a un taré parmi nous, fit-il d'une voix blanche, et je crois savoir de qui il s'agit.

— Moi aussi. Gygax…

— Pourquoi a-t-il fait une chose pareille ? Pourquoi maintenant, pourquoi les photos de tous ces gens ?

— Ce matin, il pleurait sur la scène du théâtre, au milieu d'un vieux décor. Chloé et moi, on pense qu'il souffre de dédoublement de personnalité.

— Comme la C. J. Lorrain du dossier Memnode.

— Tout pareil, oui.

Ilan fixait ces flammes colériques qui, progressivement, rapetissaient. Des visages qu'on effaçait, un passé qu'on cherchait à éliminer. Pourquoi Gygax agissait-il ainsi ? Avait-il un lien avec cet hôpital ? Avec l'un de ses patients, qu'il aurait reconnu ? À court d'idées, il regarda l'heure, puis rebroussa chemin. Il ne voulait pas rester une minute de plus dans ces couloirs malsains et glaciaux.

Lorsqu'ils regagnèrent leur lieu de vie, tout était calme. Les portes des chambres étaient fermées, les douches et la cuisine désertées. La sonnerie retentit.

— Elle est effroyable, cette sonnerie, dit Mocky.

Par la suite, il y eut de gros déclics, et les néons s'éteignirent les uns après les autres. Progressivement, les extrémités de leur long couloir disparurent dans les ténèbres. Ne restait plus que leur petit îlot de chaleur, ce seul endroit où ils se sentaient en vie et à peine en sécurité.

— Il était moins une, murmura Mocky.

Ilan fixa la porte close de Gygax. Aucune lumière ne semblait provenir de l'intérieur de sa chambre. Voulait-il faire croire qu'il dormait déjà ? Il revint vers Mocky.

— On discutera de tout ça demain. Mais ne parle surtout pas à Gygax de cette histoire de dédoublement de personnalité, d'accord ? Je préfère ne pas aggraver les choses. On ne sait pas de quoi ce type est capable.

— Très bien.

Dossier en main, Mocky disparut et s'enferma à double tour. Ilan fit de même. Il cala de surcroît la petite commode contre la porte, avant de se diriger vers l'armoire et d'en extraire la solide tringle en bois qui supportait ses vêtements. Ce n'était pas grand-chose, ce bâton, mais il pourrait toujours se défendre avec, au cas où.

Il jeta un œil par la fenêtre grillagée mais, d'ici, impossible de voir les phares du break, qui devait se trouver de l'autre côté du bâtiment, vers l'arrière. La tempête sévissait toujours autant et Ilan en vint à penser qu'une météo pareille, ça n'était pas normal non plus. C'était comme si tout les contraignait à rester dans cet endroit maudit.

Comme si cet hôpital ne voulait pas les laisser partir.

Lorsqu'il s'assit sur son lit et délaça ses baskets, il se rendit compte de l'état de tension dans lequel il se trouvait : tous ses muscles étaient noués et ses nerfs à vif. L'image de son père édenté et coupé en deux revenait le hanter. *Ça fait tellement longtemps, fiston, t'es un vrai homme maintenant.*

Ilan s'allongea sur le matelas, les bras écartés, les yeux au plafond. Tant de questions se bousculaient dans sa tête. Sur sa propre identité, sur ses rêves, sur ces documents prétendument confidentiels que lui avait montrés Mocky. Sur Gygax, aussi. Et si ce n'était pas lui qui avait brûlé ces papiers, en définitive, mais quelqu'un d'autre ?

Encore une fois, il se demanda où se situait la frontière entre la réalité et la fiction. Jusqu'à quel point les racines du jeu avaient pénétré en lui. Et ce que lui voulait, au final, ce putain d'organisateur sexagénaire.

Ilan bascula sur le côté sans se déshabiller, le bâton à proximité. Cette nuit, il laisserait la lumière allumée.

Hors de question de fermer l'œil.

42

Jour 2

Ilan fut extirpé de son sommeil par des cris.

Il avait dû s'endormir au milieu de la nuit.

À l'extérieur, quelqu'un cognait sur toutes les portes.

— Venez vite ! Sortez de là, bordel ! Il est arrivé quelque chose à Leprince !

Ilan reconnut la voix de Maxime Philoza. Il roula sur le côté. Son réveil indiquait à peine 6 h 30. Il se redressa d'un coup et sentit le sang irriguer ses muscles. Très vite, il enfila ses baskets sans les lacer puis se précipita vers sa porte, les yeux encore collés par le sommeil.

Meuble chassé sur le côté, clé tournée dans la serrure. Quelques secondes plus tard, il était dans le couloir glacial et se contracta dans le courant d'air. Les autres candidats sortaient progressivement de leurs chambres, certains encore endormis, d'autres déjà habillés, comme Gygax ou Naomie Fée.

Il échangea un coup d'œil inquiet avec Chloé qui terminait d'enfiler son pull à col roulé dans un frisson.

Philoza se tenait devant la porte ouverte de la chambre de Leprince, le visage blanc et inquiet. Fée était juste derrière. Une croûte avait durci sur son nez blessé et, sans son maquillage, elle ressemblait à un zombie tout droit sorti d'un film de Romero. Jablowski se trouvait à ses côtés, pas coiffé, la blouse de travers et, pour une fois, Ilan lut de la gravité au fond de ses yeux. Avec Chloé, il s'approcha doucement derrière les autres candidats, remarquant que Mocky n'était pas là et que la porte de sa chambre était restée fermée.

Tous les regards convergeaient vers le sol. Des gouttes de sang dessinaient un chemin de souffrance qui partait de l'intérieur de la chambre de Leprince et s'éloignait vers les ténèbres du couloir. Philoza s'écarta, laissant chacun prendre la mesure de ce qui avait pu se passer.

— La porte était entrouverte au moment où j'allais prendre ma douche, fit-il d'une voix grave. J'ai vu le sang, j'ai poussé la porte et…

Il se tut, appuyé contre le mur. Ilan s'approcha encore. Les draps gisaient sur le sol, tandis qu'une grosse tache pourpre imbibait le matelas.

Philoza essayait de garder son sang-froid. Les cernes sous ses yeux étaient enflés.

— Ma chambre est juste à côté, je n'ai quasiment pas dormi de la nuit et je n'ai rien entendu. Et vous ?

Il ne se heurta qu'à des réponses négatives. Ilan remarqua l'expression curieuse de Gygax : malgré la gravité de la situation, on aurait dit que le type aux drôles de lunettes carrées souriait. Il le garda à l'œil, tandis que Philoza observait attentivement l'environnement. Le placard était ouvert, mais rien n'avait été dérangé : les tenues et les éléments de toilette étaient à leur place. La carte de l'hôpital était pliée sur la commode, avec les lunettes de vue dessus, juste à côté de deux petits cygnes noirs dont aucun n'avait le bec cassé.

Calmement, Philoza exposa ses déductions :

— Il était habillé en civil, puisque ses vêtements de ville ne sont pas là. Et il est évident qu'il n'y a pas eu de lutte. Il dormait, sans doute. Mais tout habillé ?

Il désigna les gouttes.

— Je suggère qu'on voie où elles nous mènent.

— Le problème, c'est qu'il fait noir partout, dit Jablowski. Mais je me vois mal attendre plus de deux heures que ces... salopards daignent nous allumer la lumière.

Ilan se dirigea vers sa chambre.

— On ne va pas attendre, on va agir. Mais auparavant...

Il se rendit devant la seule porte fermée et essaya d'ouvrir, en vain. Il cogna contre le bois.

— Mocky ? Sors de là !

Aucune réponse, pas un bruit à l'intérieur.

— Quelqu'un l'a vu ?

Philoza secoua la tête.

— Il n'y a personne dans les douches ni dans la cuisine.

Ilan tenta de donner un gros coup d'épaule mais la porte ne bougea pas. Le candidat aux dreadlocks était-il bien à l'intérieur ? Ilan alla dans sa propre chambre et réapparut avec un drap et la tringle en bois de son armoire, qu'il posa sur la table de la cuisine. Puis il se mit à déchirer le drap en lanières.

— Il me faut de l'huile.

Tout le monde s'était réuni autour de lui.

— Tu fabriques une torche ? approuva Jablowski. Si on omet le manche en bois qui risque de cramer, c'est pas mal vu, *MacGyver*.

— Le bois conduit moins la chaleur que le métal. Donc, mieux vaut qu'il soit en bois si on ne veut pas se brûler les mains.

Chloé ramena un pain de graisse qu'elle avait pioché dans une armoire et se mit à frotter énergiquement les lanières.

— Ce sera peut-être plus efficace que l'huile.

Ilan la regarda avec complicité puis confectionna sa torche de fortune, enroulant et nouant plusieurs lanières à l'une des extrémités du bâton. Il fit plusieurs boules avec d'autres morceaux de draps bien gras et les tendit à Jablowski.

— Des réserves, au cas où. Tu les portes ?

— Sans façon. Vas-y, toi.

Haussant les épaules, Ilan dénicha des serviettes dans un placard. Il enroba ses réserves avec le tissu et les glissa dans sa poche.

— Et maintenant, il me faudrait du feu.

Fée porta la main à sa poche, elle sortit son paquet de cigarettes et fronça les sourcils.

— Merde, où j'ai foutu mon briquet ?

Ilan n'avait pas lâché Gygax des yeux en faisant sa requête. Le type aux lunettes carrées, qui était resté dans l'encadrement de la porte d'entrée, remarqua le regard perçant d'Ilan et détourna la tête. Le fait qu'il fût l'auteur de l'incendie, la veille, ne laissait plus vraiment de doute. Et pourquoi ce sourire curieux qu'Ilan avait perçu dans la chambre de Leprince ? Il préféra ne pas relever pour le moment, mais viendrait bientôt l'heure des comptes. Il se dirigea vers la gazinière et fit doucement flamber le tissu imbibé de gras. La flamme était modérée, pas trop vorace.

— Je pense que ça va tenir le coup. Allons-y.

Il prit la tête du cortège. En silence, les six candidats se mirent à suivre les gouttelettes de sang, espacées régulièrement sur le carrelage à damier. Ils formaient un petit groupe compact, fermé par Gygax. Un groupe qui paraissait presque solidaire et qui creusait l'obscurité comme autant de mineurs angoissés.

Leurs ombres s'étiraient sur les murs, les semelles crépitaient sur le verre brisé ou les petits débris qui encombraient parfois la voie. Ilan avait l'impression que, d'un instant à l'autre, la lumière pourrait dévoiler un visage hurlant du passé, le fantôme d'un patient. Il accéléra le pas. Certaines pièces étaient dépouillées, avec des chaises renversées, des armoires cassées, des lits à l'abandon, couverts de leurs draps devenus noirs de poussière. Il y avait là-dedans des bouts de bois et du tissu à profusion, bref, de quoi se constituer d'autres torches, en cas de besoin ultérieur.

Très vite, Ilan reconnut les murs en carrelage blanc. Il s'arrêta deux secondes, pointant l'index.

— On est déjà venus ici, avec Chloé. C'est…

— L'aire médicale, compléta Naomie Fée. Moi aussi, j'ai eu l'occasion de visiter, pas plus tard qu'hier après-midi. Et c'est particulièrement glauque, surtout dans l'obscurité. Merde, tout ceci ne me dit rien qui vaille.

Ilan fronça les sourcils.

— Où est Gygax ?

Tous se retournèrent. Gygax avait disparu. Ilan agita sa torche et s'adressa à Philoza :

— Tu n'as rien vu ?

— Non, il était derrière moi il y a trente secondes à peine.

L'angoisse monta d'un cran. Ilan appela, sans obtenir de réponse.

— Il est peut-être retourné dans sa chambre ? fit une voix.

— Comment ? demanda Fée. Il fait noir.

— Il s'est servi de ton briquet… Allez, on continue.

Ilan laissa Fée à sa stupéfaction et poursuivit sa progression. Le silence les enveloppa de nouveau. Ils doublèrent le cabinet de dentiste puis la salle de radiographie. Les traces de sang menaient au bout du couloir, devant une porte métallique qui était impossible à ouvrir. Fée frappa dessus, appelant Ray Leprince en vain.

— C'est la salle de lobotomie, lâcha Chloé dans un soupir. Elle était grande ouverte quand on est venus la première fois.

Jablowski avait récupéré une barre de fer pendant le trajet, qu'il utilisa pour cogner sur la poignée qui résista. Après plusieurs tentatives, le grand brun abdiqua : la porte ne pouvait pas être fracturée. Il laissa tomber sa barre sur le sol dans un souffle.

— Ce n'est pas la peine.

Ilan fixa la serrure et eut une idée. Il sortit la clé qui pendait au bout de sa chaîne.

— Ça pourrait peut-être fonctionner.

— Elle vient d'où, ta clé ? demanda Philoza.

— Du jeu.

Ilan n'en dit pas davantage. Malheureusement, ça ne fonctionna pas, la clé n'entrait même pas dans la serrure. Un lambeau de tissu se décrocha de la torche et flamba au sol. Jablowski l'écrasa rapidement, puis se tourna vers Chloé qui se frottait les épaules en frissonnant.

— Il y a quoi dans cette pièce ?

Elle répondit avec un temps de retard.

— Tout ce qu'il faut pour procéder à une lobotomie. Des tables, des camisoles intégrales, des instruments encore en bon état. C'est une pièce sans issue, il n'y a pas de fenêtres.

— S'il s'est fait lobotomiser, ça ne peut pas lui faire de mal, en tout cas.

Jablowski essayait de détendre l'atmosphère, en vain. Philoza s'accroupit devant une goutte de sang, y plongea son index et renifla.

— Je me demande quel genre de blessure a pu provoquer une telle perte de sang. Personne n'a été alerté cette nuit, il n'y a donc pas eu de lutte. Je pense que Leprince a été assommé, puis transporté jusqu'ici. Et il y est encore, sinon il y aurait une deuxième ligne de gouttes de sang.

— Mais il avait fermé la porte de sa chambre comme nous tous, dit Fée. La serrure semblait intacte. Comment son agresseur aurait-il pu entrer ?

— Avec un double.

Jablowski allait et venait nerveusement, à présent. Il fixa une caméra, quelques mètres en retrait.

— Je n'ai pas envie de participer à un remake des *Dix Petits Nègres,* Hadès. J'ignore qui vous êtes et ce que vous voulez. Mais si vous ne vous manifestez pas dans les minutes qui suivent pour nous expliquer, on va foutre le camp d'ici, tempête ou pas, et prévenir la police.

Alors que le grand brun gueulait, Ilan ne cessait de penser à Mocky : pourquoi ne donnait-il plus signe de vie ?

— D'accord avec toi, répliqua Naomie Fée. Cette fois, il n'est absolument plus question de jeu.

Ils voulurent faire demi-tour, mais Chloé tendit une main devant elle, bloquant le passage.

— C'est là où vous vous trompez, justement. Il n'a jamais été autant question de jeu.

— Tu plaisantes, là ?

— Qu'est-ce qu'on a, exactement ? Du sang sur un matelas, et des gouttes parfaites, semées comme les cailloux du Petit Poucet qui nous mènent jusqu'à cette pièce effroyable et inaccessible. Pas de bruit, pas de corps. Seulement des suppositions.

— Parce qu'un type qui s'est vidé de la moitié de son sang, t'appelles ça des suppositions, toi ? cracha Fée.

Au sol, Ilan se débrouillait pour enrouler une nouvelle lanière autour de sa torche, dont la flamme avait sérieusement faibli.

— Je te pensais plus maligne, releva Chloé. N'importe quel sang animal ramené dans une poche peut faire l'affaire. Qu'est-ce qu'on a véritablement face à nous ? Un premier principe qui nous dit de ne pas croire ce qu'on voit. Un deuxième qui nous annonce que quelqu'un va mourir. Et évidemment, quelqu'un donne l'impression d'être mort.

— Il n'est pas le seul impliqué, fit Ilan. Mocky aussi a l'air d'avoir eu un problème.

— Admettons. Et pourquoi cela ne serait-il pas seulement une mise en scène ? Pourquoi cela ne ferait-il pas partie du jeu ? N'oubliez pas que le but principal de *Paranoïa* est de nous procurer la peur de notre vie. Jusqu'à présent, les épreuves étaient un peu légères, non ?

— Aussi légères que du deux cent vingt volts dans l'organisme, répliqua sèchement Ilan.

Elle le fixa froidement, avant de poursuivre :

— Et si nous subissions simplement la conséquence de l'un des objectifs de Leprince ou de Mocky ? Et si c'étaient eux, les fameux intrus ? J'ai la certitude que le jeu n'apparaît pas seulement à des horaires fixes, entre 9 heures et 19 heures, mais qu'il est omniprésent. Il est incrusté en chacun d'entre nous, il habite nos jours et nos nuits. Nous sommes en lui. C'est le cas depuis que *Paranoïa* existe et je ne vois pas pourquoi cela changerait aujourd'hui.

Philoza se frotta le menton.

— Tu as peut-être raison. Mais peut-être que tu te trompes aussi. Dedisset prétend avoir reçu des chocs électriques, il…

— Je ne prétends pas. J'ai reçu des chocs électriques. Et je vous garantis que c'était tout sauf un jeu.

Ilan changea sa torche de main.

— Il y a une autre donnée à intégrer, ajouta-t-il. Chloé et moi, on a été amenés ici par une voiture break qui, durant le trajet, a embarqué deux flics et un fou furieux qui devait être transféré vers une unité pour malades difficiles, à trente kilomètres d'ici. Leur véhicule avait eu un accident.

— Une UMD ? répéta Philoza. Ce genre d'endroit où l'on enferme des meurtriers ultra violents ?

— Exactement. Le type, Lucas Chardon, a massacré huit personnes au tournevis l'année dernière dans un refuge de montagne. Et apparemment, il a déjà été pensionnaire de cet établissement par le passé.

Tous l'écoutaient sans broncher.

— Comment tu le sais ? demanda Fée.

— Peu importe. Après nous avoir déposés ici avant-hier au soir, le chauffeur devait franchir le col pour emmener les trois voyageurs à destination. Or hier, juste avant l'extinction des feux, je suis allé faire un tour avec Mocky, il voulait me montrer quelque chose.

— T'es donc le dernier à l'avoir vu, dit Fée d'un air suspicieux. Et quel genre de chose il voulait te montrer ?

— Pas tes oignons. Par une fenêtre, on a aperçu les phares de notre fameux break. Je crois que le véhicule était abandonné quelque part dans l'enceinte du complexe psychiatrique, à l'arrière de cet hôpital. Ça peut laisser supposer…

— Qu'il y a un fou furieux caché entre ces murs et qu'il va se mettre à massacrer tout le monde ? le coupa Chloé d'un air cynique. Comme dans un bon petit film d'horreur ?

— Avec ce qui est arrivé ce matin, je n'ai pas envie de le savoir. Mais avoue que ces gouttes de sang, ça pourrait très bien être la conséquence d'un coup de tournevis dans le dos ou la poitrine.

Chloé s'approcha au plus près des flammes. Avec les lueurs dansantes, ses lentilles de contact rendaient ses yeux d'un bleu étrange, subaquatique.

— Ces phares, tu les as vus par toi-même, ou c'est Mocky qui te les a montrés ? demanda-t-elle.

Ilan n'aimait pas le ton qu'elle employait.

— C'est Mocky, admit-il. Il m'a attiré vers une fenêtre pour me les montrer.

Chloé eut un petit sourire cruel. On aurait dit un avocat du barreau en pleine plaidoirie. À ce moment, Ilan lui en voulut, c'était comme si elle le ridiculisait devant tout le monde.

— Merci, se contenta-t-elle de lui répondre.

Elle se tourna vers les autres.

— Ceci est monté de toutes pièces, depuis la première seconde où nous avons décidé de participer au jeu. Cet accident, cette histoire d'unité pour malades difficiles faisaient évidemment partie du scénario. Tout comme cette voiture aux phares allumés, quelque part dans l'enceinte. Dans cette pièce dédiée à la lobotomie, il y a des cygnes noirs peints sur les murs, comme par hasard. Ça nous donne l'impression que c'est d'époque, c'est vachement bien fichu, mais c'est juste une sorte de trucage. Mocky et Leprince jouent simplement avec nous et marquent des points en ce moment même. Ce sont deux patients, ils forment une équipe, vous comprenez ? Ce ne sont pas eux qui ont trouvé la salle contenant les objectifs et la nourriture, la toute première fois ? Rappelez-vous la promesse de *Paranoïa* : *Pour 300 000 euros, oserez-vous défier vos peurs les plus intimes ?* On est en plein dedans.

Dans le crépitement des flammes, chacun tenta de peser le pour et le contre. Fée et Jablowski s'échangeaient des regards interrogateurs.

— Ceux qui veulent partir peuvent le faire, ajouta Chloé. Moi, je reste.

Les yeux de Chloé fuyaient ceux d'Ilan pour accrocher ceux de Jablowski.

— Et toi ?

— Je ne sais pas quoi penser, admit-il. C'est vrai que Mocky a disparu, et je vois mal un type comme lui se faire agresser ou enlever sans provoquer un boucan d'enfer. Il faudrait être une tribu pour le transporter. Le jeu ? Pas le jeu ? (Il hocha le menton vers Fée.) Qu'est-ce que t'en penses ?

— Elle a raison. J'ai envie de rester. Il y a l'argent d'une vie à gagner, ça vaut vraiment le coup.

Ilan coupa court à ce dialogue en rebroussant chemin. Les cinq candidats se mirent à marcher très vite. Jablowski avait ramassé sa barre de fer et la serrait fort entre ses deux mains.

Lorsqu'ils atteignirent leur lieu de vie, ils furent stupéfaits : Gygax déjeunait tranquillement, assis seul à la grande table. Il poussait une céréale avec son index. Les lunettes appartenant à Leprince, celles qui étaient restées sur la commode de sa chambre, se trouvaient à ses côtés.

— Mais qu'est-ce que tu fiches ? grogna Jablowski.

Gygax releva la tête, et l'expression de son visage changea subitement. C'est avec un air sérieux qu'il balança les lunettes de Leprince vers le grand brun, qui les rattrapa de justesse.

— Sur la branche gauche de la monture. À l'intérieur.

Jablowski plissa les yeux et lut l'inscription gravée, qui ressemblait à un numéro de fabrication.

— CA2107. Tu peux m'expliquer ?

— C'est ce qui était écrit sur la tranche de notre jeu de cartes, intervint Fée, l'air sombre. Ce code a permis d'ouvrir le cadenas donnant accès aux objectifs et à la nourriture.

Il y eut un moment de flottement, avant que Jablowski balbutie :

— Ça veut dire que…

— Ray Leprince ne s'appelle probablement pas Ray Leprince, il n'a certainement jamais bossé en Amérique et il travaille avec *Paranoïa*, le coupa Gygax. De toute évidence, c'est lui qui a écrit le code sur les cartes en s'inspirant de ce numéro de série sur ses lunettes. Ces cartes, il les a ensuite distribuées dans nos chambres avant qu'on débarque. Donc, il était déjà là bien avant notre arrivée.

Les candidats se regardèrent avec surprise, éblouis par tant de perspicacité. Fée s'approcha et le sonda au fond des yeux, se positionnant en face de lui.

— Et comment tu as su pour les lunettes ? Le code est à l'intérieur de la monture.

— Hier, il prenait sa douche. Il a laissé ses lunettes devant l'un des lavabos, avec sa trousse de toilette. Je ne sais pas s'il l'a fait exprès, mais moi, j'ai vu.

Jablowski s'approcha avec sa barre de fer, menaçant.

— Ça veut dire que tu savais qu'il était avec eux et
que tu ne nous as rien dit ? Et pourquoi tu ne serais pas
avec eux, toi aussi ?

— Et pourquoi pas vous ? Pourquoi pas vous tous ?

Gygax baissa la tête et vida son bol de lait. Philoza,
qui était sorti entre-temps, revint et s'adressa directement à Gygax :

— Où sont les deux cygnes noirs de Leprince ?

Gygax se leva, partit rincer son bol et rangea ses
céréales. Il les regarda ensuite, les uns après les autres,
avec un air qui donna la chair de poule à Ilan.

— Quelque part, en sécurité.

43

La porte en bois de Mocky avait été difficile à forcer mais, aidés par la barre de fer de Jablowski, ils y étaient arrivés.

La chambre était vide et propre, le lit fait. Jablowski et Fée entrèrent les premiers, juste suivis par Chloé. Ils se mirent à fouiller dans les armoires, les tiroirs, sous le lit. Ils ne trouvèrent ni carte, ni clés, ni cygnes. Ilan chercha le protocole Memnode, en vain. Il restait juste des tenues bleu dentiste et les vêtements civils du gros bonhomme. Il y avait bien la paire de baskets fournies par le jeu, mais ses chaussures de ville avaient disparu. Comme si Mocky n'avait jamais occupé cette chambre.

Malgré tout, après les suppositions de Chloé et la découverte de Gygax concernant les lunettes, ils décidèrent de rester et de poursuivre l'aventure.

En attendant le retour des deux disparus, ils n'étaient plus que six participants.

Chacun avait repris ses activités du petit matin. Ilan laissa longtemps couler l'eau brûlante de la douche sur sa nuque, les yeux rivés sur la marque du robinet : Hudson Reed. Ici, étrangement, il se sentait en sécurité, comme si l'eau avait le pouvoir de l'apaiser, de le protéger. Au bout d'un quart d'heure, il s'habilla et sortit, finissant sa toilette devant l'un des miroirs de la salle d'eau. Alors qu'il s'apprêtait à retourner dans sa chambre, il entendit quelqu'un pester dans la première cabine de douche de la pièce.

Il s'approcha et frappa à la porte.

— Chloé ? C'est toi ?

La jeune femme lui ouvrit. Elle portait son pantalon blanc de médecin et un maillot de corps sans manches qui moulait parfaitement ses formes. Ilan remarqua, juste après, qu'elle avait un œil marron et un autre bleu.

— J'ai perdu une lentille, fit-elle en s'agenouillant. Impossible de remettre la main dessus. Tu m'aides ?

Ilan se baissa et se mit à chercher. Ses cheveux, à la racine, laissaient apparaître leur teinte blonde naturelle d'avant la coloration. Son beau cul était juste en face de son nez.

— Ça risque d'être compliqué. Ces trucs-là sont quasiment invisibles...

Il hocha la tête vers la porte et eut un petit sourire.

— Toi, moi, dans une cabine de douche. Ça pourrait être mal interprété.

— Pourquoi mal ?

Ils échangèrent un regard. Chloé poussa soudain la porte du pied et embrassa Ilan à pleine bouche, comme ça, sans prévenir. Ilan ne chercha pas à réfléchir ni à la repousser. Très vite, leurs sens s'embrasèrent. Le jeune homme se laissa déshabiller et baissa d'un coup sec le pantalon de Chloé. Leurs bouches ne se quittèrent plus. Lorsqu'ils furent nus, elle l'entraîna sous le jet d'eau tiède puis tourna progressivement le robinet pour augmenter la température.

Leurs silhouettes se noyèrent dans la vapeur.

— Je crois que je vais rester comme ça, murmura-t-elle en lui croquant l'oreille. L'œil gauche bleu, et l'œil droit marron. C'est tout à fait dans l'ambiance de cet hôpital. Qu'est-ce que t'en penses ?

— Ange ou démon ? Ou alors, c'est la Chloé du présent qui redevient la Chloé du passé, même si elle a toujours les mains aussi froides. Ça me plaît.

Elle toucha la clé au bout de la chaîne d'Ilan.

— À ton avis, elle ouvre quoi ?

— La boîte à fantasmes…

— Sérieusement… T'as essayé d'ouvrir la porte où il y a l'argent ?

— J'ai vu la serrure, elle est complètement différente.

Ils butèrent sur une paroi.

— Et si les autres nous entendent ? fit Ilan.

— On se fiche des autres.

Très vite, leurs deux corps ne formèrent plus qu'un. Ilan s'abandonna enfin au plaisir et ne pensa plus à rien. Chloé le rendait dingue, l'eau dégoulinait sur son visage, sa peau était brûlante. Il la plaqua contre une paroi et la fit gémir, dans le fracas de l'eau chutant sur le carrelage. Serré ainsi contre elle, explorant sa poitrine des yeux et des mains, il remarqua les cicatrices au niveau des seins et du ventre. Il y en avait bien cinq ou six, petites et difformes. Emporté par ses pulsions, il ne dit rien et finit par émettre un râle au creux de son épaule. Dans un sourire, Chloé lui plaqua la main sur la bouche.

— Chut, chut… Tu vas ameuter tout le monde.

Ilan l'embrassa encore puis poussa un long soupir de soulagement, le visage tourné vers le pommeau de douche, la bouche ouverte. Pour la première fois depuis longtemps, il se sentait bien, mais il savait que cette béatitude n'était qu'éphémère.

Retirée au fond de la cabine, Chloé s'habillait déjà en silence. Ilan coupa l'eau et s'avança vers elle. Il l'embrassa dans le cou.

— C'était juste pour tirer un coup ou on a de l'avenir, tous les deux ?

— Nous verrons Ilan. Ne précipite rien.

— Parce que c'est moi qui ai précipité les choses, là ?

Elle lui sourit.

— Ça nous a fait du bien à tous les deux. C'est l'essentiel, non ?

Ilan promena sa main sur la poitrine de la jeune femme.

— Ces six petites cicatrices, murmura-t-il. Tu ne les avais pas lorsque nous étions ensemble. On dirait des blessures.

Chloé enfila rapidement son maillot de corps et son pull à col roulé.

— Ce n'est rien. Un jour, le lustre de mon appartement s'est décroché du plafond.

— Et ?

Elle le regarda, surprise qu'il insiste.

— À ton avis ? J'étais couchée dans mon canapé, j'ai reçu les pointes en fer forgé en pleine poitrine, à quelques centimètres seulement du visage. J'ai appelé les secours en catastrophe.

Ilan s'écarta un peu et s'empara de la serviette humide.

— Si j'ai bonne mémoire, ton lustre n'était pas au-dessus de ton canapé.

— C'est simplement parce que tu n'as jamais visité mon nouvel appartement.

Elle jeta un œil à sa montre, histoire de couper court à leur conversation.

— Le jeu démarre dans moins d'une demi-heure. Tu vas préparer notre petit déjeuner ? Café au lait, un peu de pain à décongeler au micro-ondes et de confiture à la fraise. Je me coiffe rapidement.

Ilan acquiesça et, après avoir enfilé sa tenue, finit par disparaître. Il était évident que Chloé lui mentait quant à l'origine de ses cicatrices, mais pour quelle raison ? Qu'avait-elle à cacher ?

Une fois ses affaires déposées dans sa chambre, Ilan se rendit dans la cuisine. Dans sa tenue de médecin, pull à col roulé remonté jusqu'au menton, Maxime Philoza était en train de boire un jus de fruits. Il avait les cheveux encore humides et sentait le frais.

— La douche a été bonne ? fit-il en apercevant Ilan.

Ilan se demanda comment prendre sa remarque. Il n'eut pas l'opportunité de répondre.

— J'ai regardé par la fenêtre de ma chambre, poursuivit Philoza. Il ne neige plus beaucoup pour le moment, mais le ciel est toujours aussi chargé, prêt à remettre ça. J'ignore quelle quantité de neige il y a dehors, mais si la météo ne s'améliore pas, on risque d'être définitivement coupés du monde. Plus aucune voiture ne sera capable de rouler sur ces routes. Que se passera-t-il si l'un d'entre nous se blesse par exemple ?

— Je suppose qu'Hadès a prévu cette éventualité. Il y a une boîte à pharmacie bien fournie dans la salle de douche, avec des pansements, des antiseptiques…

Ilan déposa une dosette dans la machine à café, positionna deux tasses et appuya sur un bouton. Puis il sortit des tranches de pain du congélateur, qu'il mit dans le four à micro-ondes. Philoza prit soudain un air grave.

— Hadès… Parlons-en, justement. Plus on y réfléchit, et plus c'est curieux. *Paranoïa* n'a ni publicité ni sponsors. Ce jeu, au contraire, fait croire à tout le monde qu'il n'existe pas. Qui donne les trois cent mille euros ? Et pourquoi les donnerait-on ? Juste pour voir une bande de huit joyeux drilles courir après des cygnes noirs ? Tu imagines Hadès débarquer à la fin, te remettre tout cet argent dans une valise et te laisser partir, comme au casino ?

— Qu'est-ce que tu essaies de me dire ?

Il parla tout bas. Le ronflement du micro-ondes couvrait le son de sa voix.

— Rien n'est encore clair dans ma tête, mais je pense que la disparition de Mocky et Leprince est bien réelle. Qu'il leur est vraiment arrivé quelque chose. Et que ta copine Chloé fait absolument tout pour nous retenir ici.

Ilan secoua la tête.

— Leprince portait des lunettes de vue dont le numéro de série a servi à créer la première énigme. Il est forcément l'un de ces intrus et joue avec nous. Il fait partie de l'organisation. Tout comme Mocky, j'ai l'impression.

— Et pourquoi, à l'inverse, ceux de *Paranoïa* n'auraient-ils pas utilisé le code de ses lunettes pour créer l'énigme à son insu ? Le jeu était avec chacun d'entre nous avant qu'on débarque ici. Des jours, voire des semaines avant. D'une façon ou d'une autre, ils nous surveillaient, chez nous, au café, au club de sport. Ils auraient très bien pu relever le numéro de ses lunettes et s'en servir par la suite.

— Mais dans quel but ?

— Je l'ignore encore. Nous embrouiller, nous faire douter ? J'en reviens à ta copine Chloé... Pourquoi essaie-t-elle de nous retenir dans cet hôpital, alors que son intérêt est plutôt qu'il y ait le moins de candidats possible pour la course à la victoire ?

Ilan réfléchit quelques secondes.

— Elle a peut-être peur de rester seule ici, se hasarda-t-il. Ou elle veut simplement éviter que le jeu s'arrête si les flics débarquent. Elle a besoin de cet argent, et elle est une compétitrice.

— Comme nous tous.

Philoza jeta un œil vers l'entrée de la cuisine, puis ajouta :

— Il faut que je te dise une dernière chose à propos de Sanders. Je l'ai vue rentrer dans sa chambre en courant hier soir, une ou deux minutes avant l'extinction des feux.

Ilan reçut un choc. Il posa le pot de confiture fébrilement sur la table et incita Philoza à poursuivre.

— J'étais ici, dans le noir, je buvais un verre d'eau. Elle semblait venir du grand hall. Elle est rentrée dans sa chambre et a immédiatement fermé à clé. Après avoir fini mon verre, j'ai fait la même chose, je me suis enfermé en ayant juste eu le temps de te voir revenir avec Mocky quelques secondes plus tard.

Ilan se sentit de nouveau complètement déstabilisé. Ce n'était donc pas Gygax que Mocky et lui avaient cru apercevoir l'autre soir, mais Chloé.

Maxime Philoza ne lâcha pas prise :

— Vous l'avez forcément aperçue. Que s'est-il passé hier soir ? Qu'est-ce que tu es allé faire avec Mocky dans les couloirs si tard ?

Ilan mit un temps avant de répondre.

— Il voulait juste me montrer de vieux dossiers de patients à moitié brûlés.

— Quel genre de dossiers ?

Son ton avait changé. Il paraissait soudain très attentif. Ilan réagit au quart de tour :

— En quoi ça pourrait t'intéresser ?

— Je suis simplement curieux.

Ilan laissa passer un silence. Philoza avait réagi bizarrement à cette information. Pourquoi cela l'intéressait-il autant ?

— Rien de bien important, finit-il par dire. Je crois que Mocky est un adepte de la théorie du complot, ou tout au moins, c'est ce qu'il a voulu me faire croire.

À ce moment précis, Chloé arriva. Philoza sortit rapidement de la pièce en faisant un geste autour de son œil.

— Tu as perdu une lentille.

— Je sais, répliqua-t-elle sans sourire.

Elle s'installa à table.

— Je l'aime pas, celui-là. Tu sais qu'hier il m'a orientée dans une mauvaise direction, carrément à l'autre bout de l'hôpital ? Il a l'air tranquille, honnête, mais c'est une ordure. Il nous écrasera tous les uns après les autres s'il en a l'occasion.

Chloé était la deuxième personne à lui dire ça, après Mocky. Il prit le pain dans le micro-ondes et rapporta les deux tasses de café. Il s'assit en face de Chloé et la dévisagea.

— Qu'est-ce que t'es allée faire hier soir seule dans les couloirs ?

Elle but une gorgée de café calmement.

— Hier soir… Tu veux dire après que tu as défoncé la chaise à électrochocs ?

— Oui, après.

— Je ne suis plus sortie de ma chambre. C'est quoi, ce ton ?

— Arrête, Chloé. Tu es allée brûler toutes les photos et les dessins de la salle de thérapie par l'art. Celle que toi et moi avions vue le matin même.

Chloé écarquilla les yeux.

— Tu plaisantes, j'espère ?

— C'est tout sauf une plaisanterie. Quelqu'un a mis le feu au contenu de cette salle pour une raison encore incompréhensible. Et Philoza vient de me dire qu'il t'avait vue rentrer dans ta chambre en catastrophe hier soir, juste avant qu'on revienne Mocky et moi.

La jeune femme posa sa tasse, excédée.

— Et tu l'as cru ?

— Pourquoi mentirait-il ?

Elle soupira.

— Il y a des dizaines de raisons qui pourraient faire qu'un type comme lui mente. Parce qu'il est l'auteur des faits, par exemple. Ou parce qu'il protège quelqu'un. Ou alors, parce qu'il ne m'aime pas et qu'il veut nous monter les uns contre les autres. Mince Ilan, on vient de faire l'amour et tu me balances une chose pareille ?

— Ça aussi, c'était peut-être prévu ? Comme par hasard, tu es dans les douches en même temps que moi, tu perds ta lentille…

Chloé se leva, sur les nerfs.

— Tu recommences avec ton délire. Cette fois, tu vas trop loin. Va te faire foutre, d'accord ?

Elle le planta sur place et fit violemment claquer la porte de sa chambre. Seul devant la grande table, Ilan ne savait plus quoi penser. Il croqua sans appétit dans une tartine. Il se rappelait le regard fuyant de Gygax lorsqu'il avait demandé du feu, et le fait que le type aux lunettes carrées avait pu rebrousser chemin dans le noir alors qu'ils suivaient tous les gouttes de sang : à l'évidence, il avait bel et bien dérobé le briquet de Fée.

À quel jeu jouait Philoza ? Et Gygax ?

Ilan but son café, débarrassa la table et partit à son tour dans sa chambre. Il s'assit sur son lit, manipula une grosse clé qu'il avait rangée dans le tiroir de sa commode et relut la fin de sa missive précédente :

En tant que patient responsable, vous devez donc l'entraîner dans la salle des électrochocs dont vous possédez la clé, l'attacher sur la chaise avec les bracelets, sortir et verrouiller la porte derrière vous. Une fois toutes ces étapes franchies, votre objectif sera atteint. Vous pourrez alors vous diriger vers votre troisième objectif, quelque part dans la morgue de l'hôpital, en utilisant la seconde clé en votre possession.

La morgue n'était pas indiquée sur le plan, mais Ilan se dit qu'elle devait être au sous-sol. Une destination qui ne l'enchantait guère.

Quelques minutes plus tard, à 9 heures pile, l'horrible sirène retentissait.

Elle prouvait qu'Hadès était là, dans les murs.

À moins qu'elle ne soit juste programmée pour sonner chaque jour à 9 heures et 19 heures, avec ou sans présence humaine.

Et qu'ils continuent à jouer, tous comme des rats de laboratoire, alors qu'il n'y avait plus personne dans cet hôpital.

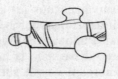

44

Chloé ne lui avait pas adressé un regard au moment où la chasse avait repris. Elle l'avait doublé en courant puis avait disparu vers l'aile des femmes lorsque Ilan était arrivé au niveau du grand hall d'entrée.

Les portes en fer résonnaient, les candidats semblaient creuser cet hôpital comme des vers le feraient dans une pomme pourrie. Peu de lumière traversait le grand vitrail en forme d'ovale, situé au-dessus de l'entrée principale. Ilan se dit qu'avec un peu de soleil, les couleurs devaient être magnifiques et parfaitement contraster avec l'austérité de l'endroit. La lumière naturelle et la chaleur lui manquaient.

À bon rythme, il suivit Jablowski qui se dirigeait vers la grille que Mocky avait ouverte la veille. À sa grande surprise, le grand brun déverrouilla avec l'une de ses clés et referma derrière lui. Il s'immobilisa quelques secondes en apercevant Ilan qui venait dans sa direction, le fixant étrangement.

— Qu'est-ce qu'il y a ? demanda-t-il.

— Mocky aussi avait la clé pour ouvrir cette grille.

— Et alors ? Tu penses que je la lui ai piquée ? Le nombre d'accès vers les étages n'est pas infini. On a forcément des clés en commun. Si je vois le gros, je te l'envoie. Bye, *gueule d'amour*.

Il grimpa les marches quatre à quatre sans plus se retourner. Ilan s'avança vers la volée d'escalier qui plongeait sous le sol. Au bas d'une dizaine de marches, une grille fermée l'attendait. De l'autre côté, l'endroit était éclairé, des néons se succédaient vers la gauche. Le jeune homme introduisit la clé dans la serrure et réussit à ouvrir. Un drôle de grincement résonna. Il hésita une poignée de secondes, referma et verrouilla derrière lui.

Ainsi enfermé, il était à moitié rassuré : à moins de posséder la clé, personne ne pourrait le surprendre et l'attacher à une chaise, cette fois.

Le couloir était voûté et les briques apparentes. Il se divisait en deux et la partie droite n'était pas éclairée. Ilan se rappelait ce qu'avait dit Hadès, à propos du réseau souterrain immense...

Il prit en direction de la lumière. Il s'était attendu à beaucoup d'humidité mais les murs et le sol en béton ne présentaient pas la moindre trace d'eau ni de moisissure. Sans doute à cause de ce courant glacial qui le frappait en pleine face et remontait jusque dans l'escalier.

Pour le moment, le candidat ne remarqua aucune caméra. Les néons grésillaient, l'un d'entre eux avait rendu l'âme, un autre palpitait. À plusieurs reprises il hésita à faire demi-tour, pas très rassuré dans cet endroit sans fenêtre ni porte. Son imagination galopait, il visualisait ces patients morts qu'on apportait sur des brancards, qu'on posait ensuite sur des chariots pour les plonger dans ces ténèbres. De quoi mourait-on dans les hôpitaux psychiatriques ? De maladie ou de tristesse ?

Ilan distingua une première pièce où courait un entrelacs de tuyaux, de tubes de cuivre, et où reposait une gigantesque cuve de fioul. Il y avait encore quelques bidons fermés, à moitié remplis, d'autres ouverts et gisant là, entassés. Une échelle en bois de six ou sept mètres était calée dans un coin.

Plus loin, le couloir se divisa en Y. Une vieille pancarte en métal indiquait « Archives » vers la droite, et « Morgue » vers la gauche. Deux grilles neuves bloquaient chaque couloir. À l'évidence, elles avaient été rajoutées par les organisateurs du jeu. Ilan essaya d'ouvrir celle des archives avec la clé trouvée dans l'enveloppe, puis avec celle accrochée autour de son cou, mais sans succès. Peut-être lors d'un prochain objectif ? Il pourrait alors savoir si Lucas Chardon, le fou de ses rêves ou Alexis Montaigne, l'infirmier, avaient vraiment été des occupants de cet hôpital.

La grille de gauche s'ouvrit sans problème. Ilan verrouilla de nouveau derrière lui et poursuivit son exploration. Il avançait, avançait encore, semblant toujours s'enfoncer sous la montagne. Pourquoi fallait-il tant marcher, pourquoi la morgue était-elle enfouie si profondément ?

Enfin, apparut une première pièce, sur la droite. Elle ressemblait à un bloc opératoire. Un squelette de lampe Scialytique demeurait au plafond, les murs étaient carrelés d'un blanc qui tournait au jaune pisseux, une massive table en acier trônait au centre, avec deux rigoles longitudinales qui devaient servir à évacuer les fluides corporels.

Une salle d'autopsie, songea Ilan en se frottant les épaules. Il se dit que c'était logique, il fallait pouvoir comprendre la cause d'une mort, même dans un hôpital psychiatrique. Mais quelque chose attira son attention. Il s'avança et constata la présence de sangles marron en cuir, dont les extrémités étaient solidaires de la table.

À quoi bon des sangles, si les patients étaient morts ?

Ilan se rappelait les mots de Mocky : *Il y a eu des trucs pas jolis-jolis, par le passé, à mon avis.* La lobotomie, les électrochocs, et à présent cette sinistre table, dans un tunnel où personne ne pouvait entendre les cris. À quelles sombres expériences se livrait-on, si loin de la civilisation, sur des humains qui n'existaient plus aux yeux de la société ?

Ilan sursauta soudain. Un claquement métallique venait de résonner dans le couloir.

Comme une porte qu'on ferme.

Il se précipita et regarda sur la droite. Son cœur battait fort, le jeune homme en percevait chaque pulsation lourde.

— Il y a quelqu'un ?

Rapidement, il fit marche arrière pour revenir jusqu'à la seconde grille, celle proche du panneau « Morgue », et regarda aussi loin qu'il le put dans le long tunnel voûté. Il resta là une bonne minute, immobile, et se convainquit que le bruit provenait peut-être de la surface, amplifié par l'acoustique particulière de ces sous-sols confinés.

Il prit son courage à deux mains et poursuivit son exploration. Il doubla la salle d'autopsie, marcha encore une vingtaine de mètres et, après deux virages, atteignit finalement le lieu de son objectif.

Il découvrit alors un chariot, placé dans l'un des angles... Le mur de casiers métalliques, aussi haut que large... Les morgues devaient toutes se ressembler, mais c'était quand même curieux de rêver d'un endroit pareil et de s'y retrouver le lendemain.

Il remarqua la caméra, puis essaya de garder son calme et de se concentrer. Son prochain objectif se cachait quelque part dans cet endroit morbide. Il allait le dénicher et fiche le camp le plus rapidement possible.

Aussi incroyable que cela pût paraître, l'odeur de mort imprégnait encore les lieux. Ilan la percevait, sans être capable de lui donner une origine précise. Sur le côté droit, la pièce était encombrée d'un monceau de chaussons grisâtres et de gros paniers à linge sur roulettes. Il les renversa et fouilla avec dégoût parmi les vieilles tenues défraîchies. Des vêtements qui avaient servi et dans lesquels des êtres humains avaient peut-être expiré leur dernier souffle. Des habits de morts qui ressemblaient étrangement aux siens.

Fouiller ainsi manqua lui donner la nausée. Il ne dénicha rien de particulier.

Il allait falloir ouvrir les tiroirs à cadavres les uns après les autres. Ilan fit un rapide calcul : douze tiroirs à l'horizontale sur huit rangées superposées. Soit quatre-vingt-seize cases. Il ne pouvait atteindre ceux du haut, mais, au pire, il utiliserait le chariot élévateur.

Ilan commença par le bas, à gauche. Il prit une inspiration, ouvrit le premier compartiment et tira le plateau à roulettes vers lui. Un petit courant d'air sembla s'exhaler de cette bouche morbide. Le candidat grimaça, referma puis renouvela l'opération avec le tiroir voisin.

Il trouva un cygne dans l'un des tiroirs de la deuxième rangée, qu'il enfouit dans sa poche. Puis, tiroir 22 précisément, un sac plastique blanc ainsi qu'une enveloppe marron. Satisfait, il commença par ouvrir le sac. Son estomac se contracta.

Le plastique contenait une combinaison orange ainsi qu'un sac en toile de jute.

La tenue du tueur au tournevis.

Il y eut encore un bruit, derrière lui. Ilan se retourna et tendit l'oreille sans plus bouger.

Il retint son souffle. Un silence parfait régnait.

Il éprouva le plus grand mal à maîtriser les tremblements de sa main. La peur était là, oppressante. En respirant difficilement, il ouvrit l'enveloppe. À l'intérieur, une lettre, une nouvelle clé et une seringue pleine d'un liquide transparent.

« Cher candidat,

Vous êtes sur la bonne voie, et je suppose que votre crédit de cygnes s'accroît chaque heure davantage. Sachez qu'ils sont encore nombreux ici, autour de vous, et ne demandent qu'à être collectés.

Souvent, les médecins ont trop d'assurance et ont tendance à oublier les règles de sécurité fondamentales. Vous êtes un patient intelligent qui a échappé à la vigilance du personnel soignant et réussi à subtiliser une seringue remplie d'un sédatif puissant. Une petite injection vous permettra de faire perdre une journée à l'un de vos adversaires.

Et désormais, je suppose que vous aimeriez savoir qui vous a le plus malmené parmi les autres candidats, n'est-ce pas ? La clé que vous tenez entre les mains ouvre la salle où vous avez récupéré la nourriture ainsi que vos premiers objectifs. Vous avez ainsi le privilège de pouvoir y entrer, d'ouvrir les enveloppes et de connaître le premier objectif de chaque candidat.

La tenue dans le sac accompagnant cette enveloppe vous permettra d'agir sans crainte d'être reconnu.

Vous voilà devenu le fantôme de cet hôpital. Mais un fantôme dangereux, armé d'un puissant sédatif...

Votre prochain objectif vous attend dans votre propre casier, le numéro 8.

Bonne chance.

Virgile Hadès »

Ilan mit du temps à réagir à sa lecture, parce qu'elle l'avait secoué. Encore une fois, il s'agissait de s'en prendre à l'intégrité physique d'un candidat. Lui injecter un produit dont il ignorait tout.

C'était strictement hors de question.

Ilan manipula le sac en toile de jute, puis la tenue orange. Il revit précisément l'homme dans l'éclat des phares, sous la tempête de neige, encadré des deux flics. Cette découverte signifiait-elle que le tueur au tournevis faisait lui aussi partie du jeu, qu'il n'était qu'un pion ? Ou au contraire, Hadès s'était-il servi de cette rencontre due au hasard pour modifier cette énigme-ci ? Car Ilan se rappelait assez bien ses propos lors du speech de « bienvenue » : *un petit incident arrivé aujourd'hui en route m'a donné quelques idées supplémentaires particulièrement excitantes, que je vais essayer de mettre en place durant la nuit.*

Mais comment Hadès aurait-il pu trouver une telle tenue orange en si peu de temps ? Avait-il des connexions avec l'UMD ? Ilan pencha finalement pour le coup monté : les flics n'en étaient pas, le tueur était un de ces fichus acteurs, et Mocky et Leprince des complices.

Le jeu, encore et toujours là…

Par curiosité, il se passa le sac en toile sur la tête. Il pouvait distinguer la lumière, les formes, mais ne voyait pas avec précision. Respirer était difficile et il se sentit immédiatement mal à l'aise. Qu'est-ce qui lui prenait d'enfiler une horreur pareille ? Lorsqu'il le retira, il prit une grande goulée d'oxygène. L'odeur de cadavre lui parut plus forte que lors de son arrivée.

Un courant d'air lui caressa l'échine.

Ilan se retourna brusquement, persuadé que quelqu'un l'observait. Mais il n'y avait personne. Il fixa la caméra, immobile, puis finit par glisser la clé dans sa poche ainsi que la seringue. Il ne l'utiliserait pas mais, surtout, personne d'autre ne l'utiliserait à sa place.

Il entreprit d'explorer les casiers restants. Peut-être y avait-il de nouveaux cygnes à collecter ?

Il faillit chuter en arrière lorsqu'il ouvrit la cinquième porte située au niveau de sa poitrine.

Deux grosses semelles grises lui faisaient face.

L'odeur de putréfaction se libéra dans toute la pièce.

Ilan porta une main devant la bouche, le café lui remontait dans la gorge. Il retint son souffle et ouvrit le tiroir complètement en tirant des deux bras.

La masse flasque apparut dans un crissement de roulement à billes. Le tiroir se bloqua en bout de course, faisant légèrement vibrer les bourrelets de graisse de ce corps qui avait pour seul vêtement des chaussures de randonnée de couleur bleue, taille quarante-six.

Le cadavre, c'était Mocky.

Ilan eut instantanément les larmes aux yeux. Un cygne noir reposait sur un vieux papier froissé, lui-même déposé sur le torse criblé de plaies dont le sang avait viré au rouge sombre, presque noir. Les dreadlocks avaient été étalées avec soin, formant une pieuvre complexe et effrayante.

Aucun doute : Gaël Mocky avait été frappé à maintes reprises dans le cou, le torse et les bras par une arme blanche à l'extrémité très fine.

Un tournevis… Ilan en avait la certitude.

Et cette fois, il n'était pas question de simulation : la poitrine de Mocky ne bougeait plus et un léger voile blanchâtre tapissait ses yeux grands ouverts. Des yeux qui avaient vu la mort en face.

Ilan n'eut alors plus aucun doute : Ray Leprince était mort, lui aussi, dans des conditions atroces.

Un monstre errait entre ces murs, et le jeune homme savait de qui il s'agissait. L'homme au tournevis, Lucas Chardon, allait tous les tuer, les uns après les autres. Comme il l'avait fait avec huit autres joueurs, dans le refuge de montagne.

Ilan s'empara de la feuille posée sur le torse du cadavre. Elle était jaunie, arrachée à un cahier probablement, et froissée. Ilan put lire le texte dactylographié :

« *Lucas Chardon est chimiorésistant à la majeure partie des antipsychotiques, ce qui va rendre les tâches du personnel extrêmement délicates. Étant donné ses tendances à l'autodestruction, il aura besoin d'une surveillance accrue.*

D'après mon confrère, il évolue presque en permanence dans son monde fictif et ne se confronte qu'en de très rares occasions à la réalité. Lorsqu'il est dans sa phase imaginaire, rien dans son attitude ne trahit la maladie. La psychose a pris possession de sa vie, de ses rêves, de son comportement social. Lorsqu'elle s'exprime, le patient semble normal, et c'est là tout son paradoxe et sa dangerosité.

Par contre, lorsque la psychose s'efface et que les phases de retour au réel ont lieu, le patient sombre dans une grande violence : il prend l'équipe médicale pour des persécuteurs qui cherchent à altérer la vérité de façon à le faire passer pour un fou, selon ses propos. Il se retrouve alors en plein délire paranoïaque et refuse d'être enfermé. Il a agressé un infirmier aujourd'hui.

Le patient de la chambre 27 n'a toujours aucun souvenir de l'épisode du chalet ni du meurtre de sa petite amie. Dans sa tête, elle continue à mener sa vie. Il lui invente une existence. Il n'y a plus aucune barrière entre le réel et l'imaginaire. En phase psychotique, il est le genre d'individu capable de tuer et d'enquêter ensuite sur le meurtre qu'il a commis pour trouver le coupable.

Mon objectif est de l'amener à accepter la vérité : le meurtre de huit personnes. C'est la seule chance d'amélioration de son état.

Il faut trouver l'entrée, la première clé qui ouvrira les portes de son esprit. Les autres clés viendront ensuite, et nous pénétrerons chaque fois un peu plus en profondeur dans son psychisme.

Dans un premier temps, nous tenterons l'électrothérapie. »

Ilan resta figé. Le rédacteur de ce rapport – un psychiatre à l'évidence – parlait de l'épisode du chalet. Mais comment cela était-il possible, puisque l'hôpital était fermé depuis plus de cinq ans et que l'octuple meurtre s'était passé un an auparavant ? Pourquoi l'assassin de Mocky, Lucas Chardon en personne, avait-il abandonné ce texte sur sa victime ?

Tétanisé, Ilan recula de deux pas et sentit soudain une douleur, puis quelque chose de froid couler dans son dos.

Il se retourna dans un hurlement.

Une silhouette se tenait en face de lui, une seringue vide dans la main.

Sa vision se troublait déjà, le monde tournait, mais il eut le temps de voir que son agresseur portait une combinaison orange et un sac en toile sur la tête. Un sac percé de deux petits trous, exactement comme le sien.

Ilan tendit le bras pour attraper le sac et découvrir le visage face à lui. Mais ses jambes se dérobèrent et il s'effondra au milieu des vêtements des morts.

Sa seringue se brisa au sol et le liquide se déversa devant ses yeux.

Puis ce fut le noir complet.

45

Le cauchemar reprenait.

Quand Ilan émergea, il sut qu'il allait encore souffrir. Parce que les sangles étaient là. Aux poignets, aux chevilles. On lui avait bourré la bouche avec un tissu infect roulé en boule et maintenu avec du sparadrap médical. Les seuls sons qui filtraient entre ses lèvres ressemblaient à des borborygmes.

Ses yeux n'arrivaient pas à s'accommoder, ne percevant qu'un environnement flou, indéfini, comme lorsqu'on regarde à travers un kaléidoscope. Les couleurs se confondaient, les angles droits devenaient courbes, les formes se distordaient. Cependant, il comprit bien vite qu'il se trouvait dans le cabinet de dentiste, solidement ligoté au fauteuil jadis utilisé pour les soins. Un bras articulé était étiré juste au-dessus de lui, et une lumière aveuglante lui brûla soudain les rétines.

Quelqu'un avait allumé.

Ilan imaginait déjà le pire : la roulette sur ses molaires, les instruments pointus à la recherche de ses nerfs, l'émail qui saute. Il ne devait pas y avoir pire douleur. Il voulut détourner la tête mais une sangle qui le maintenait au front l'en empêcha. Il hurla à travers son bâillon. Un goût terrible de produit médical était accroché quelque part au fond de sa gorge. Il crut qu'il allait vomir mais l'envie passa aussitôt.

La tête lui tournait. Lorsqu'il rouvrit les yeux, un visage terriblement flou, couvert d'un masque chirurgical, apparut une fraction de seconde dans son champ de vision avant de disparaître. Il entendit le bip caractéristique d'un électrocardiogramme. Un cœur battait relativement lentement, et c'était le sien.

Pourquoi l'avait-on branché à des moniteurs ? Pour voir jusqu'à quel point il supporterait les tortures ? Cherchait-on à le tuer, mais pas trop vite ?

Des voix se mirent à résonner autour de lui. Celles d'hommes et de femmes qui semblaient discuter sans qu'il comprenne un mot, parce que les sons arrivaient distordus, au ralenti. Mais Ilan n'eut aucun doute : parmi elles, il y avait celles qu'il lui arrivait d'entendre, celles qui murmuraient parfois dans son esprit et lui donnaient l'impression de perdre la boule.

Quelqu'un parlait près de son oreille.

— Vous savez ce que nous voulons.

Il s'agissait de la voix d'un homme, grave mais douce.

— Et nous comptons désormais sur votre entière collaboration pour nous fournir les éléments dont nous avons besoin. Il est évident que vous savez lesquels, monsieur Dedisset. N'est-ce pas ?

Mocky... Il est mort... songea Ilan. *On l'a assassiné avec le tournevis. Et maintenant, ils vont s'acharner sur moi. Ils vont me torturer et...*

— À présent, vous allez vous concentrer et écouter le son de ma voix. Rien que le son de ma voix, tout ce qui est autour n'existe plus.

Et tandis que la voix lui murmurait des phrases à l'oreille, Ilan eut l'impression de chuter au fond d'un gouffre. Le produit qu'on lui avait injecté plus tôt lui matraquait encore le cerveau.

Il lui sembla perdre de nouveau connaissance.

Et alors ses yeux s'ouvrirent, mais à l'intérieur de sa tête. Dans le trou béant de son esprit, Ilan se sentit flotter dans une grande pièce noire. Son corps se dirigeait vers une lumière vive et particulièrement chaleureuse. Par cette source aveuglante arrivaient des images. Puis des sons et des odeurs.

Des souvenirs, encore, jaillis du fin fond de son inconscient.

Ilan se vit avec ses parents, au milieu de la pelouse d'un parc qu'il ne connaissait pas. À trois, ils pique-niquaient sur une table en bois. Deux garçons et une fille du même âge jouaient sur un tourniquet. C'était l'été, le ciel était d'un bleu étourdissant, malgré la présence d'une usine, tout au fond, avec une grande cheminée qui crachait une fumée sombre. Les tenues des passants étaient légères. Sa mère sortait des sandwichs d'une glacière jaune et blanc, tandis que son père était assis dans l'herbe en train de dessiner sur un cahier qu'Ilan reconnut aussitôt : celui qui contenait la carte au trésor. Ilan s'approcha pour voir mais son père referma le cahier et vint s'asseoir à table.

— Il a fermé le cahier. Je n'ai pas pu voir.

Ilan s'était entendu parler. Il sentait l'air frais dans sa gorge, on lui avait à l'évidence ôté le bâillon, mais il était incapable de réagir ou même d'ouvrir les yeux. La voix résonna encore, quelque part en lui, elle lui parlait doucement, avec calme. Elle le guidait à travers son esprit, ouvrait des portes dont Ilan ignorait l'existence.

Et j'ai conscience de tout ça. Comment ils font ?

Ilan se laissait diriger, il voulait comprendre mais, en même temps, n'avait pas la force de lutter contre cette présence qui pénétrait à l'intérieur même de son cerveau. Il sentit de la chaleur, de nouveau, et des couleurs s'organisèrent sur l'écran de ses paupières.

Autre tranche de vie. Il était sur son lit, crayon en main, assis en tailleur face au cahier ouvert de son père. Cette fois, le dessin mystérieux et coloré avec différentes encres était parfaitement visible : le paysage de montagnes, avec son lac, son arc-en-ciel avec ses nuances de bleu si particulières, et son île au milieu de l'étendue liquide. Ainsi qu'une multitude de détails que l'esprit d'Ilan restituait à la perfection.

Le Ilan du souvenir tenait une feuille devant lui, sur laquelle il avait gribouillé des informations en tout petit.

L'autre Ilan, celui sanglé sur le fauteuil de dentiste, venait de décrire cette scène à voix haute, parce que la présence le lui avait demandé.

— C'est très bien, répliqua la voix. À présent, vous devez vous pencher, Ilan, et me dire précisément ce que vous avez écrit sur votre feuille.

La voix avait changé, elle était très douce et agréable. C'était celle d'une femme, celle qu'Ilan avait déjà entendue dans ses crises. Il s'entendit prononcer, comme si les mots sortaient d'eux-mêmes sans qu'il puisse les retenir :

— J'ai écrit : *Ici-bas c'est le Chaos mais au sommet, tu trouveras l'équilibre. Là sont toutes les réponses.*

— Il s'agit de la phrase située en haut du dessin. Très bien. Et ensuite ?

— J'ai entouré *Ici-bas*, et j'ai écrit : *Ici-bas représente le bas du dessin, donc les nombres. Le Chaos implique qu'ils sont sans aucun doute dans le désordre. La majuscule à Chaos est importante, elle indique souvent, dans ce genre d'énigme, qu'il faut prendre la première lettre de mots particuliers.* Sur ma feuille, juste en dessous, j'ai ajouté : *H 580, H 485, H 490, H 600, H 470.*

— Vous êtes bien sûr de cet ordre-là ? Relisez une fois Ilan, doucement.

— *H 580, H 485, H 490, H 600, H 470.*

— C'est parfait. Il n'y a rien d'autre sur la feuille ?

— Si, il est écrit *C'est évident !*, avec un point d'exclamation. Une flèche indique de lire de l'autre côté de la feuille.

— Vous pouvez la retourner, cette feuille ?

— Je crois, oui. Mais…

— Qu'y a-t-il ?

Ilan avait toujours les yeux fermés, il sentait la contrainte des sangles sur ses poignets tandis que l'autre Ilan, dans sa tête, lâcha la feuille et regarda autour de lui. L'être imaginaire se leva et sembla observer la chambre dans laquelle il se trouvait.

Ilan retranscrit les sensations de son « lui passé ».

— C'est bien mon ordinateur, mon lit, mes affaires, mais on dirait que ce n'est pas ma chambre.

— Si, c'est votre chambre, bien sûr. Ne vous en souciez pas, s'il vous plaît, et dites-moi plutôt ce que vous lisez sur l'autre face de la feuille.

Dans le souvenir, Ilan s'approcha de la fenêtre. Il était à l'étage, la vue donnait sur une rue bordée de petites maisons individuelles dont les façades étaient défraîchies. Un peu plus loin s'érigeait une grosse usine, constituée d'une cheminée et de grands tapis roulants. C'était la même usine qu'Ilan avait vue depuis le parc, dans le souvenir précédent. Elle avait pour logo un cygne et portait le nom de Krystom.

— Krystom… Krystom… répétait Ilan à voix haute. C'est une usine… Et elle est en face de chez moi.

— Le souvenir que vous voyez n'est pas complètement réel, n'y prenez pas garde. Cette usine n'existe pas, Ilan, elle n'est qu'une reconstruction erronée de votre cerveau. La seule chose vraie est cette feuille, posée sur votre lit. J'ai besoin de savoir ce que vous avez écrit de l'autre côté.

Ilan lutta pour ne pas obéir à la voix et sentit du liquide froid se glisser dans ses veines. Alors c'était ça, il avait probablement une perfusion dans le bras. Il n'arrivait plus à ouvrir les yeux, ses paupières étaient trop lourdes. Il se contorsionna sur sa chaise mais ne céda pas aux ordres de la voix. Le Ilan dans sa tête ne retourna pas auprès du lit et franchit la porte de la chambre. Celle-ci donnait sur un escalier qu'il descendit. Les cadres suspendus aux murs étaient familiers au Ilan sanglé : cette nature mourante, où les arbres perdaient leurs feuilles. C'étaient les tableaux accrochés dans la grande maison de Montmirail. Mentalement, il encouragea son double imaginaire à persévérer, et le souvenir se poursuivit. Le Ilan virtuel arriva dans une petite cuisine où sa mère se versait du café. Il l'embrassa sur la joue, prit un paquet de céréales dans le placard et s'installa à table.

Ilan ressentit soudain une douleur atroce, comme si son bras prenait feu. Le poids sur ses paupières disparut et il ouvrit instantanément les yeux. La lumière éclatante du bras articulé l'aveugla. Il força sur les muscles de sa nuque, si bien que, malgré la contention, il parvint légèrement à tourner la tête.

Trois ou quatre silhouettes difformes s'étaient regroupées juste là, à quelques mètres, et discutaient entre elles. Vêtues de blanc, apparemment, avec des masques sur le visage. Des regards se tournaient vers lui, c'était sûr, mais Ilan ne voyait que de gros disques flous cette fois, comme lorsqu'on observe sous l'eau sans lunettes de plongée.

— Vous essayez de manipuler mes... souvenirs. Mais vous n'y arriverez pas.

Ils continuaient à parler. Ilan remarqua la perfusion plantée dans son avant-bras. Elle était reliée à une poche translucide dont il était incapable de deviner le contenu. Il avait envie de dormir et lutta pour ne pas sombrer, parce qu'il voulait que ces nouveaux souvenirs s'impriment dans sa mémoire. Surtout ne rien oublier. Il se rappelait le début de résolution de l'énigme de son père, avec les numéros mis dans un ordre bien particulier. Lequel déjà ? *H 580, H 485, H 490, H 600, H 470.*

Comment avait-il trouvé cet ordre-là ? Son père lui avait-il expliqué le chemin pour résoudre le mystère de la carte ? Ilan voyait encore distinctement cette maison de cité dont il n'avait aucun souvenir, et où apparemment il avait vécu avec ses parents avant d'habiter dans la grande bâtisse de Montmirail. L'usine Krystom, avec le cygne de *Paranoïa* pour logo... Krystom, Krystom : Ilan avait déjà aperçu ce nom quelque part, mais il ne trouva pas les ressources pour s'en souvenir. Son esprit était trop embrumé. Cependant, une chose était certaine, la solution de l'énigme était en lui.

Et ces salopards faisaient tout pour la lui extraire de la tête.

— Vous ne saurez jamais, balbutia-t-il. Vous n'aurez pas les réponses que vous attendez.

Une forme s'approcha de lui. Ilan percevait toujours le son obsédant de l'électrocardiogramme. Son cœur battait très lentement.

— Oh que si, nous saurons, monsieur Dedisset. Très bientôt. Tout ce qui est en vous va finir par nous appartenir. Y compris vos pensées les plus intimes.

Celui qui parlait toucha à un instrument sur le côté. La fatigue pesait de plus en plus, les paupières d'Ilan papillonnaient.

— Mais les autres candidats… souffla-t-il. Pourquoi sont-ils là ? Et Mocky ? Vous l'avez…

— Bonne chance pour la suite, monsieur Dedisset. En espérant que vous admettrez très vite que rien de tout ceci n'a existé.

Et sur ces ultimes paroles, Ilan s'endormit.

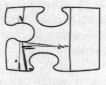

46

Ilan regarda autour de lui, complètement déconnecté. Quel endroit, quelle date ? Il mit quelques
secondes à émerger. Que faisait-il allongé sur son lit,
dans sa petite chambre ? Le radio-réveil indiquait
19 h 25.

Ça faisait presque une demi-heure que le jeu s'était
arrêté.

Ilan se releva péniblement, l'esprit embrouillé. Les
perspectives se distordirent avant que tout se remette
en place. Très vite, les souvenirs affluèrent. Il se remé-
mora alors ces visages masqués autour de lui, il entendit ces chuchotements, tandis que du liquide coulait
dans ses veines. Il releva la manche de son pull et de
sa blouse bleue mais ne distingua aucune nouvelle
trace d'injection. Ils avaient dû piquer à l'ancien
endroit, là où la peau formait encore une minuscule
croûte et où le cercle violacé persistait.

Il roula des yeux. Qui l'avait ramené dans sa
chambre ?

Une image s'imposa brusquement devant toutes les
autres dans sa tête : deux grosses semelles dans un
tiroir de morgue.

Mocky.

Ilan enfila ses baskets et se dirigea vers la fenêtre, fébrile. La nuit était absolue et il neigeait à gros flocons. Quand cette fichue tempête cesserait-elle ? Quand apercevrait-il enfin la plus petite étoile ou le moindre rayon de soleil ?

Il fouilla dans ses poches, plus aucune clé ni papier ne s'y trouvaient. Il n'aurait pas accès au casier derrière la grille ni à son prochain objectif, mais peu importait : hors de question de poursuivre ce fichu jeu.

Il fit demi-tour et s'empara du plan de l'hôpital, qu'il retourna. Il nota avec son stylo, tant qu'il se rappelait : *H 580, H 485, H 490, H 600, H 470*. L'ordre était complètement différent de celui noté sur le dessin original, mais il correspondait à la série dictée par le Ilan intérieur lors de cette séance d'hypnose. Celui de ses souvenirs, et qui, peut-être, connaissait la réponse à l'énigme.

Était-ce réellement lui qui habitait cette modeste maison de ville ? Ses parents avaient-ils vécu dans un si petit pavillon ? S'agissait-il de la réalité ou d'une pure invention, comme aurait pu la créer la patiente du protocole Memnode, cette C. J. Lorrain ?

Le protocole Memnode n'existe pas, C. J. Lorrain n'existe pas. Tout ceci n'est qu'une vaste illusion, un de leurs nombreux artifices.

Ilan se prit la tête dans les mains, incapable de comprendre pour le moment. Ses yeux revinrent vers les annotations. Que pouvaient bien représenter ces nombres à trois chiffres, derrière les *H* ? Des lettres ? Des coordonnées ?

Ilan abandonna ce début de réflexion, ouvrit la porte de sa chambre et agrippa Jablowski, qui passait à ce moment-là dans le couloir.

— Mocky… balbutia-t-il.

— T'as une tronche, on dirait un poisson crevé.

— C'est Mocky, il…

— Tu dois être franchement sûr de toi pour te permettre une sieste en plein milieu d'une partie. T'es presque au bout, c'est ça ? T'as récolté combien de cygnes ?

Sans attendre la réponse, Jablowski se dirigea vers la cuisine. Ilan le suivit au ralenti. Chloé était assise à un bout de table, Gygax à l'autre, épluchant des carottes avec des gestes minutieux, et Philoza faisait bouillir de l'eau. Personne ne parlait.

— Mocky est mort.

Ilan se tenait dans l'embrasure, une main sur le mur. La lumière lui faisait mal aux yeux. Jablowski s'installa à table et fixa la casserole avec gourmandise.

— Qu'est-ce que tu nous prépares, le philosophe ?

— Bolognaise. J'en fais pour six ?

— Pas pour moi, fit Gygax.

— Si, pour six, répliqua Jablowski. Avec ma faim, je n'aurai pas de mal à manger la part de Gygax.

— Mocky est mort, bordel de merde !

Ilan avait crié si fort que Naomie Fée accourut et que Gygax daigna enfin décoller les yeux de ses carottes. Cette fois, tous les regards convergeaient vers lui. Il s'approcha, il avait encore un peu de mal à se tenir bien droit.

— On m'a attaché à une chaise, on m'a drogué et interrogé.

— Encore ? Et c'était où cette fois, vu que tu as massacré la chaise électrique ?

C'était Jablowski qui avait parlé, et d'un air plutôt léger. Ilan le fusilla du regard.

— Dans le cabinet de dentiste.

— Original.

— Le prisonnier qui a assassiné les gens dans le chalet, ce Lucas Chardon, a un jour été enfermé ici et il est revenu. Il a tué Mocky à coups de tournevis. J'ai vu le corps.

Philoza échangea un rapide regard avec Jablowski, puis se retourna vers sa casserole. Il y versa un paquet complet de spaghettis. Chloé, elle, eut l'air attristée, sa main se crispa autour de son verre de jus de fruits.

Elle parla d'un ton grave :

— Aujourd'hui, quelqu'un a-t-il vu des traces qui prouvent que Mocky ou Leprince se cachent entre ces murs ?

Tout le monde secoua la tête. Elle revint vers Ilan.

— Où Mocky aurait-il été tué ?

— Dans la morgue, son corps se trouve là-bas.

— Les pâtes, c'est trois minutes de cuisson ou dix ? demanda Jablowski. Je crève la dalle et t'as intérêt à me dire que dans trois minutes on mange.

— Sur le paquet, c'est écrit dix. En général, je les laisse neuf minutes, comme ça, elles sont *al dente*.

Jablowski était déçu.

— Et merde.

Il se tourna vers Gygax.

— Sinon, t'as combien de cygnes à ton actif, toi ?

Chloé se leva, voyant qu'Ilan était en détresse complète.

— Allez, montre-moi, dit-elle.

Jablowski se greffa à elle.

— Moi aussi, je viens. Ça m'intéresse d'aller faire un tour dans la morgue de cet hosto, en attendant que les pâtes cuisent.

Fée déclina, Gygax leur colla au train sans rien demander. Jablowski se mit à ses côtés et lui demanda :

— Alors, combien ? Avec ceux que t'as piqués à Leprince, t'en arrives à combien ? Cinq ? Six ?

— Fous-moi la paix avec ça, répliqua Gygax en montrant les dents.

— Pauvre débile mental. Tu rigoles jamais, t'as une gueule en béton armé.

Jablowski finit par l'ignorer et lui passa devant. Ils arrivèrent au niveau de la grille qui protégeait l'escalier. Ilan n'eut pas besoin d'utiliser sa clé, celui qui lui avait planté la seringue dans le dos n'avait pas pris la peine de refermer. À quatre, ils descendirent, Ilan ouvrait la voie et Gygax la fermait, tandis qu'un courant d'air durcissait les traits de leurs visages.

Lorsqu'ils atteignirent la morgue, celle-ci était propre et ne semblait pas avoir été dérangée. Le chariot était dans son coin, les tiroirs tous repoussés, les vêtements qu'Ilan avait retournés, rangés dans leurs paniers. Le jeune homme s'approcha et, avec un mauvais pressentiment, tira le cinquième tiroir au niveau de sa poitrine.

Vide. Pas une goutte de sang.

— Ce n'est pas possible, balbutia-t-il. Il était là, nu avec un cygne sur la poitrine et avec des chaussures de randonnée aux pieds.

— Il avait sans doute froid aux orteils, soupira Jablowski.

Même l'odeur de cadavre avait disparu.

— Ils ont dû utiliser du jus de citron et du bicarbonate de soude, marmonna Ilan. Ça supprime les odeurs de putréfaction, j'ai appris ça dans mes cours de chimie. C'est comme ça qu'ils ont fait, je le sais. Ils veulent me faire passer pour un fou.

Ilan se mit à ouvrir les tiroirs les uns après les autres avec des mouvements désordonnés. Puis il se rua vers les paniers à linge, les renversa brutalement. L'enveloppe marron, la feuille de papier et la tenue orange avec le sac en toile avaient disparu. Il n'eut pas besoin de se retourner pour sentir le poids des regards dans son dos. Lorsqu'il chercha du réconfort auprès de Chloé, elle baissa légèrement les yeux. Alors, il courut encore dans les couloirs, les autres suivirent jusqu'au cabinet de dentiste, dont la lourde porte métallique était close. Ilan tenta de l'ouvrir, sans succès. Quelqu'un avait fermé à clé.

De plus en plus, il sentait l'étau d'un piège gigantesque se resserrer autour de lui. Il était coincé : quoi qu'il dise ou qu'il fasse, on ne le croirait plus.

— Ça va aller, fit Chloé en lui passant une main dans le dos. Mocky est certainement quelque part bien au chaud, en train de s'envoyer une quatre-fromages avec Leprince et de bien se moquer de nous.

— Non, il ne s'envoie pas une quatre-fromages, parce qu'il est mort, répliqua-t-il sèchement.

— N'oublie pas qu'Annie Beaucourt était censée être morte elle aussi, rue de Rennes. Rappelle-toi cette peur qui t'habitait quand on s'est rejoints place d'Italie. T'es dans le même état Ilan, il faut te calmer...

— Si même toi tu ne me crois pas, qui le fera ?

— Les pâtes doivent être cuites à présent, fit Jablowski.

Ilan resta là, la main sur la poignée de la porte, tandis qu'un mot, Krystom, lui revenait soudain en tête. Son père en avait déjà parlé à la maison, Ilan entendait précisément le son de sa voix prononcer chaque syllabe du nom. Krys-tom. Mais dans quel contexte ? Impossible de se rappeler. Un autre souvenir lui revint brutalement : il avait vu Krystom gravé sur l'un des cygnes du bureau d'Hadès, lorsqu'il l'avait retrouvé la première fois à la compagnie Réfrigérum.

Krystom, l'usine dans sa tête. Et Krystom, marque de cristallerie dans le monde réel, que son père connaissait. Et si l'usine Krystom de son souvenir était la cristallerie ? Mais que venait faire le logo de *Paranoïa* là-dedans ? Ilan n'en pouvait plus. Il devait peut-être se faire soigner, trouver des gens pour l'aider, des spécialistes qui lui rendraient sa mémoire. Et aller voir des flics, des proches, pour comprendre ce qui était vraiment arrivé à ses parents.

Il eut un frisson. Comment passer une nuit supplémentaire dans cet enfer ? Le tueur au tournevis était là, quelque part dans ces couloirs, prêt à frapper de nouveau. La mort rôdait et personne ne le croyait. Après Mocky et Leprince, qui serait le suivant ?

Soudain, Ilan eut une dernière idée. Il regagna la cuisine et, lorsque tout le monde fut réuni, il annonça :

— Vous êtes encore quatre médecins. Je veux voir vos seringues.

Fée fumait près du couloir, l'air fatiguée. Philoza terminait de mélanger la viande hachée aux spaghettis. Ce dernier plongea sa main dans une poche et montra sa seringue.

— Si ça peut t'aider à te sentir mieux, parce que là, je dois avouer que tu commences à me faire peur. C'est bon ?

Ilan acquiesça et Philoza la rempocha. Lorsqu'il se tourna vers Fée, cette dernière leva la sienne devant ses yeux. L'aiguille était toujours protégée par son petit tube en plastique.

— Et on ne sait toujours pas à quoi elle sert, fit-elle en écrasant son mégot du talon.

341

Jablowski joua également le jeu. Il hocha le menton vers Gygax.

— C'est pourtant pas l'envie de la lui planter dans le cul qui me…

— Je ne l'ai plus, coupa brusquement Chloé.

Elle était mal à l'aise, debout, appuyée contre le mur proche du réfrigérateur. Avec un œil bleu et l'autre marron, elle donnait l'impression d'une créature étrange qui se cachait sous la peau d'une femme innocente.

Ce fut un nouveau choc pour Ilan.

— Où est-elle ? demanda-t-il d'une voix blanche.

— Je l'avais laissée dans ma chambre, ce matin, avant d'aller prendre une douche. Elle se trouvait dans la poche de ma blouse. J'aurais dû fermer à clé, j'ai été imprudente. Mais… (elle fixa Ilan dans les yeux) je ne pensais pas rester sous l'eau si longtemps. Quelqu'un en a profité pour me la dérober. Heureusement que mes cygnes sont soigneusement cachés.

Philoza interrompit ses mouvements. Il reposa la casserole sur le gaz.

— Pourquoi tu n'en as parlé à personne ?

— À quoi bon ? se défendit-elle. Tu crois vraiment que celui ou *celle* qui a commis ce vol se serait dénoncé ?

Elle avait insisté sur le *celle*.

— T'es une vraie conne, balança sèchement Naomie Fée.

— Et très habile, ajouta Philoza. Ce n'est jamais toi, c'est toujours quelqu'un d'autre. Chacun d'entre nous aura beau dire qu'il n'a pas commis ce vol, il n'y a aucun moyen de vérifier. Pourquoi tu ne dis pas ce que tu es allée faire hier soir par exemple, avant l'extinction des lumières ? C'est toi qui as mis le feu à côté du théâtre et brûlé toutes ces photos ?

— Non, ce n'est pas moi. Tout ce qui sort de ta bouche n'est que mensonge.

— Mensonge ? Tu as très bien pu utiliser la seringue contre ton propre petit ami, déguisée en je ne sais quoi, dans le seul but de lui voler ses cygnes, et ensuite affirmer qu'on te l'a dérobée. C'est si facile.

— Et pourquoi ce ne serait pas toi ? Tu m'as peut-être volé ma seringue, qui sait ? Je n'ai aucune raison de voler les cygnes d'Ilan, puisqu'il est convenu qui si l'un d'entre nous gagne, on partage.

— Ou alors, c'était l'un de tes objectifs ?

— Va te faire foutre, sale pervers narcissique. T'es drôlement atteint, toi aussi.

— Toi, tu es atteinte. T'es prête à tout. Si tu gagnes, rien ne t'empêchera de te tirer avec l'argent sans en laisser une miette à Dedisset.

Il avait rempli les assiettes et les balança négligemment devant les candidats, servant Ilan d'abord. Ce dernier considérait Chloé avec un air de reproche. Peut-être un candidat avait-il en effet passé des vêtements orange et lui avait injecté le sédatif. Un candidat qui, comme disait Philoza, aurait eu le même genre d'objectif que lui. Chloé ?

Cette dernière explosa lorsque Ilan lui adressa un regard un peu trop appuyé :

— C'est eux que tu dois fusiller du regard, bon sang ! Ce n'est pas moi qui ai volé les cygnes de Leprince ou qui chiale sur la scène d'un théâtre. Ce n'est pas moi non plus qui t'ai attaché sur une chaise électrique. J'ignore pourquoi Philoza s'acharne sur moi, mais ça cache quelque chose. Ce type est un horrible manipulateur.

Ilan n'avait pas envie de laver son linge sale en public. Il était juste meurtri et en colère. Un tueur errait dans cet hôpital ; une bande de tarés s'amusait à le torturer psychologiquement et physiquement ; Mocky, le bon gros Mocky, était mort, et personne ne le croyait.

Il regarda sa montre. Dans cinq minutes, les lumières allaient s'éteindre.

— On n'a aucune nouvelle d'Hadès, de son équipe, il se passe des horreurs ici et vous, vous restez sans réagir, obnubilés par ce fric. Qu'est-ce que vous attendez ? Un autre cadavre ?

— Il n'y a aucun cadavre à ma connaissance, dit Fée.

— Je vais trouver le moyen de sortir et d'aller jusqu'au break. Dedans, il y a nos téléphones et un flingue. Et si les communications ne passent vraiment pas, comme le prétend Hadès, alors j'essaie de le démarrer et je me tire de ce cauchemar, avec ou sans vous.

47

Ilan avait d'abord eu besoin de manger, de se remplir l'estomac pour ne pas se retrouver en hypoglycémie et tenir le choc, au cas où il devrait effectivement affronter la tempête et reprendre la route. Aussi avait-il vidé plus vite que tout le monde l'assiette que lui avait servie Philoza.

Chloé avait essayé de le dissuader de tenter l'impossible. Même s'il réussissait à sortir, il pourrait avoir un accident et, surtout, que ferait-il ? Préviendrait-il la police ? Dans ce cas, il mettrait sans doute un terme au jeu et pourrait leur causer des soucis, à tous.

— Il y a aussi les chiens, assena Chloé. Ces gros chiens qui gardent l'enceinte et dont Hadès a parlé.

Ilan tressaillit. Évidemment, il avait songé aux chiens, ils occupaient même ses pensées plus que tout le reste. Il quitta la table et alla poser son assiette et ses couverts dans l'évier.

— Je sais. Mais sans doute que ces chiens n'existent pas. Sans doute s'agit-il encore d'un stratagème d'Hadès pour nous empêcher de fiche le camp d'ici.

— Je pense qu'ils existent, surenchérit Jablowski, qui avait repéré une faille. De bons gros chiens, genre dobermans ou beaucerons.

— Ferme-la !

— Quand ils te mordent, ceux-là, ils ne lâchent plus.

— Et si tu fais une chose pareille, je t'en voudrai, ajouta Chloé. Tu sais qu'il me faut cet argent. *Paranoïa*, c'est deux ans de ma vie.

Il n'y avait pas que Chloé qui le menaçait, il s'était également mis à dos tous les candidats, sauf Gygax, qui se contentait de croquer dans ses carottes crues, les yeux mi-clos derrière ses lunettes carrées. Chacun essayait de le convaincre de rester, en vain. De colère, Jablowski avait fait voler une assiette d'un revers de main, ce qui n'impressionna pas Ilan.

— S'ils ne veulent pas me laisser sortir, ils n'ont qu'à se montrer, répétait-il en fixant la caméra. Se montrer et m'expliquer. Pourquoi ne réagissent-ils pas, à votre avis ? Mocky est mort. Je sais ce que j'ai vu.

Après avoir avalé son repas, il se releva, et la tête lui tourna un peu. À un moment, pendant une fraction de seconde peut-être, il eut l'impression que le visage de Gygax s'était déformé avant de retrouver sa raideur. Il craignit une crise et s'activa. Il se constitua une nouvelle torche avec des lanières taillées dans un drap, imbibées de graisse végétale, solidement enroulées et nouées avec du fil de fer autour d'un pied de chaise cassé. À proximité, le ton montait, personne ne voulant le laisser partir mais aucun ne s'interposant non plus physiquement à son départ.

— Et tu feras comment si ta torche s'éteint dans la tempête ? dit Fée.

— Elle ne s'éteindra pas.

— Et les chiens ?

— Il n'y a pas de chiens.

Chloé allait et venait, anxieuse. Elle se mordait le bout des doigts. Ilan n'alluma pas encore sa torche, il la garda avec lui et retourna dans sa chambre afin de remettre ses habits civils. Il termina par ses chaussures de randonnée et son gros blouson, qu'il boutonna jusqu'au cou. Puis il enfila ses gants.

Au seuil de sa porte, il jeta un œil vers les extrémités noires du couloir. Un tueur se tapissait là-dedans, peut-être les observait-il en ce moment même. Ilan retourna dans la cuisine. À sa grande surprise, Chloé était en train de fabriquer une torche identique à la sienne.

— Pas question que je parte avec toi, grogna-t-elle, mais je veux juste savoir si… (elle hésita) si tu vas réussir à trouver une voiture et à sortir d'ici. Par pitié, Ilan, si tu n'as pas de véhicule, reviens dans l'hôpital, OK ? Ce serait de la folie de t'aventurer dans ces montagnes à pied. Il fait nuit, les températures sont très basses, et avec toute cette neige…

Ilan se contenta d'acquiescer froidement et l'aida à finir sa torche avant de l'embraser. Il serra la sienne dans son poing. Gygax se décolla de sa chaise et se joignit à eux.

— Je viens voir, se contenta-t-il de dire.

— Faut toujours que tu viennes voir, lui fit remarquer Ilan. T'es toujours à me coller aux baskets. Qu'est-ce que tu cherches exactement ?

Comme à son habitude, Gygax ne répondit pas. Lorsque Ilan se mit en route, tous le suivaient finalement, et tout le monde avait enfilé son blouson pour affronter le froid des couloirs et voir s'il réussirait à sortir. Personne n'avait envie de rester seul dans la cuisine ou les douches.

Les uns derrière les autres, ils atteignirent la grande entrée. Les flammes projetaient une lumière timide autour d'eux, insuffisante pour éclairer l'ensemble de leur espace, si bien que l'obscurité donnait l'impres-

347

sion de grignoter petit à petit leur territoire. Le vent qui s'engouffrait quelque part sifflait et faisait bruire le feu. Jablowski arracha la torche des mains de Chloé.

— Donne-moi ça. Je suis plus grand, j'éclaire plus haut.

— Prétexte à la con. T'as les boules ?

— Ça va pas la tête ?

Ils continuèrent leur progression jusqu'aux premiers bureaux de la partie administrative, au rez-de-chaussée. Il y avait des grilles à chaque fenêtre et Ilan avait beau forcer, même aidé d'une tige de métal en guise de levier, rien ne bougeait. Cependant, son acharnement fut récompensé dans la sixième pièce qu'il visita : les vis supérieures d'une grille étaient enfoncées dans un mur tellement humide et pourri qu'il suffisait de tirer pour arracher les chevilles de leur support. Ilan s'appuya de tout son poids sur la grille et la plia en deux, de manière à bien dégager la fenêtre. Puis il s'empara d'un tiroir métallique retourné dans un coin.

— Reculez-vous.

Il balança le tiroir et explosa la vitre. Des flocons s'invitèrent dans la pièce, accompagnés d'un souffle glacial. Avec le bord du tiroir, Ilan ôta les morceaux de verre restant dans l'encadrement. Ils saillaient comme des poignards et auraient vite fait de lui transpercer les chairs.

Il se tourna vers le petit groupe.

— Ici, on se trouve légèrement sur la gauche de l'entrée principale, dit-il. Je pense que le break se situe de l'autre côté, vers l'arrière de l'hôpital. Je vais contourner toute la partie gauche et suivre les murs. Je devrais le rejoindre facilement.

Il se pencha par la fenêtre et agita sa torche à l'extérieur. Les flammes s'étirèrent comme de longs cheveux d'ange pris dans le vent. Il se trouvait à environ un mètre cinquante du sol. Il observa longuement, la gorge serrée, puis rentra la tête à l'intérieur.

— Aucune trace de chiens, fit-il. Ils seraient forcément venus avec le bruit. J'ai la torche pour me défendre mais il me faudrait une seringue, au cas où.

Il les scruta, les uns après les autres. Jablowski secoua la tête avec un air de revanche dans les yeux, Fée se mit à aller et venir, regard rivé au sol. Philoza haussa les épaules.

— Je veux bien attendre ici au cas où, mais je n'ai rien à te donner. Désolé.

Ilan serra les lèvres, ce n'était pas l'envie de les insulter qui lui manquait. Chloé se rapprocha.

— Je t'aurais bien donné la mienne.

— Bien sûr, oui. Mais comme tu ne l'as plus…

— Fais attention, Ilan.

— Toi, fais attention. Il y a un tueur entre ces murs. Enferme-toi bien, sois vigilante. Tu es sûre que tu ne veux pas venir avec moi ?

Elle secoua la tête et ajouta tout bas :

— Tes cygnes, où est-ce que tu les caches ? Je pourrais les récupérer, ça nous ferait de l'argent supplémentaire.

Ilan ne savait plus s'il devait la regarder avec mépris ou tristesse. Il jeta un œil au reste du groupe. Ils le fixaient sans émotion particulière. Il y avait peut-être, là aussi, de la haine derrière leurs yeux, ou alors de la pitié.

Peu importait ce qu'ils pensaient de lui. Ils pouvaient continuer à jouer tant qu'ils voulaient et tourner en rond comme des rats de laboratoire.

Torche en main, il sauta par la fenêtre et disparut.

48

Ilan avançait aussi vite qu'il le pouvait, collé au mur. Le vent sifflait dans ses oreilles et il avait à chaque fois l'impression d'entendre des hurlements de chiens. Il déplaçait sa torche rapidement, telle une épée, mais l'éclairage était si faible qu'une gueule ennemie pouvait être là, juste à quelques mètres, sans qu'il la voie. Elle surgirait de la nuit et lui arracherait la gorge. Ilan se plia en deux et eut envie de vomir rien que sous l'effet de sa phobie.

La neige lui montait jusqu'à la moitié des tibias, rendant sa progression difficile. Il essayait de deviner les ombres noires des bâtiments morts et des gigantesques annexes elles aussi abandonnées, afin de s'orienter. Cette enceinte était interminable, une véritable ville fantôme perdue au cœur des Alpes.

Comme il n'y avait plus moyen de savoir où se trouvaient les routes internes au complexe, Ilan longea le mur de leur hôpital sur le côté gauche. En plus de sa peur, le froid le prenait à la gorge, frappait chaque espace de peau découverte. Après une minute de marche, capuche serrée autour de la tête, il se retourna. Au loin, la petite lueur orangée de l'autre torche rayonnait encore par la fenêtre brisée mais, après quelques pas supplémentaires, elle s'effaça définitivement.

Il était désormais seul.

Du moins l'espérait-il.

Et cet espoir se mua très vite en terreur : Ilan eut l'impression d'apercevoir une silhouette vive et trapue traverser son champ de vision. Instantanément, il accomplit un moulinet avec sa torche et cria par réflexe. Il se plaqua au mur, les deux mains sur le morceau de bois, prêt à frapper.

Tout à coup, il sentit ses forces l'abandonner, la peur panique allait arriver. S'il ne bougeait pas maintenant, il resterait là, tétanisé, incapable de se défendre. Il se retourna et courut aussi vite qu'il put le long de cet interminable mur, à travers les flocons, le froid cinglant, jusqu'à manquer de souffle. Il n'osait plus se retourner, avec cette terrible image au fond de sa tête : son mollet dans la gueule d'un chien.

Plus loin, il s'accrocha aux murs comme un noyé à une bouée. Mains sur les genoux, haletant, il récupéra. Non, il n'y avait pas de chien. Juste une impression. Il se surprit à sourire, et éclata même de rire. Parce que le son de sa voix le rassurait. Et que, malgré sa présence dehors, aucun molosse ne rappliquait.

Il ne trouva plus aucune voiture à l'endroit qui lui semblait être le parking et, pourtant, il y en avait à leur arrivée. Les avait-on déplacées ou cachées ? Où étaient garés ceux qui le torturaient ?

Toujours sur ses gardes, il essuya la neige collée sur son visage et parvint enfin au bout de l'aile gauche. Sur la droite, il crut reconnaître l'entrée de l'enceinte, noire et infiniment haute. Il fit donc un léger détour, dessinant des huit devant lui et sur les côtés avec sa torche.

La pancarte « Swanessong » gisait au sol, plantée dans la neige, sa mince chaîne brisée. Le portail de l'entrée, qui mesurait bien quatre mètres de haut, était fermé par plusieurs gros cadenas à clé. Ilan essaya de les forcer, en vain.

On les avait enfermés. Et les murs de l'enceinte, de part et d'autre, étaient infranchissables. Mais il se dit qu'un bon break lancé à pleine vitesse réussirait à défoncer ce fichu portail.

Il considéra sa torche qui se consumait rapidement, des lanières commençant à se décoller. Le vent siffla dans ses oreilles, jouant une étrange complainte avec le métal de la grille. Ilan retourna sur ses pas et contourna l'aile gauche, faisant confiance à son sens de l'orientation, de façon à se trouver le long de la partie arrière de l'hôpital. Il se rappelait la position de la fenêtre d'où Mocky avait vu les phares du break. En théorie, encore cent ou deux cents mètres, et il serait proche de sa cible.

Ilan ne vit plus la lumière des phares, la batterie du véhicule devait être morte. Il se fia à son sens de l'orientation, courbé dans la tempête, définitivement convaincu que les chiens n'existaient pas et qu'il s'agissait encore d'un mensonge d'Hadès. Son pied droit percuta alors quelque chose de dur qui le fit chuter lourdement.

Par réflexe, il n'avait pas lâché son unique source de lumière. Il redressa la tête et se retrouva nez à nez avec une stèle, dont seule l'extrémité arrondie et penchée dépassait de la neige. Du bout du gant, il en essuya la surface en béton. Pas d'identité, juste deux dates.

— Né en 1972, et mort… l'année dernière ?

L'année dernière… de nouveau, comment cela était-il possible, puisque l'hôpital avait fermé ses portes au moins cinq ans auparavant ? Hadès avait forcément menti.

Il se releva et promena sa source de lumière. Des stèles dépassaient du lit de poudreuse. Il marchait en plein milieu d'un cimetière. Il scruta d'autres inscriptions. Année de naissance : 1980. Et là : 1987. Des anonymes, tous avec une date de naissance différente, mais avec une année de mort commune. L'année précédente.

Alors que son regard fouillait les alentours, il aperçut une source lumineuse, à l'autre extrémité du mur de l'hôpital. On aurait dit une pièce éclairée, quelque part au bout de l'aile droite. Loin, très loin de leur lieu de vie.

Peut-être avait-il trouvé le repaire d'Hadès ? Là où ce rat se nichait pour les observer grâce à ses caméras et jouer avec eux ? Et lorsqu'il leva le regard un peu plus haut, il discerna une autre lumière, sur les hauteurs de l'hôpital, au niveau de ce qui devait être le dernier étage. Un carré de vie, presque à la verticale du premier, qui perçait la tempête. Une chambre allumée dans la zone D, celle du troisième étage, celle des malades les plus dangereux. Qui se cachait là-haut ?

En apnée, il chevaucha les stèles, manquant se tordre les chevilles sur le sol dur et bombé. Les monuments funéraires se succédaient, et Ilan s'attendait à ce qu'une main venue d'outre-tombe surgisse pour l'agripper.

Il finit par s'extirper de cet enfer.

Il opta d'abord pour une visite de la voiture, elle était proche et Ilan savait que la durée de vie de sa torche ne lui permettrait pas un si long aller et retour vers le bout de l'aile droite, vers la pièce illuminée du bas. Il faudrait revenir plus tard dans la nuit, après avoir trouvé une nouvelle source d'éclairage.

Il s'avança sur la route et découvrit finalement le véhicule. Face à lui, le break avait été recouvert par la neige. Ilan se précipita vers l'avant de la voiture et tenta d'ouvrir, sans succès. Il essuya la vitre avec sa main gantée, côté conducteur, mais ne parvint pas à voir à l'intérieur car la surface était givrée. Il contourna le véhicule par l'arrière, le coffre était verrouillé. Ses pieds marchèrent alors sur quelque chose de craquant. Il baissa sa torche. Au sol gisaient leurs deux portables, à Chloé et lui. Complètement détruits.

À ce moment, une silhouette traversa son champ de vision. Ilan sentit sa respiration se bloquer. Quelque chose de vivant était là, autour. À reculons, il s'approcha de la porte côté passager. Il tint sa torche comme un petit bélier et donna un gros coup sur la vitre. Deux ou trois morceaux de tissus se décrochèrent du manche et terminèrent de se consumer dans la neige. La flamme faiblissait, prête à s'éteindre.

— Pitié, non...

Heureusement, elle reprit vigueur et s'attaqua aux dernières bandes grasses. Ilan savait qu'il ne lui restait plus que cinq ou dix minutes maximum avant que sa lumière s'éteigne. Il termina de défoncer la vitre à coups de pied et déverrouilla la portière, qu'il claqua immédiatement derrière lui. Il respirait fort, bruyamment, l'œil rivé à l'extérieur.

Aucune présence. Peut-être, de nouveau, seulement son imagination.

Des feuilles posées en désordre sur le siège s'étaient envolées dans les bourrasques. Les flammes de la torche léchaient dangereusement le plafond tapissé de moquette. La boîte à gants était ouverte, l'arme d'Ilan avait disparu. Il se pencha et découvrit les menottes déverrouillées du prisonnier, entre les deux sièges. Mais pas de corps, pas de sang.

Pour couronner le tout, la clé de voiture était cassée dans le Neiman, juste à ras. Il râla à voix haute, il fit plusieurs tentatives infructueuses pour ôter le morceau métallique de son logement, ce qui se révéla impossible à moins de posséder une petite pince.

Ilan comprit qu'il n'arriverait jamais à démarrer et à sortir de l'enceinte. Le tueur avait tout fait pour les retenir dans ce cauchemar.

Il promena son regard sur les feuilles dispersées un peu partout. Elles avaient été sorties de leurs enveloppes, lues, puis avaient été déchirées ou roulées en boule. Très vite, il se rendit compte qu'il s'agissait d'informations les concernant, eux, les candidats. Photos, adresses, qualités, défauts, manière dont ils étaient entrés dans le jeu. Alors que des tourbillons de papier et de neige s'entremêlaient, Ilan vit le nom de Mocky, de Leprince, avant que ceux-ci soient emportés par un appel d'air. Il se pencha pour fouiller davantage, et là, au sol, proche des pédales, côté conducteur, il découvrit un dessin qu'il connaissait par cœur : la carte codée de son père.

Il ôta son gant avec ses dents et la prit d'une main tremblante. C'était bien elle, l'originale en couleurs, celle qu'on lui avait dérobée.

Tout s'accéléra alors dans sa tête. Hadès était donc le voleur. Ce fichu menteur avait cherché à percer le mystère de la carte et il était sans doute avec ceux qui le torturaient. *Paranoïa* n'était qu'une vaste mascarade pour accéder aux secrets de son père.

Secrets enfouis quelque part en lui, Ilan le savait à présent.

Mais il y avait quelque chose que le jeune homme ne comprenait pas : tout indiquait que le tueur au tournevis avait réussi à s'échapper de ce véhicule, qu'il s'était réfugié dans l'hôpital, qu'il avait tué Mocky et peut-être bien Leprince. Mais où étaient les deux flics qui l'accompagnaient ? Morts et recouverts par la neige quelque part dans ces montagnes ? Pourquoi Hadès ne donnait-il pas l'alerte ? Et s'il avait été liquidé, lui aussi ? Mais dans ce cas, qui étaient ceux qui l'avaient drogué dans le cabinet de dentiste et qui cherchaient à aspirer ses souvenirs ?

Sur ces interrogations, Ilan plia la carte méticuleusement et la fourra dans une poche de son blouson.

Ce fut alors que l'odeur de brûlé arriva. Piquante comme du poivre. Une lanière s'était décrochée et faisait flamber les papiers sur son siège. Ilan tenta d'éteindre, en vain. Le feu rageur, gorgé d'oxygène, excité par le vent, dévorait déjà les enveloppes et les autres feuilles. Ilan se jeta côté conducteur et déverrouilla la portière quand un chien énorme, marron et noir, vint écraser ses crocs contre la vitre en aboyant. Ilan fit un bond en arrière en hurlant. Complètement paniqué, il passa au-dessus des sièges, se cognant, criant comme un fou. Il se retrouva acculé au fond, là où il s'était installé avec Chloé trois jours plus tôt. Ses ongles étaient enfoncés dans le cuir du siège.

Avec le vent, la fumée noire refoulait vers l'intérieur, des papillons enflammés dansaient et tourbillonnaient. Cette fois, Ilan restait figé, incapable de réagir. Aucun muscle ne lui obéissait. Ses yeux roulaient d'une fenêtre à l'autre.

Le chien était là, quelque part, et il allait encore surgir.

Les flammes l'agressaient, des panaches de fumée lui envahissaient les poumons jusqu'à le shooter. Il s'étouffa dans ses sécrétions, les mains autour de sa gorge, les yeux révulsés. Et chaque fois qu'il voulait reprendre son souffle, c'était une gorgée de dioxyde de carbone qu'il avalait.

S'il restait ici, il allait mourir asphyxié puis carbonisé. La tête lui tournait.

Dans un dernier effort, il se hissa jusqu'à la portière arrière gauche et l'ouvrit avec précaution. Son corps tout entier roula et s'effondra dans la neige. À ce moment, il sut qu'il allait mourir, dévoré par le chien.

Il ignora combien de temps passa avant qu'une force le décolle du sol et lui mette une baffe monumentale.

— Tu m'entends, Dedisset ? Qu'est-ce que t'as foutu, bordel ?

— Il est mal en point. Ramenons-le à l'intérieur avant qu'il gèle complètement.

Dans son flou comateux, Ilan reconnut ces deux voix.

C'étaient celles de Chloé et de Jablowski.

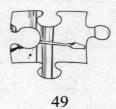

49

Ilan s'était senti bercé, comme s'il somnolait sur le pont d'un navire. Le froid lui engourdissait les extrémités et le visage. Lorsqu'il ouvrit les yeux, son corps tout entier basculait par la fenêtre brisée d'où il était sorti une demi-heure plus tôt. Philoza le tirait à l'intérieur de la pièce éclairée par du bois et du tissu qui brûlaient au sol. Derrière, Chloé et Jablowski haletaient, les sourcils blancs, les joues cramoisies.

— T'es lourd comme un poêle en fonte, Dedisset, fit le grand brun en reprenant son souffle.

Une fois à l'intérieur, il tendit la torche à Fée afin de pouvoir mieux récupérer. Philoza ôta le blouson d'Ilan, ses gants, sa capuche, et l'aida à s'asseoir contre un mur. Le rescapé reprenait progressivement ses esprits. Il souffla dans ses mains, tout tremblant, et les rapprocha du feu improvisé. Son nez gouttait.

— Que s'est-il passé ? demanda Fée à Jablowski.

— On ne sait pas trop. Il a mis le feu à la seule bagnole qui restait. On l'a retrouvé allongé dans la neige et on a ramé comme des fous pour revenir ici.

Il frotta ses cheveux et ses vêtements, de manière à en décrocher les flocons.

— Et maintenant, tu nous expliques ce beau bordel, Dedisset ?

— C'est... ce chien, dit Ilan d'une voix encore faible. Il m'a tétanisé. J'ai eu peur de sortir de la voiture et j'ai mis le feu à l'intérieur par accident, avec ma torche. J'ai dû m'asphyxier et finir par sortir, je ne me souviens plus bien.

Chloé s'approcha et s'accroupit devant lui, l'air grave.

— Il n'y avait pas de chien, Ilan. On n'a rien vu, rien entendu. Aucune trace de pattes dans la neige.

Le jeune homme secoua la tête.

— Si, je l'ai vu. Il a surgi contre la vitre côté conducteur, m'empêchant de quitter la voiture. Je l'ai vu comme je te vois, toi. Pourquoi tu me mens ? Pourquoi vous mentez ?

Derrière, Gygax allait et venait nerveusement, il se mordillait le bout des doigts, les yeux rivés au sol, mais lançant de temps en temps un regard inquiet.

— On ne te ment pas, appuya Jablowski. Ce n'est pas nous qui avons mis le feu à la seule voiture qui aurait pu nous permettre de sortir d'ici.

— T'es qu'un...

— Il n'y avait pas de chien, OK ? Sinon, tu ne crois pas qu'il nous aurait mis en pièces après t'avoir bouffé toi ? C'est toi qui délires.

Ilan était perdu, Jablowski avait raison. Peut-être qu'il débloquait complètement, qu'il commençait à avoir des hallucinations à cause de ces fichus produits qui devaient encore traîner dans son organisme. Il se rappela les dates de mort, sur les stèles. Un délire, là aussi ? Il évita d'en parler, comme il évita de parler des deux pièces allumées – une au rez-de-chaussée, l'autre au troisième – qu'il avait aperçues à l'extrémité de l'aile droite.

— Très bien, admettons, concéda-t-il. Mais chien ou pas, on est enfermés dans cette enceinte. Des cadenas bloquent le portail.

— Normal, personne ne doit entrer ici pendant la partie, je présume, intervint Philoza. Je ne vois pas là de quoi s'inquiéter.

Ilan fixa Chloé.

— Ce n'est pas tout, fit-il. Nos téléphones portables étaient détruits, la clé de contact était volontairement cassée dans le Neiman. Les menottes du prisonnier étaient ouvertes, posées au sol dans la voiture.

— Bien en évidence, je suppose ? fit Fée.

Ilan ne l'écoutait pas.

— Il a dû tuer les policiers et maintenant il rôde ici, entre ces murs. Peut-être même qu'il a tué Hadès et ceux qui bossent avec lui.

Ilan se heurta à une rangée de regards hostiles.

— Y en a marre de ses délires, ajouta Fée. Je retourne dans ma chambre, je suis claquée.

— Ce n'est pas un délire ! C'est la vérité !

— Évidemment... Et à supposer que ce soit vrai, qui te dit que ce ne sont pas des mises en scène du jeu ? S'il n'y a plus aucune voiture dehors, tu ne crois pas que c'est fait exprès ? Nous, on pense qu'on est piégés et abandonnés dans cet hôpital, mais cet isolement est juste un des éléments stressants du jeu. Ce jeu, il s'appelle *Paranoïa*, Dedisset. *Paranoïa*, tu te rappelles son slogan ?

Ilan fouilla dans la poche de son blouson et brandit une feuille.

— Et ça, c'est du délire ? Elle était dans la voiture, parmi les dossiers personnels que s'est constitués Hadès sur chacun d'entre nous.

La feuille circula entre les mains des différents candidats.

— Qu'est-ce que c'est ? demanda Philoza, tandis que Gygax s'emparait du dessin et le considérait avec attention.

— Une carte dessinée par son père, censée révéler un endroit où se trouvent des recherches sur la mémoire d'une importance capitale, dit Chloé en s'approchant de Gygax. Des recherches à ne pas laisser entre toutes les mains. Ses parents étaient des scientifiques réputés.

— Étaient ?

— Ils sont morts durant une tempête en mer il y a deux ans. Ilan pense qu'ils ont été assassinés, et que leur disparition aurait un rapport avec leurs recherches.

— Désolé, mec, fit Jablowski, c'est triste. Et tu n'as jamais pu résoudre l'énigme ?

Chloé arracha la carte des mains de Gygax, qui promenait ses doigts sur les chiffres du bas.

— Non, on n'a jamais réussi, fit-elle en vérifiant l'authenticité du dessin.

Ilan s'était redressé. Le feu, au sol, terminait de se consumer, tandis que les flammes de la torche commençaient à se faire timides.

— Quelques jours avant d'arriver ici, cette carte, qui était soigneusement cachée dans la maison d'Ilan, a mystérieusement disparu, expliqua Chloé. Ilan a alors prétendu qu'on la lui avait volée.

Ilan récupéra la feuille, les sourcils froncés.

— *Prétendu* ? répéta-t-il en la fixant durement.

Cette fois, Chloé ne se déroba pas. Elle affronta son regard sans ciller.

— *Prétendu*, oui. Cette carte, je crois qu'elle a toujours été dans la poche de ton blouson. Que c'est toi-même qui l'as fourrée là sans t'en rendre compte. Pourquoi aucune de tes serrures n'avait été forcée ? Parce que jamais personne n'est entré. Tu as réussi à te persuader que quelqu'un était venu chez toi pour dérober la carte, tu t'es inventé une histoire. Et aujourd'hui, tu continues à t'enfoncer dans ton scénario.

— C'est toi qui me dis ça ? Toi qui as été en hôpital psychiatrique pour dépression ? Toi qui as peut-être collé des croix mortuaires sur la porte de ton appartement ?

Elle le fusilla du regard.

Fée semblait jouir de la situation, un sale petit sourire naissait au coin de ses lèvres. Elle agita la torche.

— Maintenant que les choses sont claires au sujet de Dedisset et qu'on a perdu tout ce temps pour rien, on peut rentrer ? Je veux être en forme pour demain.

Elle se mit en route, suivie par les autres, qui dardèrent sur Ilan un regard peiné. Très vite, l'obscurité descendit sur le jeune homme. Il ne voulait pas rester là, seul dans le noir et le froid. Alors il les suivit, tout en gardant ses distances. Ils étaient tous ligués contre lui. Tous des menteurs. Et s'ils étaient dans le coup, eux aussi ? Et s'ils étaient juste des acteurs, des silhouettes en carton-pâte employées pour extraire la vérité de son crâne ?

Ilan ne savait plus distinguer le vrai du faux, la vérité du mensonge. Et il n'avait plus confiance en personne, pas même en Chloé. Il eut mal au plus profond de son cœur.

À chacun de ses pas, les ténèbres se refermaient derrière lui, comme si l'hôpital cherchait à l'avaler. Il marcha plus vite, la gorge nouée par une peur qui ne le quittait plus.

Il savait qu'une nouvelle nuit en enfer l'attendait.

50

La douche et l'eau brûlante, comme une purge censée chasser toute la crasse dans son esprit.

Ça faisait plus d'une heure qu'Ilan s'était enfermé dans sa cabine, qu'il laissait le liquide lui fouetter la peau, que la vapeur dansait autour de lui et rendait sa respiration difficile. Son gros bâton était là, appuyé contre le mur, fidèle compagnon dont il ne se séparerait plus.

On était venu chercher Mocky et Leprince, on les avait cueillis dans leurs chambres, sans doute dans leur sommeil, au nez et à la barbe de tous.

Mais lui, le Croquemitaine ne l'aurait pas.

Il aperçut soudain deux pieds nus, dont les orteils dépassaient sous la paroi de droite. Il ferma brusquement les robinets et s'empara de son bâton. L'eau coulait bruyamment dans la douche voisine.

— Qui est là ?

— Le chien existe, Dedisset.

La voix murmurait, à peine audible à cause du fracas de l'eau sur le carrelage. Les lèvres devaient être plaquées contre la paroi.

— Il existe. Je l'ai vu dans l'après-midi, par une fenêtre de l'étage.

Ilan connaissait cette voix.

— Gygax ?

— Chut, taisez-vous ! Ils vont nous entendre. Continuez à faire couler de l'eau, comme si de rien n'était.

C'était bien lui. Ilan obtempéra, de l'eau tiède dévalait à présent sur ses épaules. Il se rapprocha de l'endroit où se trouvaient les deux pieds, qui se dandinaient doucement.

— Le chien était marron et noir, les poils ras, avec une grande gueule carrée, poursuivit le propriétaire des pieds.

Ilan ne se rappelait pas avoir donné de description du chien qui avait surgi à la fenêtre du break. Gygax l'avait vraiment vu, l'apparition de l'animal n'était pas qu'un tour de son esprit.

— C'est ça, répliqua-t-il, à demi rassuré. Poils ras, marron et noir. Mais Jablowski a raison : pourquoi il ne m'a pas attaqué lorsque je suis sorti ? Et pourquoi il ne les a pas attaqués eux ?

— Un chien parfaitement dressé peut agir de la sorte. Traquer sans attaquer. Vous effrayer puis brusquement disparaître, appelé par un sifflet à ultrasons par exemple.

Ilan réfléchit quelques secondes.

— Ce qui signifie que quelqu'un lui donnait des ordres ?

— Ça reste dans le domaine du possible. J'ignore ce qu'ils nous veulent, pourquoi ils nous font ça. Mais vous comme moi, on n'est pas fous, Dedisset, ils essaient juste de nous le faire croire. De dissiper les limites entre la fiction et la réalité pour nous transformer en espèces de zombie incapables de discerner les frontières du réel. Ils prennent le prétexte du jeu pour nous embrouiller. Qu'est-ce qui vous dit qu'ils ne

droguent pas votre nourriture ? Ils sont tous de connivence.

Ilan était surpris de la clarté des propos de Gygax,
lui qui ne parlait jamais. Il avait probablement face à
lui le Gygax intelligent.

— Tous de connivence ? De la drogue dans la nourriture ? Non, non, ça me paraît insensé. Comment tu
peux le savoir ?

— J'observe, je déduis. Je mange toujours des produits que je sélectionne par moi-même, mais vous ?
Les pâtes étaient bonnes ? Philoza est très sympathique
de faire chaque jour les repas pour tout le monde, vous
ne trouvez pas ? N'avez-vous pas la tête qui tourne un
peu après chaque repas ?

Plus Ilan réfléchissait, plus il lui semblait que Gygax
avait peut-être raison. Il se rappelait ces visages qui se
déformaient, après son repas. Et son mal de crâne.

— Qu'est-ce que vous croyez ? poursuivit Gygax.
Que le type aux lunettes carrées est un arriéré mental ?
Qu'il est arrivé ici et premier par hasard ?

— Et qu'est-ce qui me dit que ce n'est pas toi qui
essaies de me manipuler ? répliqua Ilan. Pourquoi tu ne
mentirais pas, toi aussi ?

— Pourquoi je mentirais ? Dans tous les cas, gardez
surtout vos découvertes pour vous et faites-nous sortir
tous les deux d'ici dès que possible.

— Des découvertes ? Quelles découvertes ?

— Celles qui se cachent dans la lumière.

— La lumière ? Qu'est-ce que tu veux dire par là ?

Ilan perçut un bruit régulier contre la cloison. Boum,
boum, boum. Gygax devait se cogner le front doucement.

— Ça ne va pas ? demanda Ilan.

Les coups s'arrêtèrent soudain. Puis la voix de Gygax revint :

— Cette conversation n'a jamais eu lieu, d'accord ?

— Réponds : c'est quoi, cette histoire de lumière ?

— N'ayez confiance en personne. Surtout pas en *elle*.

— Qui, elle ? Chloé ?

— Elle cache bien son jeu…

Ilan réfléchit aussi vite qu'il put. Gygax était là, juste à côté. C'était le moment d'essayer de creuser davantage. Alors il se lança :

— Je sais que tu as brûlé toutes les photos de la salle de thérapie par l'art. Je sais que, d'une façon ou d'une autre, tu as un rapport avec cet hôpital. Est-ce que tu as déjà été patient ici ? Est-ce que l'identité de Lucas Chardon ou de C. J. Lorrain te dit quelque chose ? Cette dernière souffrait de dédoublement de personnalité…

Ilan attendit des réponses à ses questions, mais elles ne vinrent pas. Il baissa les yeux pour s'apercevoir que les pieds avaient disparu. Il ouvrit sa porte et vit Gygax courir, complètement nu. Il bifurqua dans le couloir et, quelques secondes plus tard, Ilan entendit sa porte claquer.

L'eau coulait encore dans la douche voisine. Ilan ferma les robinets et regagna son propre compartiment afin de se rhabiller, complètement retourné par les paroles de Gygax.

Une conspiration, menée contre lui… De la nourriture droguée… L'individu aux lunettes carrées allait trop loin, il alternait des phases de lucidité et de délire.

Une fois vêtu d'une tenue propre de patient – ses habits civils étaient encore humides –, il regagna le couloir. Il était presque 22 h 30, les portes des chambres étaient toutes fermées. Ça gémissait dans celle de Fée, elle et Jablowski avaient l'air de bosser dur. Ilan s'approcha de la pièce de Gygax et frappa doucement, bien décidé à éclaircir certains points de leur conversation. Il entendit encore une fois les coups réguliers d'un crâne butant contre quelque chose de dur. Alors il tourna la poignée, mais la porte était verrouillée.

— Ouvre, bon sang, murmura-t-il. Qu'est-ce qui ne tourne pas rond chez toi ?

— Va te faire foutre !

Puis plus rien. Ilan comprit que Gygax délirait, qu'un autre lui, celui qui insultait et tutoyait, faisait peut-être surface et l'enfonçait de nouveau dans son mutisme. Quoi qu'il fasse ou dise, Ilan savait que leur dialogue sous la douche n'aurait *jamais* existé.

Il sortit sa clé, ouvrit sa propre chambre, alluma, et referma à double tour derrière lui.

Un morceau de plan déchiré avait été glissé sous sa porte. Ilan le ramassa, intrigué, et le retourna finalement, côté verso. Au milieu du papier, il y avait le dessin grossier d'un arc-en-ciel, réalisé à la va-vite au crayon à papier. Et juste dessous, étaient recopiés exactement les nombres indiqués sur la carte de son père : 470, 485, 490, 580, 600. Ils étaient disposés dans le même ordre.

Ilan posa le papier à côté de l'original déplié sur son lit. Avec ce qui venait de se passer dans les douches, il ne voyait qu'une seule personne capable d'avoir réalisé cette esquisse : l'énigmatique Gygax. Ce drôle de bonhomme n'avait eu le papier original en main qu'une dizaine de secondes, mais il avait peut-être résolu une partie du puzzle.

Quel pouvait être le rapport entre l'arc-en-ciel et les numéros ? Alors qu'Ilan réfléchissait, qu'il cherchait le lien, une phrase que Gygax avait prononcée dans la douche lui revint soudain en tête : *les découvertes se cachent dans la lumière.*

La lumière.

— Ce ne serait quand même pas... murmura-t-il à voix basse.

L'excitation le gagna très vite. Il s'empara de son stylo et écrivit, comme s'il avait peur d'oublier : *des longueurs d'onde !!!*

Son père avait été un chercheur et, logiquement, il avait parsemé son énigme de ce qu'il aimait par-dessus tout : la science. Comment Ilan n'y avait-il pas pensé avant ? Ses cours de physique lui revinrent en mémoire avec une grande précision. La lumière visible était composée d'un ensemble de longueurs d'onde que l'œil était capable de distinguer, et qui s'étalaient de 380 à 780 milliardièmes de mètres. Lorsque cette lumière passait dans un prisme formé par des gouttes d'eau par exemple, alors elle ressortait sous forme de bandes colorées, chaque bande correspondant à une longueur d'onde bien précise : le fameux arc-en-ciel. Ainsi, d'un point de vue purement physique, le jaune correspondait à une longueur d'onde située entre 578 et 592 milliardièmes de mètre, ou nanomètre.

Ilan observait les numéros au bas de la carte. Un nombre collait parfaitement à la couleur jaune : 580 nanomètres.

Les étranges nombres cachaient en réalité des couleurs.

Ilan avait peut-être la mémoire en morceaux, mais il se rappelait parfaitement ses cours sur la lumière et les longueurs d'onde associées aux couleurs de l'arc-en-ciel. Avec attention, il nota les couleurs de cet arc-en-ciel un peu particulier dessiné par son père : bleu, deux nuances de bleu qui restaient à définir (dont l'une d'elles était peut-être du cyan), jaune, orange. Ilan savait que le bleu correspondait à la longueur d'onde de 470 nanomètres, le orange à 600 et le jaune à 580.

Il écrivit sur le morceau de plan de Gygax :

470 → Bleu
485 → Nuance de bleu (ciel, roi, azur ?)
490 → Nuance de bleu (cyan ?)
580 → Jaune
600 → Orange

Ilan fit un bilan : son père avait donc noté des nombres pour dissimuler des noms de couleurs en rapport avec l'arc-en-ciel particulier qu'il avait dessiné. Il se souvint du Ilan intérieur qui avait changé l'ordre des numéros. De ce fait, il refit son petit tableau en tenant compte de ses souvenirs :

580 → Jaune
485 → Nuance de bleu (ciel, roi, azur ?)
490 → Nuance de bleu (cyan ?)
600 → Orange
470 → Bleu

Puis, réfléchissant encore, utilisant l'indice délivré par la majuscule de « Chaos », il prit la première lettre associée à chaque couleur et les mit bout à bout :
J _ C O B

Dès lors, la dernière couleur manquante lui sauta aux yeux. C'était l'azur.

Ilan eut un long soupir de satisfaction : le code caché derrière cette suite de nombre était JACOB.

Il ne se trouva pas, finalement, beaucoup plus avancé. Il ne connaissait pas de Jacob, de près comme de loin. Une connaissance de ses parents à contacter ? Un lieu particulier ? Les significations pouvaient être tellement nombreuses. Et, au final, il n'avait toujours pas élucidé la présence de ces H mystérieux, devant chaque nombre désormais transformé en lettre.

H J
H A
H C
H O
H B

Jacob, Jacob… Ilan observa attentivement le dessin de son père, avec son lac, ses montagnes, son point de vue particulier situé en hauteur. La petite île, sur la gauche de l'étendue liquide. Tout devait avoir un sens, une explication, une logique. Mais il avait beau chercher, le mystère demeurait entier. Peut-être son regard était-il trop émoussé et ne voyait plus ce qu'il fallait voir ?

Mais au moins, à présent, il avait la première clé d'entrée : le fameux Jacob.

Il eut une idée. Il arracha un petit morceau de papier, nota ses découvertes dessus et partit le glisser sous la porte de Gygax. Puis il revint dans sa chambre et s'y enferma. Au-delà de cette résolution aussi subite qu'inattendue, deux autres points le perturbaient. Le premier : si Gygax était aussi brillant, pourquoi Hadès ne l'utilisait-il pas pour résoudre l'énigme ? Peut-être avait-il déjà essayé, sans succès ? Le deuxième : le Ilan intérieur possédait donc réellement la solution. Il n'avait plus aucun doute sur le fait que cet *autre lui*, c'était forcément lui-même dans le passé. Ce qui signifiait qu'il avait bel et bien habité une petite maison modeste avec ses parents, face à une usine Krystom. Peut-être même son père y avait-il déjà travaillé, au pôle recherche, ou quelque chose du genre.

Ilan ferma les yeux et essaya de se rappeler, mais sa mémoire demeurait hermétique. Tout était sérieusement cramé sous son crâne.

Ils ont bousillé tes souvenirs.

Toujours les mêmes questions : qui, et pourquoi ? Qu'avait à voir Hadès là-dedans ? Ilan n'arrivait pas à tenir en place, il était tard et jamais il ne fermerait l'œil. Il pensait à sa conversation avec Gygax : le chien existait. Et s'il existait, alors c'était que les petites lumières, au fin fond de l'aile droite, existaient elles aussi. Là-bas se cachaient peut-être toutes les réponses. Il n'y avait certainement aucun moyen d'y accéder par l'intérieur de l'hôpital, tout devait être verrouillé par des grilles.

Mais pénétrer dans la pièce du bas depuis l'extérieur...

Ilan se constitua une arme bien plus efficace que son bâton. Il récupéra une barre de fer, enroula une extrémité avec des bandes de drap déchiré, à l'intérieur desquelles il avait glissé des tessons de verre. Le genre de truc avec lequel on frappait une fois, jamais deux. Si le chien se présentait...

Vingt minutes plus tard, Ilan franchissait la fenêtre à la vitre brisée, sans avoir averti personne, une nouvelle torche dans une main et son arme artisanale dans l'autre.

Il était désormais persuadé d'une chose : c'était beaucoup moins dangereux dehors que dedans.

51

Cette fois, il était parti dans la direction opposée, le col de son blouson remonté sur son nez, prêt à défoncer le crâne à tout ce qui s'approcherait.

Après avoir contourné l'aile droite, il bifurqua à l'angle, longea la largeur de l'hôpital et se retrouva vite le long de son immense façade arrière. Durant sa progression quasi silencieuse, il n'y avait eu aucune manifestation du chien. Sa torche n'éclairait que ses pas mais Ilan devinait les immenses montagnes autour, observatrices silencieuses de sa détresse. Elles savaient garder les secrets, les montagnes, et même les enterrer profondément. Elles retenaient les hurlements de ceux qui s'aventuraient sur leurs flancs. Ilan eut l'impression que ces murailles de roche ne le libéreraient jamais.

Il allait mourir ici, dans leur ventre de granit.

Il essaya de se remotiver et poursuivit sa progression jusqu'à apercevoir les deux fenêtres éclairées, celle du haut étant décalée de quelques mètres vers la droite par rapport à celle du bas. Elles existaient bel et bien, il n'avait pas rêvé comme Chloé et Jablowski le prétendaient. Il se baissa, promena sa torche au ras du sol et s'approcha de la fenêtre du bas. L'autre, à une dizaine de mètres au-dessus du sol, était inaccessible.

Un rideau gris ou noir était tiré devant une grille et une vitre, ce qui l'empêchait de voir à l'intérieur de la pièce. Il réfléchit, alla poser sa torche le long du mur de manière à rendre sa lumière invisible et revint. Ainsi protégé par l'obscurité, il lança une boule de neige contre la vitre et attendit. Aucune réaction. Après trois essais, il se persuada qu'il n'y avait plus personne là-dedans.

De ce fait, il y alla franco. Il brisa la vitre et défonça la grille à grands coups de barre de fer. Les vis finirent par lâcher sous la pression. Il se hissa, se glissa par l'ouverture et chassa le rideau d'un coup sec.

Il s'agissait d'une grande pièce de contrôle, comme dans les centres de surveillance des magasins ou des gares. Des ordinateurs vrombissaient, de petites diodes clignotaient. Sur trois des quatre murs se succédaient des écrans éteints, par dizaines. À gauche de la fenêtre, il y avait un plateau avec de nombreux boutons et une manette. Ilan s'avança, serrant la barre de fer couronnée de sa chevelure de tessons de verre. Il tenta d'ouvrir la porte qui devait donner vers un couloir de l'hôpital, en vain. La poignée avait disparu et elle était fermée à clé.

La manière dont le vent s'engouffrait par la fenêtre brisée provoquait de drôles de sifflements le long des murs intérieurs. Ilan en fit abstraction et s'approcha des écrans numérotés et du tableau de bord. Le fonctionnement paraissait assez intuitif. Il appuya sur les boutons eux aussi numérotés, et les écrans associés s'allumèrent, diffusant des images fixes en couleurs. Ilan reconnut leur couloir au carrelage en damier, le seuil de la salle de douches, la cuisine. L'une des caméras plongeait par exemple sur la table où ils prenaient leurs repas, mais le grand-angle permettait également de distinguer les réfrigérateurs, le lavabo, presque l'intégralité de la pièce, en somme. Certains écrans restaient complètement noirs, obscurité oblige. Sous l'emplacement de la manette, un clavier permettait de saisir des chiffres. Ilan entra le nombre 14, correspondant à la caméra de la cuisine, et actionna la manette. Il vit alors que l'objectif s'orientait dans la direction qu'il choisissait. Il y avait aussi la possibilité de zoomer.

Ilan avait donc déniché le cœur du jeu, le centre névralgique d'où Hadès les surveillait. Sur ce point, l'organisateur n'avait pas menti. Ilan ressentit de la satisfaction, une forme de victoire sur ceux qui le manipulaient. Installé sur un siège, il continua à appuyer sur les boutons. Il y en avait soixante-quatre, autant que le nombre de cases sur un échiquier. Soixante-quatre points stratégiques permettant de décortiquer leurs actions, de suivre leur progression à l'intérieur de *Paranoïa*.

Les écrans noirs se succédèrent – certains devaient correspondre au cabinet de dentiste, à la salle d'électrochocs, peut-être même de lobotomie. Ilan imagina Hadès en train de le voir se faire électrocuter, tranquillement assis dans ce fauteuil, et sa rage grandit.

Lorsqu'il appuya sur le numéro 60, ses yeux s'écarquillèrent. L'image montrait quelqu'un – une femme sans aucun doute, vu la longue chevelure noire – assise sur un lit, la tête entre ses genoux regroupés contre elle. Elle semblait d'une maigreur extrême, était en tenue de patient et portait une camisole blanche de contention, interdisant tout mouvement des bras. Elle cachait ses yeux de la lumière forte diffusée à l'évidence par un éclairage au néon.

Ilan venait sans aucun doute de découvrir la pièce allumée au troisième étage, à peu près à la verticale de celle où il se trouvait.

Bouleversé, il entra le nombre 60 avec le clavier numérique et actionna délicatement la manette. À droite, il vit une porte blanche, incrustée dans un mur blanc lui aussi. D'ailleurs, tous les murs étaient blancs et semblaient rembourrés. Ilan orienta l'œil électronique vers la gauche et découvrit l'existence, encore une fois, d'une fenêtre protégée par une grille. Sauf qu'elle se situait en hauteur, hors d'atteinte pour la personne enfermée. Il zooma et aperçut les flocons de neige qui venaient heurter la vitre.

Ilan se pinça le haut du nez, essayant de réfléchir, tandis que le vent continuait à jouer son étrange partition, vibrant contre les murs, agitant les pans des rideaux. Qui pouvait être cette femme ? Curieusement, à ce moment-là, une seule identité lui traversa l'esprit : C. J. Lorrain, internée à l'âge de vingt ans, cette fille qui prétendait avoir été violée alors qu'elle était vierge. Celle qui, comme Gygax, développait des personnalités multiples. Elle aussi était extrêmement maigre, d'après le rapport lu par Mocky. Et elle aussi avait de longs cheveux noirs.

C'est stupide, c'était il y a plus de quinze ans. Ça n'a aucun sens.

Face à l'incompréhensible, Ilan n'eut d'autre choix que d'en revenir à la théorie du jeu : un rapport bidon sur C. J. Lorrain que Mocky lui aurait lu alors qu'ils étaient tous deux dans un bureau. De prochains objectifs, qui auraient mené à cette « actrice » enfermée. Peut-être avait-elle pour mission de lui remettre une autre clé, qui mènerait vers un autre objectif… Et ainsi de suite.

Et si les candidats avaient raison ? Si tout n'était que fiction ? Et si cette femme était juste un pion de *Paranoïa* ?

Ilan ne voulut pas y croire. Il se raccrocha aux actions de Gygax, à ces photos qu'il avait brûlées dans la salle de thérapie par l'art. Au chien qu'il avait décrit. Aux téléphones portables détruits dans la neige.

Lorsqu'il rouvrit les yeux, Ilan eut un mouvement de recul. La femme était debout, elle se tenait sous la caméra et la fixait sans bouger. Son visage était lardé de griffures, dont certaines semblaient avoir creusé des sillons allant du front au menton. C'était comme si la prisonnière avait cherché à creuser à l'intérieur d'elle-même avec ses doigts, ses ongles, jusqu'à détruire son visage tout en os. La camisole était là pour éviter qu'elle ne se mutile davantage, nul doute possible.

Si elle était réellement folle, d'où sortait-elle ? L'avait-on enlevée ? Mais pourquoi ?

Ou alors, juste du maquillage…

La patiente tourna la tête à droite, à gauche, les dents jaunes et bien visibles. Ses yeux étaient aussi noirs que des fonds de puits et encadrés de rides marquées. Impossible de définir précisément son âge. Quarante, cinquante ans ? Un squelette habillé, au visage qui paraissait avoir aspiré la mort. Elle cracha en direction de l'objectif, le manqua et retourna s'asseoir dans la même position fœtale. Elle paraissait faible, à bout de forces. Elle n'existait plus.

Ilan n'y comprenait plus rien. Cette femme, il avait l'impression de l'avoir déjà vue quelque part, mais il était incapable de se rappeler où. Faisait-elle partie de son passé ? La connaissait-il avant qu'on lui brûle la mémoire ? Qui était-elle ? Qu'est-ce qu'elle fichait dans cet hôpital désaffecté ?

Une actrice de Paranoïa... *Il n'y a aucune autre explication.*

Avec la manette, il zooma vers la créature. Les réglages des optiques devaient faire du bruit puisqu'elle fit émerger son œil du creux de son épaule, sans dévoiler le reste du visage. Une pupille brillante, injectée de haine. Ilan en frissonna derrière son pupitre. Elle ne pouvait qu'avoir la folie à fleur de peau pour lancer un regard aussi froid et meurtrier.

Ilan remarqua, dans un coin de l'image, de petites taches noires, sur le mur derrière la zombie. Cela ressemblait à des mots écrits. Il zooma au maximum mais la patiente se décala doucement et l'empêcha de voir.

— Bouge, murmura-t-il avec nervosité. Bouge, s'il te plaît. Qu'est-ce qu'on a écrit, là-derrière ?

Il décala la caméra sur la droite et distingua de nouveau ces nuages d'encre. Cette fois, il put lire distinctement ce mot, ce même mot répété des centaines de fois, partout, sur chaque mur de la cellule.

Ce mot, c'était *Jacob.*

Jacob, Jacob, Jacob... noté de manière obsessionnelle sur la mousse des murs, jusqu'à la noircir, d'une écriture précise, presque chirurgicale. Lettres bien formées, régulières. Ilan naviguait de choc en choc, d'horreur en horreur et, pourtant, il avait l'impression de progresser. De se rapprocher d'une vérité qui se révélait d'ores et déjà ignoble.

Quelqu'un, au fond de lui-même, connaissait cette femme. Et cette femme connaissait Jacob. Et Jacob connaissait le secret de son père. C'était fou, dingue, dénué de sens. Mais c'était la voie qu'il devait emprunter pour accéder aux ténèbres de sa mémoire, il le savait. Peut-être Hadès l'attendait-il au bout du chemin, peut-être avait-il prévu tout cela, mais au moins,

Ilan aurait la réponse à ses questions. Il saurait qui il était réellement.

Il se rappela l'échelle dans l'une des pièces de la morgue, là où il y avait la cuve de fioul. Demain, quand la lumière serait revenue, il l'utiliserait et monterait là-haut. Elle n'était probablement pas assez haute, mais il pourrait sans doute atteindre le deuxième étage sans difficulté. Il se débrouillerait ensuite, même s'il fallait défoncer des grilles et des vitres à coups de barre de fer pour gagner la chambre de cette femme.

Mais qu'est-ce qu'une échelle fichait dans des sous-sols, proche d'une cuve à fioul ? Il fallait peut-être trouver l'échelle pour ensuite l'utiliser, comme dans… un jeu.

À ce moment précis, il détourna la tête vers l'un des écrans du haut, un peu vers la gauche. Son œil avait été attiré par quelque chose, un mouvement peut-être, ou une lueur. Il scruta les nuages de pixels attentivement, mais ils restaient noirs. Il allait baisser les yeux lorsqu'il aperçut un cercle de lumière, au bas de l'écran 27.

Quelqu'un se déplaçait dans le noir avec une torche puissante.

Le cercle aveuglant disparut du 27, pour réapparaître quelques secondes plus tard sur le 26. L'individu semblait marcher rapidement. Les nerfs à vif, Ilan observait chaque recoin de l'image à la recherche d'un indice, mais il n'y voyait strictement rien, hormis le sol ou les murs que le faisceau de la lampe éclairait. Très vite, la panique l'étrangla : et s'il s'agissait de l'assassin qui s'apprêtait à commettre un nouveau crime ? Il allait entrer dans une chambre, peut-être celle de Chloé, et…

Écran 22, 21… l'individu progressait encore. Ilan aperçut furtivement une main tourner une clé dans une grille, il vit un énorme trousseau s'agiter au bout d'une serrure. L'individu qui se déplaçait comme un fantôme avait toutes les clés du jeu, il pouvait évoluer n'importe où dans cet hôpital, monter dans les étages, entrer dans les chambres… Un véritable maître des clés. Qui était-il ? Hadès ? Le tueur au tournevis ?

Écran 4. Une autre grille.

Et un bruit qui résonne, quelque part, de l'autre côté de la porte à gauche d'Ilan.

Le jeune homme sentit une grosse décharge d'adrénaline envahir son corps. L'individu n'allait pas en direction des chambres, il se rapprochait de la salle de contrôle.

Il venait ici même.

Écran numéro 2. Le faisceau. Une présence. Et juste là, derrière, un tintement de clés qui s'entrechoquent. L'introduction de l'une d'elles dans la serrure, à un mètre à peine. Ilan s'était redressé et plaqué le long de la porte, prêt à cogner avec son arme.

Allez, ouvre, ouvre cette porte.

Le jeune homme retenait son souffle, une sueur glacée lui coulait dans le dos. Le mouvement de clé s'était interrompu. Pourquoi l'autre n'ouvrait-il pas ? De quoi se méfiait-il ?

Il entendit la clé se retirer.

Merde !

Dépité, il jeta un œil à l'écran 2. La lampe s'orienta vers l'objectif, un gros soleil jaune brûla la surface de pixels. Puis, d'un coup, le noir complet. Extinction des feux. Ilan plaqua son oreille contre la porte. Il n'y avait plus un bruit. Il se rua vers les murs d'écrans. Dans les minutes qui suivirent, il vit sur une télé la lampe s'allu-

mer et s'éteindre aussitôt, comme si l'individu ne voulait pas se faire repérer.

Où allait-il ?

Ilan redoutait le pire, il étouffait ici, coincé comme
un rat. Lui avait les caméras, et l'autre gardait pourtant
l'avantage. Que fallait-il faire ? Fuir de la salle et aller
réveiller les candidats ? Il songea à Chloé, il l'imagina
émerger face au fantôme. Il ne lui laisserait pas le
temps de hurler. Il l'emporterait, comme il avait
emporté Mocky ou Leprince. Et Ilan ne voulait pas que
ça arrive. Il croyait encore en elle. En une histoire possible.

Brutalement, une odeur de fioul monta. Ilan lança un
regard effrayé sous la porte. Il vit le liquide ramper et
se transformer en une flaque translucide à l'assaut des
pieds de chaises, du mobilier, des caissons des ordinateurs.

Il recula, à mesure que la flaque progressait.

— Pourquoi vous faites une chose pareille ?

Un déclic. Sur l'écran 2, Ilan aperçut la flamme d'un
briquet. L'autre allait le flamber.

— Je sais qui vous êtes. Vous vous appelez Lucas
Chardon.

À l'écran, la flamme se figea, comme celle d'un
cierge. Ilan avait touché juste. Il attendit une réponse
qui ne vint pas, alors il poursuivit :

— Il y avait une bible à votre nom dans la
chambre 27 de l'aile des hommes et des dessins de
monstres mythologiques. Les mêmes que ceux sur les
murs de cet hôpital. Une feuille, sur le ventre de
Mocky, a été écrite par votre médecin, Sandy Cléor.
J'ai rêvé de vous, Lucas. Vous étiez enfermé dans cette
fameuse chambre 27, il y avait un infirmier qui s'appe-

lait Alexis Montaigne... Vous avez déjà été enfermé ici, il y a des années...

La langue de feu restait bien en place au milieu de l'écran. Elle diffusait peu de lumière, mais suffisamment pour qu'Ilan discerne le sac de toile et les deux trous au niveau des yeux. Cette image le glaça, il s'efforça de poursuivre, guettant la moindre réaction.

— Dans mon rêve, vous aviez caché un morceau de drap dans l'un des barreaux du lit. Et dans la réalité, j'ai bien retrouvé le barreau mais le morceau de drap avait disparu. Dessus était écrit « II AN 2-10-7. » Qu'avait-il de si important pour que vous le dissimuliez à cet endroit ? Parlez-moi, je vous en prie.

Ilan eut à peine le temps de finir sa phrase. La flamme traversa l'écran en direction du bas et embrasa le fioul. Un rideau bleuté se déploya sous la porte et explosa en un grand mur de flammes. Ilan se rua vers la fenêtre et sauta à l'extérieur.

Il resta là, sous la neige, à regarder la pièce flamber. Il avait refermé la boîte en métal qui protégeait les circuits électriques, les plombs ne sautaient pas et la lumière à l'étage tenait le coup. Il plaqua une main contre le mur et rebroussa chemin, à l'aveugle. Le vent avait dû faire rouler sa torche dans la neige, parce qu'il n'y avait plus aucune source lumineuse lorsqu'il atteignit le côté du bâtiment. La respiration douloureuse, il marcha difficilement, le visage gelé pourtant protégé au maximum par sa capuche, essayant de planter ses pas dans ses propres traces.

Enfin, il finit par retrouver la fenêtre par laquelle il était sorti. Il s'y engouffra, bascula dans la pièce où les candidats avaient fait un feu.

Le noir était absolu. Ilan n'avait aucun moyen de s'orienter. Il essaya d'avancer droit devant mais se heurta à un mur. Il le longea et il lui sembla bien franchir la porte. Il poursuivit sur la gauche, chaque fois sur le point de chuter.

Un courant d'air arriva, comme si un géant lui soufflait dessus. Les espaces, autour, paraissaient infinis. Ilan se dit qu'il se trouvait probablement dans le grand hall d'entrée. Mais dans quelle direction s'orienter maintenant ? Il était perdu, déboussolé. Il ne pourrait pas aller plus loin dans le noir. Dos courbé, marchant comme un vieillard, il se réfugia dans un coin et s'assit, son bâton dans les mains.

Il y eut un craquement. Ilan se raidit. Il vit l'œil rond de la torche apparaître, puis s'éteindre. À un endroit, à un autre. Il se redressa, acculé comme un rat, et frappa dans le vide. La lumière continuait à danser, le faisceau lui frappait le visage avant de s'effacer pour réapparaître ailleurs. Ilan cognait sans relâche, son bâton fendait l'air pour s'écraser au sol.

— Pourquoi ? grogna-t-il, à bout de forces. Pourquoi vous me harcelez comme ça ?

La lumière disparut et l'abandonna seul dans l'obscurité.

Ilan hurla qu'on l'aide.

Mais sa voix fut étouffée par ses propres sanglots.

52

Lorsque Lucas Chardon fut ramené dans sa chambre après quelques examens, sanglé sur son lit à roulettes, Sandy Cléor était toujours là, l'air fatiguée, mais avec une forme d'excitation qui brûlait au fond de ses yeux.

— J'ai horreur de tous ces examens, fit Lucas Chardon, une fois seul avec sa psychiatre. Tout le temps où je suis resté ici, ils n'ont pas arrêté de me manipuler. Vous gueuler aux oreilles, vous planter ceci ou cela, comme si vous étiez de simples objets. Ils ignorent à quel point c'est atroce.

Il regarda l'heure puis lorgna à travers la fenêtre. Il neigeait.

— Tiens, tiens, on dirait que ça tombe à gros flocons. Il va être difficile de rentrer à la maison, hein, docteur ? Vous aussi, vous risquez d'être piégée ici.

— Je ne suis pas pressée.

— Vous allez écrire sur mon cas, n'est-ce pas, docteur ? Mon cerveau vous intéresse ?

— Vous dire le contraire serait vous mentir.

Elle s'était levée à présent, elle écrivait debout sur son petit carnet alors que le Dictaphone continuait à enregistrer.

— Que notez-vous ? demanda Lucas.

— Des trucs de psychiatres, des mots-clés. Continuez votre histoire. Nous sommes bientôt au bout, je pense ?

— En effet, le dénouement est proche. Je crois que le meilleur est pour la fin. La toute dernière pièce du puzzle, rappelez-vous, docteur.

Il fit durer le silence, guetta la réaction de sa psychiatre, avant de continuer :

— Vous êtes brillante et pourtant, vous n'avez jamais réussi à me « guérir », fit-il sur le ton du reproche. Vous m'avez gavé de saloperies, vous m'avez électrocuté. Si je n'avais pas essayé de me pendre aux barreaux de mon lit, je serais encore en train de croupir dans une pièce capitonnée, le cerveau complètement grillé, comme la pauvre Cécile et quatre-vingt-quinze pour cent des patients de votre fichu hôpital.

— Certes vous semblez aller mieux, mais vous avez failli mourir. Vous avez eu une chance incroyable d'y réchapper, ne l'oubliez pas.

— Je ne l'oublie pas.

Il baissa les paupières quelques secondes.

— Bon... Peut-être est-il temps de retourner à Swanessong. Ça sonne anglais ça, Swanessong. « Swan's song »... Qu'est-ce que ça signifie, à votre avis, « Swan's song » ? J'ai l'impression d'avoir appris ça il y a bien longtemps, mais je ne me souviens plus. Vous le savez sûrement, docteur ?

Elle fixa le néant, à travers la fenêtre de la chambre, puis son propre reflet sur la vitre.

— « Le chant du cygne », fit-elle d'une voix blanche. Ça veut dire « Le chant du cygne »...

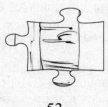

53

Jour 3

Lentement, la clarté arriva.

C'était comme si la lumière elle-même refusait désormais de pénétrer cet endroit, d'en réchauffer ses grands murs lépreux, de lutter contre la tempête pour apporter ses couleurs de vie.

Recroquevillé dans son coin, frigorifié, Ilan se sentait vidé de ses forces et de son énergie. Avec cette nouvelle nuit en enfer, son organisme était à plat.

Et ces questions, qui le taraudaient : pourquoi le tueur au tournevis ne l'avait-il pas éliminé ? Pourquoi avait-il préféré jouer avec lui, au lieu de le massacrer comme il l'avait fait avec Mocky et sans doute Leprince ?

Il fallait qu'il récupère et fiche le camp de ce cauchemar. Affronter le mur d'enceinte, puis les montagnes. Ça devenait une question de survie mentale. Encore deux jours dans cet hôpital et il deviendrait complètement fou, à condition qu'il ne meure pas avant. Il pensait aussi à cette femme squelettique enfermée au troisième étage, à la salle de confinement tapissée de ces centaines de Jacob. Hors de question de la laisser croupir entre ces murs et de partir sans les réponses.

Il allait la sortir de là et essayer de l'emmener avec lui.

Ilan se redressa avec difficulté. Sa montre indiquait 8 h 19. Ses membres étaient engourdis, courbaturés, comme si eux aussi tombaient en ruine. Audessus, le vitrail commençait à respirer, ses teintes s'éclaircissaient légèrement mais restaient fades, ténébreuses. Ilan fixa les figures religieuses avec appréhension. Pourquoi la présence du Christ entre ces murs ? Que venait faire la religion au milieu de tant de folie ?

Il s'avança vers le couloir en face et retrouva ses marques : les carrelages à damier, les murs décrépis. La lumière agressive des néons lui fit du bien lorsqu'il rejoignit leur espace de vie. Le premier visage qu'il croisa fut celui de Jablowski, qui se tenait à l'entrée de la cuisine une tartine dans la main. Le grand brun l'examina rapidement.

— On commençait à se poser sérieusement des questions à ton sujet. Tu sors d'où, toi ?

Ilan était engoncé dans son blouson tel un trappeur, il serrait sa barre de fer. Ses yeux étaient brûlants et sans doute injectés de sang. Fée, Chloé, Gygax et Philoza se tenaient à table, en train de petit-déjeuner. Tous le considérèrent avec un drôle d'air.

— Je vois qu'on s'entend bien en mon absence, fit Ilan d'une voix sèche.

Chloé se leva et s'approcha. La teinte de ses cheveux devenait de plus en plus claire, comme si elle avait fait des dizaines de shampoings, histoire d'effacer sa nouvelle apparence et de redevenir la Chloé d'origine.

Elle lui toucha le front.

— T'es tout tremblant et tout chaud. Tu as de la fièvre. Ça va aller pour jouer aujourd'hui ?

Ilan lui attrapa la main et la rejeta sur le côté.

— Te bile pas pour moi, ce n'est pas la peine.

Il alla se servir un verre d'eau, qu'il but à grandes gorgées. Le liquide lui parut anormalement tiède. La sueur perlait sur son front, il crevait de chaud à présent.

— Quelqu'un est enfermé au troisième étage, dit-il en ouvrant grand son blouson. Que vous me croyiez ou pas, j'en ai rien à cirer. Si l'un d'entre vous a les clés pour accéder là-haut, côté aile des femmes, j'aimerais qu'il m'ouvre les grilles. Ou, tout au moins, qu'il m'aide à monter le plus haut possible dans cet hôpital maudit.

Il but de nouveau un verre plein, il mourait de soif.

— Rien à foutre du jeu, rien à foutre des trois cent mille euros. Je veux juste qu'on m'aide à approcher cette pauvre femme. Un peu d'aide, ce n'est pas si compliqué !

Jablowski vint s'appuyer contre un mur, les bras croisés.

— Et qu'on t'aide par la même occasion à tranquillement remplir ton objectif ? embraya-t-il avec calme. Peut-être bien que quelqu'un est enfermé à l'étage, va savoir. Et peut-être que tu dois effectivement délivrer cette personne, qui te remettra une enveloppe, une nouvelle clé et un ou deux cygnes, par la même occasion. Bien vu Dedisset, mais ce sera sans moi.

— Je pense comme lui, fit sèchement Fée. On a aucune raison de te faire confiance. On ne va pas se tirer une balle dans le pied en t'ouvrant grand les portes. Le jeu approche de la fin, toi comme moi, on le sait. Essaie pas de nous embrouiller, OK ?

Les yeux d'Ilan plongèrent dans ceux de Gygax, qui secoua la tête, les lèvres pincées.

Ils étaient fous, tous fous et incapables de s'extraire de leur fichue partie. Ilan en vint à Chloé.

— Je n'ai pas de clés qui mènent à ce côté-là du bâtiment, confia-t-elle, depuis le début j'évolue dans l'aile des hommes et il n'y a aucun moyen de passer vers celle des femmes sans clé, j'ai vérifié. (Elle hocha le menton vers Philoza.) Mais lui, il les a, les clés. Et il est monté au moins au deuxième étage, voire davantage.

— Comment tu sais ça ? grogna l'intéressé.

Elle le sonda au fond des yeux.

— Je le sais, c'est tout.

Philoza haussa les épaules et prit sa tasse de café.

— Gygax aussi, il est allé par là. Et puis, je n'ai de comptes à rendre à personne. Chacun pour soi.

Il partit dans sa chambre. Ilan les considéra l'un après l'autre, le regard plein de haine. Ses lèvres dévoilèrent deux rangées de dents serrées. Il rabattit sa main sur sa barre de fer, provoquant un léger recul de Chloé.

— Il faut te calmer, Ilan. Tu n'es pas dans ton assiette, tu devrais t'allonger avant de faire une bêtise.

Ilan n'écouta pas. Toute son attention était désormais focalisée sur Gygax.

— Et toi ? Toi avec tes cases en moins, tu n'as rien à me dire sur la carte de mon père ? Pourquoi tu n'es pas fichu d'expliquer simplement ce qui se passe, hein ?

L'autre fit comme s'il n'avait rien entendu, il terminait ses céréales sans lever la tête. Ilan était sur le point d'exploser.

— Ah, vous voulez jouer. On va jouer.

Il sortit en les dévisageant chacun leur tour et, à ce moment-là, il en voulait autant à Chloé qu'aux autres. Elle ne l'épaulait pas, ne le soutenait pas, ne le croyait pas. Il n'était peut-être devenu, à ses yeux, qu'un malade mental. Dégoûté, il se rendit dans la salle d'eau, ouvrit l'armoire à pharmacie et avala des médicaments contre les maux de tête et la fièvre, qu'il accompagna de comprimés de vitamines. Peu importait l'ordre, la quantité, les posologies. Il devait se charger à bloc pour tenir.

Il se passa une main sur le front, il était très chaud.

Puisant dans ses réserves d'énergie, il disparut dans les couloirs, toujours sur ses gardes, les nerfs au bord de l'explosion. Dès qu'il fermait les yeux, il voyait ces flashes qui l'aveuglaient, ce tueur qui rôdait autour de lui sans jamais prononcer le moindre mot. Où ce parasite se cachait-il ?

Et la fièvre... la fièvre, cette grosse pulsation qui s'acharnait sous son crâne, qui accélérait son rythme cardiaque et faisait craquer ses poumons. Il pria pour que les médicaments fassent rapidement leur effet.

Après cinq minutes, il atteignit le cul-de-sac où se trouvait l'argent. Ces dizaines de liasses qui attendaient preneur et sorties de nulle part. Dans son brouillard intérieur, Ilan se dit que toute cette histoire, cette quête imbécile n'avaient aucun sens. Que s'il voulait définitivement stopper cette folie qui les possédait tous petit à petit, il n'y avait qu'un seul moyen : anéantir leur raison de jouer.

Alors il leva sa barre de fer et cogna sur la vitre de toutes ses forces. Le choc manqua lui renvoyer son arme en pleine figure. Le Plexiglas avait vibré. Un éclat aussi minuscule qu'un impact de mouche en tachait désormais la surface. Ilan maudissait cet argent et tout ce qu'il avait engendré, il maudissait Hadès et ceux qui avaient fait de sa vie une illusion. Et il s'y remit, hurlant à chaque mouvement. La vitre tenait mais se fragilisait. Il mettait du temps à récupérer entre chaque coup, son palpitant tapait fort, mais il allait en venir à bout, c'était juste une question de temps.

— Encore une seule fois, Dedisset, et je te garantis que t'y passes.

Ilan se retourna, sur la défensive. Jablowski se tenait en face de lui, sa seringue à la main. Il la serrait comme on serre un couteau, prêt à frapper. Tous les autres candidats étaient derrière et Ilan décrypta, dans ce regard hybride propre à Chloé, un mélange de colère et de peur.

— T'as l'air de savoir planter une seringue, fit Ilan en rapprochant la barre de son corps.

— J'hésiterai pas une seconde. Laisse ce fric et tire-toi d'ici. Toi t'arrêtes peut-être mais, pour nous, le jeu continue.

Ilan essuya avec sa manche la sueur glacée qui dégoulinait dans ses yeux. Encore une fois, les visages, en face de lui, s'étirèrent et se rétractèrent, comme s'ils étaient en latex, tandis que les voix se distordaient et lui parvenaient au ralenti. Il se plaqua contre la vitre, à la limite de tomber. Le monde semblait se tordre, ramollir.

À ce moment précis, la sirène retentit, les néons crépitèrent. Ilan se laissa tomber au sol, les mains sur les oreilles, tandis que Jablowski lui arrachait son arme des mains et vociférait des propos qu'il ne comprenait plus. Chloé lui murmura quelque chose, lui passa une main dans la nuque et, une minute plus tard, il était seul, tremblant comme un chien, attendant que la crise passe.

Lorsqu'il retrouva ses esprits, il était 9 h 17. Ilan se releva, les mains plaquées sur ce mur dont le plâtre s'effritait entre ses doigts. Cet hôpital n'était pas juste un bâtiment abandonné, c'était une entité qui entrait en lui, qui cherchait à l'absorber, le posséder. Le jeune homme fut parcouru d'un frisson, il remonta la fermeture de son blouson jusqu'au cou et rebroussa chemin. Le cocktail médicamenteux semblait faire son effet, ça allait un peu mieux. Il marcha doucement et ne croisa strictement personne en se rendant devant l'escalier qui descendait vers la morgue. Et pourtant, ils étaient tous là, quelque part : les candidats, Hadès, le tueur au tournevis.

Ilan s'aventura dans les couloirs souterrains et remonta avec l'échelle posée près de la cuve à fioul. Elle mesurait six ou sept mètres. Puis il récupéra une autre barre de fer, lourde et solide, avant de sortir par la fenêtre à la grille arrachée.

Il neigeait toujours, mais de façon beaucoup moins violente. Le vent était tombé, les flocons semblaient plus épais, tels de gros morceaux de ouate. Le ciel avait une couleur qui tirait sur le mercure et était extrêmement bas. Chargé de son matériel, Ilan s'avança dans cette lande blanchâtre, tout en observant autour de lui cette enceinte qu'il pouvait enfin discerner. Les murs étaient hauts, mais il devait y avoir un moyen d'ouvrir une brèche, de rester en équilibre sur le rebord, de tirer l'échelle et de la basculer de l'autre côté. Une fois qu'il serait hors d'ici, il marcherait vers la vallée.

Aucune trace du chien, si bien qu'Ilan se demanda s'il avait vraiment existé, même si Gygax l'affirmait. Il songea aux Enfers, à Cerbère gardien de l'entrée. Cet endroit maléfique y ressemblait comme deux gouttes d'eau.

Il se retrouva rapidement côté façade arrière. Au-delà de l'enceinte, se dressaient d'autres murs, jaillis des entrailles de la terre : le granit, qui partait à l'assaut des cieux et se perdait dans les nuages. Les montagnes étaient vraiment toutes proches, oppressantes et muettes.

Ilan atteignit finalement la salle de surveillance. Il jeta un œil par la fenêtre. Elle n'avait pas entièrement brûlé, mais la plupart des écrans avaient explosé, le panneau de contrôle avait fondu et le sol n'était plus qu'une grosse boursouflure noirâtre.

Il recula de quelques pas. Toutes les lumières de la chauve-souris étaient allumées, rendant les pièces semblables, mais il connaissait la position exacte de celle où se trouvait la femme aux longs cheveux noirs et au visage griffé. Il positionna son échelle juste au-dessous. L'extrémité de celle-ci lui permettait à peine d'atteindre le deuxième étage. Il manquait trois mètres.

Il monta prudemment jusqu'à la fenêtre située sous celle qui l'intéressait. Ilan brisa la vitre avec sa barre, en équilibre, puis cogna sur la grille de toutes ses forces. Elle finit par céder après quelques suées, et Ilan put se laisser basculer à l'intérieur de la pièce.

Il s'agissait d'une vieille chambre de patient, cauchemardesque, glaciale. Il sortit rapidement de là pour se retrouver dans un couloir identique au leur, percé d'innombrables portes et beaucoup plus poussiéreux. C'était, à l'évidence, l'aile C pour les femmes, des patientes aux maladies psychiques graves. Restait à trouver l'escalier qui mènerait à l'étage du dessus, l'aile D.

Il s'orienta comme il l'aurait fait au rez-de-chaussée, avec la quasi-certitude que l'accès entre les étages se trouvait vers la droite. Il croisa des fauteuils roulants immobiles, des chariots plaqués contre des murs, les vestiges de ce qui avait été une vie de souffrance pour beaucoup de malades. Il aperçut une vieille pancarte qui indiquait « Pie-mère ». Ilan savait que ce terme désignait la troisième couche protectrice du cerveau. On s'approchait de l'organe central.

Au sol, dans la poussière, il remarqua des traces de pas, qu'il suivit. Elles pénétraient dans les pièces ouvertes, se chevauchaient, s'entremêlaient, indiquant que leur propriétaire tâtonnait. Elles menaient vers une salle d'eau restée en l'état, avec sa grosse tuyauterie, ses baignoires de torture. Ilan s'y invita par curiosité, et ici aussi, il était question de Hudson Reed. Il évita de justesse un clou qui dépassait d'un mur et s'arrêta net. Au bout de la pointe rouillée qui arrivait à peu près à hauteur de son abdomen, il y avait une petite tache rouge et sèche. Ilan toucha la substance du bout des doigts. Aucun doute possible, il s'agissait de sang. Quelques gouttes, d'ailleurs, s'étaient écrasées au sol, et ça paraissait plutôt récent. Le propriétaire des traces s'était blessé ici, au deuxième étage. Ça correspondait parfaitement à la blessure à l'avant-bras de Gygax. Il était donc venu ici.

Ilan marcha encore, jusqu'à apercevoir le grand hall et sa cage d'escalier protégée par des grilles. Il frappa de toutes ses forces mais cette fois la structure était bien trop solide, les mailles trop épaisses se déformaient à peine. Après dix minutes d'effort, il se résigna : jamais il n'arriverait à monter au troisième étage de cette façon. Il s'agenouilla, observa, les yeux plissés, de l'autre côté de la grille : les traces de pas étaient encore là. Quelqu'un avait la clé, quelqu'un avait eu accès au dernier étage, celui où la femme était enfermée.

Ilan tourna en rond, chercha des solutions, attendit de croiser un candidat, mais finit par se résigner : il n'y arriverait pas tout seul.

— Il y a quelqu'un ? cria-t-il. Je suis Ilan Dedisset, je suis au deuxième !

Aucune réponse. Anéanti, il rebroussa chemin rapidement. Dans sa précipitation, il faillit louper un détail important mais fit quelques pas en arrière et fixa le sol. Des empreintes disparaissaient dans une pièce fermée à clé : l'une des traces était même coupée en deux par le bas de la porte. Ilan était incapable de dire s'il s'agissait de celles de Gygax ou de quelqu'un d'autre.

Il leva sa barre de fer et cogna sur la poignée. Comme pour la chambre de Mocky, la porte finit par céder.

Il s'agissait d'une salle réservée à l'intendance. Robinets d'eau sortant des murs, grosse tuyauterie, des seaux et des balais entassés, des dizaines de bouteilles de nettoyant industriel, toutes vides. Certaines armoires gisaient au sol, d'autres tenaient encore debout. Ilan renifla et le signal rouge clignota dans sa tête. Cette odeur, il la connaissait : putréfaction.

La gorge serrée, il s'avança vers la seule armoire dont les portes étaient fermées.

Il retint son souffle, serra son arme et ouvrit d'un coup sec.

Un corps chuta lourdement et s'écrasa à ses pieds. Ilan poussa un hurlement. Le cadavre d'une femme lui tournait le dos, ses vêtements civils étaient lardés de petits trous bien caractéristiques de coups de tournevis. Le corps avait enflé, les mains ressemblaient à des gants légèrement gonflés. La mort devait remonter à deux ou trois jours.

Qui était cette femme aux cheveux roux ?

Ilan se retint de fuir, parce qu'il était pris d'une horrible intuition.

Il agrippa le pull de la morte et retourna le corps. Deux yeux desséchés, d'un bleu très pâle, fixèrent le plafond. La bouche était ronde et noire, les lèvres ressemblaient à des pelures moisies.

Ilan aperçut le portefeuille qui dépassait d'une poche. Il le tira et lut, sur la carte d'identité : *Valérie Gerbois*. Il s'attarda sur la photo et se redressa instantanément. Il connaissait ce visage, il l'avait vu lors des tests dans ce prétendu laboratoire Effexor. La femme rousse se trouvait alors derrière Mocky, occupée à recopier les lignes de l'annuaire.

Tout s'enchaîna alors dans sa tête, et il n'eut plus aucun doute : Valérie Gerbois était l'un des huit candidats qui aurait dû participer à *Paranoïa*. Ilan se souvenait parfaitement de ce qu'avait dit Hadès dans le break : « *L'une d'entre vous est même déjà arrivée ce matin. Dans le trio de tête.* » Fée, lorsque Ilan l'avait interrogée, avait annoncé être arrivée l'après-midi. Et elle n'était que quatrième.

Il aurait donc dû y avoir non pas deux candidates, mais trois.

Quelqu'un avait tué cette femme à coups de tournevis et avait pris sa place, la nuit de leur arrivée.

Quelqu'un arrivé dans le trio de tête. Gygax, Philoza, Mocky.

Mocky était mort.

Depuis le début, l'un des candidats était le tueur au tournevis.

54

Il n'était pas loin de 13 heures, et Chloé était venue puiser quelques réserves dans la cuisine avant de poursuivre sa partie.

Alors qu'elle avançait vite dans le couloir, elle sentit une main s'écraser lourdement sur sa bouche. Son corps fut traîné vers l'arrière, dans la salle des douches.

— C'est moi, dit Ilan en relâchant la pression. Ce n'est que moi.

Chloé mit quelques secondes à retrouver son sang-froid. Elle remarqua les morceaux de verre, au sol, et leva les yeux. La caméra avait été défoncée, sa carcasse pendouillait au bout d'un fil. La porte de la boîte à pharmacie était grande ouverte, des emballages et des boîtes gisaient au sol. Elle considéra Ilan. Avec ses cheveux en pétard sur sa tête, ses yeux rouges, il ressemblait à un dément.

— Tu m'as fait peur, bon sang ! Qu'est-ce qui te prend ?

Barre de fer à la main, Ilan observa nerveusement les extrémités du couloir, puis parla à voix basse.

— Le tueur au tournevis, c'est Gygax. Ou plutôt, celui qui se fait passer pour Vincent Gygax. Il s'appelle en fait Lucas Chardon et...

— Oh, oh ! doucement, fit Chloé dans un soupir qu'elle ne chercha même pas à dissimuler. Tu te rends compte de ce que tu avances, encore une fois ?

Évidemment, qu'il s'en rendait compte. Depuis sa découverte, son esprit n'arrêtait pas de retourner l'équation dans tous les sens. Tout coïncidait parfaitement.

— Un quart d'heure, j'ai juste besoin d'un quart d'heure de ton temps pour te montrer quelque chose et t'expliquer.

Il était au bord de la rupture. Chloé secoua la tête.

— Mince Ilan, pas maintenant, je…

— Je t'en supplie.

La jeune femme hésita, puis finit par céder.

— Très bien. Pas une minute de plus, je dois fouiller les grandes cuisines, c'est l'enfer et ça promet des heures de recherches. Mais avant, je vais boire un verre d'eau et piocher un truc dans le réfrigérateur. Je mangerai en route, histoire de ne pas perdre de temps.

— Tu ne devrais peut-être pas manger avant de voir ce que j'ai à te montrer.

— J'ai trop faim.

Tout en marchant, elle déballa un sandwich sous vide et croqua dedans. Arme à la main, Ilan l'entraîna jusqu'à la pièce où ils avaient fait le feu, puis réussit à la convaincre de sortir. Il remarqua les pieds de Chloé lorsqu'elle passa la fenêtre.

— Où est-ce que tu as eu ces chaussures de randonnée ? demanda-t-il. C'est la première fois que je les vois.

— Dans mon armoire près des baskets. Tu n'en as pas eu ?

— J'avais déjà les miennes aux pieds en arrivant ici mais… non, il n'y avait que des baskets.

Il se rappelait le corps nu de Mocky, avec seulement ces deux grosses semelles grises, et se demanda pourquoi on fournissait à certains d'entre eux des chaussures de randonnée. Chloé termina rapidement son sandwich, l'avalant à grandes bouchées, respirant bruyamment parce que le froid la prenait à la gorge. Ils arrivèrent enfin au niveau de l'échelle. La jeune femme découvrit avec effroi la salle de commandes complètement brûlée.

— Que s'est-il passé ?

— C'est de cet endroit qu'Hadès nous observait, il avait accès à toutes les caméras, les lumières. Elles s'allument et s'éteignent automatiquement avec des minuteurs, tout comme la sirène, elle aussi préprogrammée. Et c'est Gygax qui a pris possession de cette pièce avant de la brûler. Il possède toutes les clés de l'hôpital, il peut se rendre n'importe où, y compris dans nos chambres. Ça explique pourquoi Mocky et Leprince n'ont rien pu faire, ils devaient dormir lorsqu'il est entré chez eux en utilisant ses clés.

Il voyait, dans le regard de Chloé, qu'elle commençait à réaliser que, peut-être, il n'était pas complètement fou. Il l'encouragea à grimper à l'échelle et la suivit de près. Très vite, ils rejoignirent la salle d'eau où il montra le clou ensanglanté.

— Tu te rappelles sa blessure à l'avant-bras ?

Chloé acquiesça avec gravité. Puis elle observa les empreintes, au sol, qui allaient dans tous les sens. Avec les leurs et la poussière qui se déplaçait légèrement, il devenait difficile de savoir quelle trace appartenait à quel pied.

— Bon, Gygax a atteint ce niveau, il s'y est blessé, je veux bien te croire. La salle de commandement est

brûlée, c'est un fait. Et donc ? Ça ne prouve strictement rien.

— Viens.

Il l'empoigna et la tira vers la salle d'intendance. Il
poussa la porte défoncée. Cette fois, il put constater la
plus grande des surprises sur le visage de Chloé, à
laquelle succéda une profonde horreur. Les mots restèrent coincés au fond de sa gorge.

— Elle… Elle…

— Elle est morte, oui. Et ce n'est pas un trucage.

Chloé fit un minuscule pas vers l'avant, comme si
elle voulait s'assurer qu'elle ne rêvait pas. L'odeur lui
fit froncer le nez et remonter ce qu'elle venait de manger. Elle faillit vomir.

— Tu me crois à présent ? dit Ilan.

Elle acquiesça au ralenti. Ses mains tremblaient sur
sa bouche fermée. La peur l'envahissait, blanchissait
plus encore les traits de son visage. Ilan l'emmena hors
de la pièce et referma la porte. Puis il la regarda dans
les yeux, tenant ses mains dans les siennes. La jeune
femme était anéantie, au bord des larmes.

— Qui est-elle ? demanda-t-elle.

— Cette fille était une participante, la première arrivée dans cet hôpital…

Il laissait le silence creuser chacune de ses paroles,
pour être sûr que Chloé assimile parfaitement.

— … Lorsque nous avons débarqué le premier soir,
elle devait être, comme nous tous, enfermée dans sa
chambre. Puis, d'une façon où d'une autre, il s'est
passé quelque chose dans ce break. J'ignore si les flics
sont revenus dans l'enceinte avec leur prisonnier parce
qu'ils n'arrivaient pas à franchir le col, ou si c'est le
tueur qui est revenu seul au volant de la voiture. Une
chose est certaine : l'homme à la combinaison orange

a réussi à s'évader, à se débarrasser des deux flics et à prendre la place de cette candidate. Rappelle-toi, quand on a ouvert l'enveloppe de notre premier objectif, Gygax a prétendu être arrivé le premier, et il s'est naturellement placé face au casier numéro 1. Or cette femme était arrivée dans les trois premiers. Il a purement et simplement pris sa place.

Ils entendirent le claquement lointain d'une porte et sursautèrent. Chloé ne ressemblait plus qu'au fantôme d'elle-même.

— Tu crois que quelqu'un est à cet étage ?

— Non, fit Ilan en serrant davantage sa barre de fer, ça vient du dessous. Allez, ne traînons pas.

Ils rebroussèrent chemin, pressant le pas. Ilan continua son explication :

— Je crois qu'Hadès est resté seul ici pour s'occuper de nous et qu'il est mort dès la première nuit, assassiné par Gygax, *alias* Lucas Chardon. Je pense que Gygax a pris possession des lieux et s'amuse avec nous comme un loup le ferait avec des proies.

— Il n'a jamais expliqué comment il était arrivé dans le jeu, fit Chloé, semblant soudain réaliser.

— Oui. Après avoir éliminé les flics, il a eu accès à nos dossiers à tous, dans la voiture, ce qui lui a permis d'en savoir davantage sur notre compte et sur *Paranoïa*. C'est un tueur, il souffre de graves problèmes psychiques, genre dédoublement de personnalité, mais il est aussi un véritable joueur, car rappelle-toi : les flics avaient parlé de joueurs assassinés, et le soi-disant Gygax faisait partie de leur groupe. Au cœur de *Paranoïa*, ce type est aussi à l'aise qu'un poisson dans l'eau.

Chloé réagit avec un décalage. Elle parla avec une voix éteinte :

— Et nous, on continue à jouer dans le vide, comme des moutons. C'est horrible. Plus personne ne contrôle rien, plus personne ne viendra nous chercher, alors qu'il y a un tueur parmi nous. Il faut avertir les autres et fiche le camp d'ici.

— Enfin tu es de mon côté, il était temps.

Ilan soupira.

— Mais cette histoire, c'est bien plus compliqué que ça. D'une part, il y a la présence de la carte de mon père, qu'Hadès m'a volée. C'est d'ailleurs Gygax en personne qui m'a aidé à résoudre une partie de l'énigme. Ce type est d'une intelligence remarquable.

— Sur quelle partie il t'a éclairé ?

Ilan sortit la carte de sa poche.

— Regarde : les codes d'en bas représentent en fait des couleurs qui, lorsqu'on les met dans le bon ordre, forment le mot « Jacob ».

— Jacob… répéta-t-elle en fixant attentivement le bas de la carte.

— Puis il y a ces gens qui m'ont drogué et enfermé dans le cabinet de dentiste, ceux qui détruisent ma mémoire et veulent voler mes souvenirs. Ça va au-delà du jeu, ils cherchent à accéder aux découvertes de mes parents. Je ne comprends pas d'où ils peuvent venir, c'est incohérent avec la présence du tueur entre ces murs.

— C'est incohérent oui, et donc, ce n'est pas réel.

— Chloé, tu ne vas pas…

— Attends, attends. D'accord, Mocky est mort, tu l'as vu dans la morgue et le tueur l'a ensuite déplacé. Il est probablement arrivé la même chose à Leprince. Je te crois à cent pour cent à présent : le tueur au tournevis, Lucas Chardon, a endossé l'identité de Vincent Gygax et s'en prend à nous, les uns après les autres.

Mais pour ceux qui te torturent… Suppose qu'ils viennent simplement de ta tête. Tu les as peut-être imaginés avec une force telle que tu penses qu'ils sont réels.

— Je sais ce que j'ai vu.

— Un schizophrène sait aussi ce qu'il a vu. Je veux dire, tu n'as aucun moyen d'affirmer que ce que tu crois être la réalité *est* la réalité. Personne ne peut témoigner de ce qui t'est soi-disant arrivé, c'est ça le problème. Je crois qu'il y a le jeu, le tueur qui s'y est introduit, et tes hallucinations, sans aucun doute provoquées par tout ce stress et tout ce que tu as vécu depuis la mort de tes parents. Les trois s'entremêlent désormais.

Ilan ne voulait pas entrer de nouveau dans une interminable discussion qui les mènerait dans une impasse, ce n'était pas le moment. Il prit sur lui :

— Très bien, admettons, même si je sais que j'ai raison, admettons. Mais que dire de cette fille aux longs cheveux noirs, enfermée au troisième dans sa camisole ? Et ne me parle pas d'illusion, elle est aussi réelle que toi ou moi. Et puis Gygax, *alias* Lucas Chardon, a été interné dans cet hôpital psychiatrique, Chloé, dans la chambre 27 très exactement. La bible que j'ai trouvée dans un tiroir est à son nom, tu l'as bien vue. C'est de lui dont j'ai rêvé le fameux matin avant que tu viennes me voir. J'ai rêvé de cette chambre 27, de cet endroit.

— On en a déjà discuté et…

— Rappelle-toi, bon sang ! Dans le théâtre, au milieu du décor, Gygax pleurait ! Pourquoi, à ton avis ?

Elle réfléchit.

— Parce qu'il connaissait l'endroit… Parce que cette scène avec son vieux décor, ça lui a rappelé des souvenirs. À lui ou à l'une de ses personnalités.

— Exactement, répliqua Ilan. C'est aussi pour cette raison qu'il a brûlé la salle de thérapie par l'art. Imagine que des photos de lui se trouvaient à l'intérieur, parmi toutes celles qui étaient accrochées. Il arrache et brûle tout, histoire de se débarrasser des preuves.

— C'était donc bien lui que vous avez vu courir dans les couloirs, avec Mocky. Tu me crois à présent quand je te dis que Philoza est le pire des menteurs ? Ou quand je t'affirme qu'il n'y a pas de chien, dehors ?

Ilan lui accorda un regard tendre.

— Désolé de...

— C'est rien.

— Pour finir, Lucas Chardon a vraiment essayé de se pendre entre les murs de Swanessong. J'ignore quand et pourquoi, mais ça s'est produit et il a survécu. Et aujourd'hui, par le plus curieux des coups du destin, à cause de cette tempête, de cet accident, de notre présence à ce moment-là, il est de retour pour reproduire ses crimes passés : tuer des joueurs avec son tournevis. Que tu me croies ou non, c'est la vérité.

— On dirait que son passé meurtrier se reproduit. Gygax a tué huit personnes, selon les flics. Et si nous comptons cette pauvre femme, nous sommes potentiellement...

— Huit victimes.

Ils se trouvaient à présent devant la fenêtre qui donnait sur l'arrière de l'hôpital. Chloé observa les montagnes toutes proches avec appréhension, sous ce ciel immanquablement gris. Troublées par les rideaux de neige, elles lui bouchaient l'horizon, donnaient une impression d'enfermement. Ils descendirent par l'échelle, et au lieu de prendre vers la gauche pour rentrer, Ilan l'emmena vers la droite.

— Une dernière chose que je voudrais te montrer. Et tu vas peut-être finir par accepter que ce que je te dis est la vérité.

Ils coururent le long de la façade arrière, jusqu'aux petites stèles qui dépassaient à peine de la neige.

— Le cimetière dont a parlé Hadès, fit Chloé en haletant.

— Viens voir.

Il l'emmena devant un bloc arrondi et lui demanda de lire.

— Né en 1972, et mort en…

Elle ne termina pas sa phrase et se rendit à côté.

— 1980. Et là, 1987.

D'elle-même, stupéfaite, elle chassa la neige d'autres stèles.

— Des anonymes qui sont morts l'année dernière, chaque fois. Merde Ilan, qu'est-ce que ça veut dire ? Cet hôpital était censé être fermé.

Il en restait quelques-unes à découvrir, mais Chloé se tenait là, abattue, les bras ballants.

— Je n'en sais rien, répliqua Ilan. Ça doit être lié à ce protocole Memnode… À cette femme, enfermée là-haut, prisonnière d'une camisole de force. J'ai la certitude qu'avant notre arrivée il s'est passé des choses horribles dans cet établissement psychiatrique. Et ce jusqu'à l'année dernière.

Chloé fut parcourue d'un grand frisson. Elle se contracta sous son blouson.

— Attends deux secondes. Il y a huit stèles, pas une de plus. Et… Merde !

— Qu'est-ce qu'il y a ?

Elle pointa son doigt sur l'une des dates.

— 1987… C'est…

— Ton année de naissance.

Ilan bondit de tombe en tombe.

— 1980. C'est Mocky qui est né en 1980, non ? Et là, 1982. 1987. 1979 ici, ça pourrait être Leprince. Là, cette autre tombe, c'est mon année de naissance.

Chloé réfléchissait à voix haute.

— C'est forcément un décor du jeu.

— Et à quoi il servirait, ce décor, puisque Hadès nous a demandé de ne pas sortir ?

De la neige se décrocha du toit et chuta juste à côté d'eux. Ilan avait beau essayer de comprendre, il n'y arrivait pas. Comment expliquer l'incompréhensible ?

— Qu'est-ce qu'on va faire maintenant ? demanda la jeune femme.

Les pupilles d'Ilan se rétrécirent jusqu'à ressembler à deux petites groseilles sombres.

— On met Gygax hors d'état de nuire, on récupère ses clés, on monte au troisième pour sauver la femme et on se tire de cet enfer.

55

Ilan avait fracturé la porte de la chambre de Gygax tandis que Chloé surveillait le couloir, s'assurant que personne n'approchait. Il s'avança avec une grande appréhension, celle de pénétrer dans la chambre d'un fou meurtrier. Si Gygax avait été sur le point d'être transféré en UMD, c'était parce qu'il avait été jugé pénalement non responsable du massacre dans le refuge. Qu'il avait tué sous l'emprise de la folie. Qu'il était au-delà du mal.

Le lit était fait au carré, rien ne débordait, l'endroit ne semblait jamais avoir été occupé. Les tenues de patient, dans l'armoire, étaient alignées avec une perfection maladive. Aucune trace de la combinaison orange. Ilan fouilla les poches, il ne trouva ni clé, ni cygne, ni carte, ni tournevis, mais une poignée de céréales au chocolat. Coup d'œil sous les draps, le lit, rien.

— Alors ? fit Chloé.

— C'est *clean*, il a été prudent, mais…

Dans le tiroir, en revanche, il dénicha huit cygnes. Il reçut un choc supplémentaire quand il découvrit que l'un d'entre eux avait le bec cassé. Il le prit et le tendit à Chloé.

— C'est celui qu'on m'a dérobé dans la salle des électrochocs. C'est lui qui m'a électrocuté, Chloé.

Elle manipula le petit objet en bois tandis qu'Ilan se remit à fouiller. Au fond du tiroir, il trouva de vieilles photos, dont les premières le stupéfièrent. Il les montra à Chloé.

— On ne s'est pas trompés.

Sur le papier glacé, on voyait Gygax au milieu de la scène de théâtre de Swanessong, un peu plus jeune, entouré d'autres personnes en costume. Il était déguisé en soleil au milieu d'un décor identique à celui figé dans la salle abandonnée. Il s'agissait d'un spectacle, peut-être, ou d'une pièce qu'il jouait. Quelques têtes de spectateurs dépassaient au premier plan.

— Ça explique ses pleurs l'autre fois, commenta Chloé. Les souvenirs qui remontent à la surface.

Ilan examina les clichés, tous représentaient Gygax/ Chardon dans diverses situations, avec différents patients, mais toujours entre les murs de cet hôpital.

Soudain, devant la dernière photo prise dans une salle qui ressemblait à un atelier de peinture, Chloé réagit :

— Ce tableau, derrière eux… Ce n'est pas l'un de ceux qui sont accrochés chez tes parents ?

Elle écrasa son index sur la partie gauche du cliché. La toile reposait sur un chevalet, en arrière-plan. Elle représentait une nature violente, avec un arbre dont les feuilles étaient arrachées par une tempête. Les tons étaient sombres, tirant sur des couleurs de mort. Ilan en resta bouche bée.

— Si. C'est bien lui. Il se trouve au fond de la salle à manger.

Ils échangèrent un regard grave.

— Et comment peut-on expliquer qu'un tableau peint par des malades mentaux, dans un hôpital psychiatrique caché au fin fond des montagnes, se soit retrouvé accroché dans la maison de tes parents ?

Ilan marqua un long silence. Il avait beau réfléchir, aucune explication ne lui vint à l'esprit.

— Comment veux-tu que je te réponde ? C'est incompréhensible.

— Tes parents t'ont déjà parlé de cet hôpital ?

— Je n'en ai aucun souvenir.

De nouveau, Ilan avait l'impression de sombrer dans un pur délire, mais cette fois, le délire était heureusement partagé. Chloé était tout autant perdue que lui.

— Il y a forcément une explication. Tes parents ou toi êtes déjà forcément venus ici.

— C'est impossible.

— C'est pourtant la réalité.

Elle garda le silence un moment.

— Je commence à me demander si tout ce que tu racontes depuis le début n'est pas la vérité, concéda-t-elle. Ces gens qui rôdent autour de toi et qui te torturent la mémoire existent peut-être. Ces inconnus en veulent aux recherches de tes parents et semblent mener des expériences interdites. Je pense encore aux tombes, dehors, avec cette année de décès commune, et ça me glace le sang. Tout cela existe bel et bien et défie toute logique. C'est comme si on évoluait dans une dimension irréelle, où le temps et l'espace sont distordus.

Ilan pensait à son rêve, avec l'horloge et son aiguille des secondes qui tournait à l'envers. Il se souvenait du légiste et des flics qui sortaient plusieurs fois de la salle d'autopsie. Quelque chose qui leur échappait clochait sérieusement.

Une voix les fit sursauter.

— Qu'est-ce que vous faites dans la chambre de Gygax ?

Jablowski se tenait dans l'embrasure de la porte. Il remarqua les dégâts au niveau de la poignée, complètement défoncée. Chloé se précipita vers lui et lui mit les clichés entre les mains.

— Il faut qu'on te parle de lui.

Et Ilan lui expliqua ses découvertes en détail. Après ce récit, Jablowski donna l'impression d'avoir reçu une boule de bowling dans l'estomac. Il s'appuya contre le mur du couloir, les yeux dans le vide.

— Ah ça, alors… Gygax, un tueur.

Il tourna et retourna les photos dans tous les sens.

— Elles ont l'air bien réelles. Je n'aime pas beaucoup Gygax, je serais bien le premier à vouloir lui rentrer dedans, mais qui me dit que vous ne me mentez pas, tous les deux ?

C'était Chloé qu'il fixait avec intensité.

— On peut te montrer le cadavre si tu veux, répliqua-t-elle.

Jablowski hésita puis regarda sa montre.

— Je n'ai jamais vu Gygax revenir manger ou boire le midi, j'ignore à quoi ce type carbure. Si on veut le coincer, comment on fait ?

Ilan sortit de la chambre et referma du mieux qu'il put la porte derrière lui. Il ramassa les éclats de bois sur le sol.

— Il faut que l'un d'entre nous parte à la recherche de Fée et de Philoza pour les prévenir discrètement.

— Tu sais bien que c'est quasi impossible, vu la taille de la structure. On ne les retrouvera pas facilement.

— Je sais, mais on n'a pas le choix, on ne peut pas les laisser marcher dans les mêmes couloirs qu'un fou furieux. Les deux autres restent ici et attendent patiemment. Dès que Gygax se pointe, on lui vide le contenu de ta seringue dans le dos.

Jablowski sembla approuver. Il sortit sa seringue de sa poche.

— Fallait bien qu'elle serve… Même ça, on dirait que c'était prévu… Bon, qui reste ?

— Vous, répliqua Chloé. Vous ne serez pas trop de deux pour le maîtriser.

Ilan s'interposa et l'empêcha de s'éloigner :

— C'est trop dangereux. Il peut se rendre au deuxième étage, découvrir la vitre brisée par laquelle on est passés et réaliser qu'on est au courant. Tu restes avec Jablowski.

Barre de fer dans les mains, Ilan les considéra l'un après l'autre.

— Il me faudrait vos clés, j'aurais plus de chances de trouver Fée et Philoza.

Jablowski hésita.

— Le jeu est terminé depuis bien longtemps, ajouta Ilan. Hadès est sans doute mort, personne ne nous donnera cet argent.

Jablowski finit par sortir ses clés de sa poche.

— Elles permettent l'accès à l'aile du dessus chez les hommes, premier étage, ainsi que toute la partie cantine et cuisines, dit-il, mais ça ne va pas te servir à grand-chose. Naomie avait accès à l'aile des femmes, comme Philoza et Gygax. C'est par là qu'il faut aller.

Chloé lui donna également les siennes.

— Tout comme lui, mais j'avais en plus accès jusqu'au deuxième.

Ilan les remercia et s'éloigna en trottinant.

— Criez si vous l'avez coincé. Mais par pitié, ne le ratez pas.

56

Courir, des kilomètres et des kilomètres dans ce labyrinthe sans fin. En explorer les moindres recoins, être aux aguets, assurer ses arrières. Parfois, Ilan entendait une grille ou une porte claquer, sans savoir précisément d'où venait le bruit. Alors il se précipitait, sans possibilité d'appeler afin de ne pas éveiller les soupçons de Lucas Chardon.

Avec les clés de Chloé et de Jablowski, il avait découvert de nouvelles artères de cet organe de pierre, des lieux où, jadis, la folie s'était exprimée sans limites. Il cassait chaque caméra qu'il croisait, avec une haine et une violence dont il se serait cru incapable. À l'extérieur, l'obscurité coulait déjà comme un bloc de ciment, ce qui repousserait encore leur fuite d'une journée. Ilan se promit que le lendemain, dès que le jour serait installé, il sortirait d'ici avec Chloé et la femme enfermée au troisième étage, quoi qu'il arrive.

À trois, ils franchiraient les murs, retrouveraient la ville et partiraient à la recherche de la vérité.

Avant, il fallait dénicher Gygax/Chardon. Et ses clés. Il était peut-être juste au-dessus, au deuxième étage de l'aile des femmes. Et s'il avait découvert l'échelle posée contre le mur extérieur ? Et s'il savait qu'Ilan était au courant pour la candidate rousse croupissant dans le placard à balais ? Alors que le jeune homme réfléchissait, il aperçut enfin Philoza, au bout du couloir. Il se précipita vers lui, barre de fer dans les mains.

— Tu devrais lâcher ça, fit Philoza sur la défensive.

Ilan ralentit. Il comprit qu'à cet instant précis, Philoza avait peur de lui. Malgré le froid, il était en sueur et devait avoir l'air d'un fou échappé de sa cellule. La fatigue se faisait sentir, ses yeux lui piquaient, seuls les nerfs lui permettaient de tenir.

— Il faut que tu m'écoutes, c'est important.

— Très bien, mais reste à distance.

Et Ilan se lança dans les explications claires et précises. Comme à son habitude, Philoza le regarda avec méfiance.

— Tu dis que Jablowski et Sanders sont dans l'aire de vie, prêts à lui sauter dessus ?

— Tu peux aller vérifier.

— Et Fée, tu l'as vue ? D'ordinaire, je la croise au moins une fois dans le coin. Mais cette fois, je ne l'ai pas aperçue de la journée.

— Introuvable pour le moment.

— Tout comme Gygax est introuvable.

Philoza sembla mesurer la portée de ces propos.

— Bon… J'allais redescendre boire un coup, de toute façon. Je crève de soif.

— Fais attention. Et si tu croises Gygax, ne laisse rien transparaître. On doit le coincer avant qu'il repasse à l'acte.

Philoza s'en alla. Après un moment, Ilan laissa tomber son exploration et redescendit à son tour. Après ces heures passées à errer, il n'avait plus l'énergie de poursuivre.

Il restait deux options : ou Gygax était au courant du piège et il ne se laisserait pas prendre, ou il l'ignorait, auquel cas il allait bien finir par retourner dans leur lieu de vie, comme chaque soir.

Dans ces larges couloirs, le long des pièces vides, le candidat marchait avec appréhension. Gygax pouvait surgir n'importe quand, n'importe où. Ilan se rappelait la façon dont l'assassin avait joué avec lui, lui envoyant la lumière d'une lampe en pleine figure. Il se souvenait des photos trouvées dans le tiroir, cette histoire de tableau peint entre ces murs et accroché chez ses parents. Il pensait au protocole Memnode, autour de la mémoire.

Alors, une idée effroyable lui traversa l'esprit, une supposition de Chloé qu'il ne pouvait admettre et qui, pourtant, n'était pas complètement aberrante : et si, à une époque, il avait été lui aussi prisonnier de cet hôpital psychiatrique ? Et si cette période de sa vie avait été totalement effacée de sa mémoire ? Et si ses parents avaient quelque chose à voir là-dedans ?

Tandis qu'il marchait dans le grand hall d'entrée et qu'il s'apprêtait à prendre la direction des chambres, il crut apercevoir un point brillant à trois ou quatre mètres de là, au niveau du sol. Il s'approcha, pour se rendre compte qu'il s'agissait d'une petite excroissance bombée, d'un rouge sombre.

Une goutte de sang.

Ilan se raidit d'un coup. Il était passé à cet endroit deux ou trois heures plus tôt et il avait la certitude que ces petites gouttes ne s'y trouvaient pas.

Elles étaient espacées d'environ un mètre.

Comme pour Ray Leprince, Gygax s'adressait à lui.

Il lui montrait le chemin à suivre.

Ilan ne sut pas pourquoi, mais il eut alors l'impression que la vérité était toute proche. Que tout ce carnage, ce gâchis de vies humaines avait un sens. Il n'hésita pas une fraction de seconde et s'enfonça, seul, là où on voulait le mener.

Très vite, il se retrouva dans cette partie de l'hôpital où l'on avait traité les patients grâce à l'art. Il doubla la salle qui avait complètement brûlé. Tout autour d'Ilan, sur les murs, les monstres dansaient, des cercles concentriques tournoyaient comme pour l'hypnotiser. *L'Enfer* de Dante. La descente à travers les neuf cercles, la rencontre avec les occupants de l'enfer, comme le Minotaure, les Harpies... Ilan observa attentivement les dessins et se dit qu'il avait peut-être été aux côtés de Chardon quand ce dernier avait peint ces monstruosités. Qu'il avait fait partie du lot de tarés.

Les gouttes le conduisirent jusqu'à la porte fermée du théâtre.

Ilan fit glisser ses mains sur le velours pourpre et entra dans la salle, avec la plus grande prudence. Il était prêt à frapper à la moindre occasion.

Il descendit un petit escalier et se retrouva dans l'une des deux allées qui menaient vers la scène. Les grandes fenêtres grillagées donnaient sur une nuit insondable. Il n'était pourtant que 17 heures. Ou plutôt, déjà. Depuis ce matin, le temps semblait s'écouler en accéléré.

Le plafond voûté était troué à certains endroits et dévoilait la structure métallique du bâtiment. Droit devant s'étalait la grande scène, encombrée de ses décors : des arbres, des façades de maisons, des nuages suspendus, un grand soleil aux rayons en zigzag. Au-dessus, pendaient une multitude de câbles et de projecteurs, dont la plupart étaient allumés et braqués vers les sièges vides.

Ilan resta un moment sans bouger.

— Je sais qui tu es vraiment, s'écria-t-il. Tu es Lucas Chardon et tu te caches derrière l'identité de Vincent Gygax. Est-ce qu'on se connaît, Lucas ? Est-ce que j'ai déjà été enfermé entre ces murs avec toi ? Est-ce que nous étions amis avec C. J. Lorrain ?

Sa voix résonna dans toute la structure. Il promenait ses mains sur sa barre de fer pour se rassurer. Il ajouta :

— Je suis persuadé que tu as compris la carte de mon père. Que tu connais la signification de tous ces « Jacob » dans la chambre capitonnée du troisième étage. Est-ce toi qui les as écrits, d'ailleurs ? Aide-moi au moins à comprendre.

Comme il s'y attendait, sa requête n'obtint aucune réponse. Il continua à remonter la piste de sang, vérifiant entre chaque rangée de fauteuils. Il monta les quatre marches qui menaient sur la scène encombrée. Il poussa les décors sur roulettes, évolua entre des statues, des mannequins sans bras, des costumes accrochés, marchant toujours vers le fond. Les gouttes le poussaient vers l'endroit le plus obscur de la salle. Il frôla les grands rideaux rouges, chassa du bras les nuages qui pendaient au bout de leurs câbles. Où se cachait Gygax ? Était-il ressorti ? L'observait-il en ce moment même ?

Soudain, il découvrit, juste au milieu de la scène, un petit mouchoir ensanglanté et replié. Un renflement ne laissait aucun doute : il y avait quelque chose à l'intérieur.

Ilan s'agenouilla et posa sa barre de fer. Il écarta les bords du carré de tissu, retenant son souffle.

Les bijoux brillèrent sous la faible lumière.

Des anneaux et des boucles d'oreilles ensanglantés.

Ilan reconnut sur-le-champ les piercings de Naomie Fée. Il remarqua la peau au niveau des fermoirs. Ils avaient dû être arrachés violemment de son visage.

Il se redressa, la main devant la bouche, et recula jusqu'à chuter en arrière à cause d'une jardinière remplie de fleurs en plastique. Lorsque sa tête partit à la renverse, que ses yeux roulèrent vers la partie haute de la cage de scène, il le vit.

Vincent Gygax.

Lucas Chardon.

Il se tenait à sept ou huit mètres au-dessus du sol, assis à califourchon sur une passerelle de charge, sur laquelle étaient accrochés des jeux de lumière, des contrepoids, et où étaient suspendus certains décors comme les nuages ou le soleil. Il était nu et se balançait dangereusement d'arrière en avant, apparemment en proie à une crise. Ses yeux étaient rivés sur Ilan. Sa bouche était fine et droite comme une lame de rasoir. On aurait dit un oiseau de malheur, prêt à prendre un funeste envol.

Ilan se redressa et plaça une main en visière, de façon à se protéger d'un spot.

— Où est Naomie Fée, Chardon ? Qu'est-ce que tu lui as fait ?

Gygax agita la tête, comme s'il était attaqué par une nuée de mouches. Autour de son cou, il y avait une cordelette au bout de laquelle pendait une dizaine de clés.

— On m'a déjà enfermé ici. On m'a fait du mal. Tellement de mal.

Ses bras étaient croisés, il se caressait les épaules. Son mouvement de balancier s'amplifiait.

— Je me souviens bien maintenant. Les bains glacés. Les électrochocs. La folie, la grande folie qui
rampe comme une marée noire dans ma tête.

Sa voix était un peu différente. Moins mûre, plus
enfantine. Ilan se demandait qui parlait : Vincent Gygax,
Lucas Chardon, ou quelqu'un d'autre ? Combien y
avait-il de personnalités luttant dans sa tête afin de
prendre le pouvoir ? Ignorait-il réellement qu'il était
un assassin ? Qu'il avait tué tous ces gens ?

— Tu peux descendre, dit Ilan en essayant de garder
son calme. Allez, viens.

— N'approche pas ! Ne bouge pas !

— Je t'en prie. Descends.

— Non, j'ai peur.

— Peur de quoi ? De qui ?

Gygax se mit doucement debout. Ses jambes flageo-
laient, ses orteils un peu recroquevillés dépassaient du
treillis métallique. Il se gratta la tête comme un singe.
Ses yeux noirs parcouraient la voûte craquelée.

— Je ne veux pas que ça recommence. Non, surtout
pas. Trop de souffrance. Vous connaissez aussi cette
souffrance-là. Vous, les autres candidats. On est tous
pareils, on est frères de misère.

— Pourquoi dis-tu ça ? Nous aussi, on a été enfermés dans cet hôpital ?

Il pivota légèrement, comme pour faire demi-tour.

— Votre vie n'est qu'un théâtre, fit Gygax.

Ilan se décala pour mieux voir et aperçut les vêtements de Gygax, groupés en tas derrière un tronc en
polystyrène. Le temps qu'il relève les yeux, l'homme
nu, déséquilibré, basculait dans le vide dans un hurlement.

57

Il y eut un craquement. Les lunettes de Gygax furent éjectées de son visage pour s'écraser quelque part entre deux fauteuils.

Les pieds ne touchèrent pas le sol et restèrent suspendus à cinquante centimètres au-dessus de la scène. Le corps se balança quelques secondes au bout d'un filin métallique avant de tourner doucement sur lui-même.

Ilan s'approcha en courant. Gygax avait été tué instantanément, le cou enroulé dans un câble. De gros sillons lui barraient la gorge, ses yeux étaient restés grands ouverts. Ilan voulut d'abord fuir, mais il se figea quand il découvrit que le dos de Gygax était lardé de petites cicatrices. Des espèces de points grossiers, exactement identiques aux traces que Chloé avait sur la poitrine.

Impossible.

Ilan se rappelait l'excuse vaseuse que la jeune femme lui avait sortie, avec cette histoire de lustre décroché du plafond. Assurément, elle avait menti.

On est tous pareils, on est frères de misère. Ilan mesura la portée de cette phrase et en frémit. C'était pire qu'un cauchemar. Qu'est-ce qu'on lui avait fait ? Qu'est-ce qu'on *leur* avait fait ?

Il observa cet étrange collier de clés que Gygax s'était fabriqué et dut couper la corde avec un morceau de verre pour récupérer les petits sésames. L'une de ces clés permettait sans doute d'accéder au troisième étage. Peut-être de libérer l'étrange femme aperçue sur l'un des écrans. De fiche le camp d'ici.

Ilan retourna au centre de la scène, ramassa le mouchoir avec son sinistre contenu et quitta rapidement le théâtre. Philoza, Chloé et Jablowski patientaient sur le seuil de la cuisine. Ce dernier s'avança rapidement vers lui.

— Où est Naomie ?

À regret, Ilan lui tendit le mouchoir. Les petits bijoux tintèrent. Lorsque le grand brun découvrit les piercings maculés où pendouillaient encore des morceaux de chair, il devint incontrôlable et plaqua Ilan contre le mur. Les piercings roulèrent au sol.

— Qu'est-ce qui lui est arrivé ?

Ilan n'opposa pas de résistance et se contenta d'expliquer. Chloé craqua et se mit à pleurer, Philoza accusa le coup. Il fallut moins de cinq minutes pour que les candidats restants se rendent dans le théâtre et constatent de leurs propres yeux le triste spectacle : Vincent Gygax, pendu entre les nuages de la scène, tournoyant légèrement sur lui-même, les bras le long du corps.

Jablowski était désespéré, ses yeux n'exprimaient plus que la rage et la tristesse. Chacun essayait d'imaginer le sort qu'il avait fait subir à Fée. L'enlèvement, les coups de tournevis, les piercings arrachés sur son corps inanimé. Ça aurait pu leur arriver, à chacun d'entre eux.

Une fois sur scène, Jablowksi poussa violemment les décors, les renversa, à la recherche d'un indice qui lui dirait où se trouvait la candidate avec laquelle il avait créé des liens.

Chloé et Philoza restaient en retrait.

— Gygax a-t-il parlé avant de tomber dans le vide ? demanda Philoza. A-t-il expliqué le sens de tout ceci ?

Ilan ne répondit pas.

— C'est bien qu'il soit mort, ajouta Philoza.

Ilan n'arrêtait pas de penser aux dernières paroles de Gygax, à ses propres déductions, et ça le perturbait profondément. Tout au bout, Jablowski s'était arrêté près du corps. Lui aussi paraissait perplexe. Il fit signe aux autres candidats d'approcher. Tout d'abord Chloé refusa, mais Ilan la prit par la main et l'entraîna avec lui.

Lorsqu'ils furent proches du cadavre, Jablowski désigna les cicatrices sur le dos nu.

— Vous avez vu ? C'est extrêmement curieux. Naomie a le même genre de marques, mais dans le bas du dos et au niveau des omoplates.

Il ouvrit sa blouse et souleva le bas de son pull. Son abdomen était criblé de ce genre de cicatrices.

— Et moi aussi.

— Vous n'êtes pas les seuls, fit Chloé en pointant du doigt sa poitrine. J'en ai six.

Nouvelle stupéfaction générale. Les regards convergèrent vers Philoza. Il resta figé une poignée de secondes, puis leva son pull jusqu'aux pectoraux. Les marques étaient bien présentes, toutes réparties autour du cœur. Ilan secoua la tête quand ce fut lui qu'on interrogea du regard.

— Moi, je n'en ai aucune.

— Tu en es bien certain ? demanda Jablowski.

— À ton avis ?

Frédéric Jablowski descendit doucement les marches et quitta la scène, interloqué. Les autres suivirent, abandonnant le cadavre à son triste sort.

— D'où vous viennent ces marques ? demanda Ilan.

Jablowski prit la parole le premier :

— Ce que je vais te dire, ça risque de te paraître extrêmement bizarre, mais je n'en sais strictement rien. Elles sont là, elles font partie de moi. Quand on me pose la question, je trouve toujours un bobard. Mais... je n'ai pas la réponse. C'était la même chose pour Naomie. Elle ignorait leur origine.

Ilan fixa Chloé.

— Ce n'est pas ton lustre, je suppose ?

— Non... Moi non plus, je ne sais pas d'où elles viennent. Mais ce n'est pas comme si elles étaient apparues d'un coup, c'est exactement comme le dit Jablowski : elles font partie de moi. De mon identité.

Philoza eut le même discours troublant. Secoués par cette découverte, ils regagnèrent la cuisine et s'installèrent autour de la table. Jablowski resta debout. Il voulait repartir à la recherche de Naomie Fée mais Ilan avait réussi à le convaincre de l'écouter d'abord. Il avait posé toutes les clés de Gygax devant lui.

— Je n'ai peut-être pas ces marques comme vous tous, mais des périodes de ma vie sont complètement occultées de ma mémoire. Au départ, il s'agissait juste de détails, comme la façon dont j'avais été embauché dans la société qui m'emploie, ou l'endroit où j'avais acheté ma voiture. Mais au fur et à mesure, j'ai découvert que c'était bien plus profond que ça. Des pans complets de ma vie avaient été remplacés par... des souvenirs qui ne m'appartenaient pas.

Ses propos semblèrent trouver un écho chez les autres candidats.

— En ce qui me concerne, ce n'est pas à ce point-là, confia Philoza, mais il y a ces cicatrices, et c'est vrai que je me suis rendu compte de gros oublis, comme des trous noirs dans ma mémoire, à plusieurs reprises. Mon frère est décédé il y a trois ans, sa mort m'a fait du mal, alors j'ai mis mes problèmes mnésiques sur le compte de sa disparition.

Jablowski raconta qu'il y avait également diverses zones d'ombres dans son existence. Quant à Chloé, elle l'avait déjà raconté à Ilan : le plus gros de ses trous noirs se rapportait à la période de son séjour à l'hôpital psychiatrique, dont elle était d'ailleurs incapable de citer le nom et l'endroit. Le plus étonnant étant qu'elle ne se soit jamais vraiment posé de questions au sujet de ces monstrueuses lacunes.

— … On ne se pose pas de questions, comme si on était hypnotisés de l'intérieur, en déduisit Ilan. Comme si notre vie n'était que superficielle, ou que nous n'étions que des « apparences » sans épaisseur, auxquelles on aurait construit un passé. Il est désormais clair qu'il nous est tous arrivé quelque chose avant l'apparition de *Paranoïa* dans nos vies. On n'est pas allés vers ce fichu jeu, c'est lui qui nous a choisis parce qu'on a un point commun.

— Ces oublis ou ces cicatrices seraient le point commun ?

— Exactement. J'ai le sentiment qu'on est tous déjà venus dans cet hôpital. Qu'on y a été retenus.

— Tu délires, répliqua Jablowski du tac au tac.

— J'aimerais tellement… Aussi fou que cela puisse paraître, on dirait que tout est lié à leur programme autour de la mémoire sur lequel Mocky avait mis le doigt. Gygax, *alias* Chardon, était l'un des pensionnaires de Swanessong. Et lui aussi avait les marques.

Jablowski ne tenait plus en place.

— C'est impossible. Comment veux-tu qu'on ait oublié une période pareille de notre vie ? Et qu'est-ce que je serais venu faire ici ? Je vais bien, je n'ai jamais eu de problèmes particuliers.

Philoza demeurait muet, comme s'il était en pleine introspection. Ilan insista :

— Imaginez que *Paranoïa* ne soit pas qu'un jeu, mais une espèce de programme expérimental ayant pour objectif de nous rassembler ici et de nous... étudier. Nous, d'anciens cobayes de leur protocole Memnode. Imaginez qu'ils aient fait des expériences monstrueuses sur nous par le passé, qu'ils aient modifié presque intégralement notre mémoire. Tout était prévu ici pour nous étudier. Les caméras, les objectifs à remplir. On est comme des rats dans un laboratoire, vous n'avez pas remarqué ? Mais tout est parti en vrille, à cause de Gygax. Il était le grain de sable imprévu qui a fait dérailler la machine.

Il chercha un signe dans le regard de Chloé. Elle réfléchissait, un doigt posé sur la lèvre inférieure.

— À quoi tu penses ? lui demanda Ilan.

— À tes parents. À ce tableau suspendu dans leur salle à manger. Imagine qu'ils aient quelque chose à voir là-dedans. Ils menaient des recherches autour de la mémoire. Hadès est entré chez toi pour récupérer leur carte codée. Ce sont des signes. Après tout, tu n'as jamais su ce qu'ils faisaient réellement dans leur prétendu laboratoire. Tu disais qu'ils bossaient à Grenoble. Et on est dans les Alpes, la ville ne doit donc pas être si loin que ça.

Ilan secoua la tête, tout cela paraissait absurde, irréel.

— Et puis, on n'a jamais retrouvé leurs corps, ajouta Chloé. Qui te dit qu'ils sont vraiment morts ?

C'était du délire. Ilan ne voulait plus réfléchir pour le moment, ni même penser à quoi que ce soit. Il regarda sa montre puis s'empara des clés sur la table.

— Il reste une heure avant l'extinction des feux. On monte au troisième et on essaie de libérer la femme. Elle aura peut-être les réponses à toutes nos questions.

— Non, répliqua Jablowski. La priorité, c'est de retrouver Naomie. Elle est sans doute encore vivante, elle…

— Elle est morte, dit Ilan. Tu ne la retrouveras jamais, et tu le sais.

— On coupe la poire en deux, répliqua Chloé à l'attention de Jablowski. On fait deux groupes. On la cherche une demi-heure avec toi, et ensuite on va tous au troisième étage, OK ?

Jablowski accepta le *deal*. Il se mit en duo avec Philoza, tandis que Chloé et Ilan partirent ensemble. Les quatre candidats restants se donnèrent rendez-vous dans le grand hall d'entrée une demi-heure plus tard et disparurent dans les méandres de l'hôpital.

58

18 h 30.

Chloé et Ilan attendaient patiemment dans le grand hall d'entrée lorsqu'ils virent Philoza revenir.

— Alors ? fit ce dernier.

— Rien, répliqua Chloé. Où est Jablowski ?

— Impossible de le raisonner, il ne veut pas revenir. Il a encore de l'espoir et continue à parcourir les pièces une à une. Mais c'est inutile, on ne saura peut-être jamais où Gygax a caché le corps.

— Les flics le découvriront quand ils viendront, répliqua Chloé.

Ilan regarda l'heure.

— Allez, on se met en route. Il faut libérer la prisonnière.

Au pas de course, ils se rendirent au deuxième étage, du côté de l'aile des femmes. Ils ne se quittaient plus d'une semelle, désormais conscients qu'il n'y avait plus ni jeu ni objectifs, hormis celui de fuir cet endroit dès que possible. À présent, ils attendaient tous des réponses.

Comprendre.

Après plusieurs essais, Ilan parvint enfin à ouvrir la grosse grille menant au troisième étage grâce à l'une des clés trouvées autour du cou de Gygax. Tous les trois, en silence, grimpèrent en direction de la zone D de l'hôpital.

— Tu as une idée de l'endroit où se trouve la chambre ? demanda Chloé.

— À peu près, oui. Vu depuis l'extérieur, ça donnait sur le fond de l'aile.

À cet étage, tout était grillagé : les lampes, la cage d'escalier, même les couloirs étaient coupés en deux dans le sens de la longueur, de façon à éviter que les patients de la partie gauche ne puissent rencontrer ceux de la partie droite.

— La chambre est sur le côté qui donne vers l'arrière, donc à gauche. Suivez-moi.

Le grillage central étant espacé du mur d'à peine un mètre, il était impossible de marcher côte à côte. Ilan ouvrait la marche, Philoza la fermait. D'innombrables câbles entraient et sortaient du plafond, des murs, et s'entrecroisaient, pareils à des réseaux de neurones. Cet hôpital faisait penser à l'intérieur d'un cerveau, et Ilan atteignait désormais sa partie la plus secrète, protégée par la dure-mère, l'arachnoïde et la pie-mère. La substance molle, vivante, qui recelait les réponses.

Il angoissait déjà parce que les portes étaient toutes fermées et, avec leurs renforts en acier au niveau des gonds et des poignées, elles semblaient bien plus solides que celles des autres étages. Sur chacune d'elles, il n'y avait qu'une petite fente horizontale en Plexiglas au lieu d'un hublot, permettant de voir à l'intérieur de la pièce.

— Comment un tel enfer a-t-il pu exister ? murmura Philoza. C'est pire que ce que j'ai pu voir d'Alcatraz.

Ilan avançait doucement. Chaque fois qu'il passait devant une porte, il jetait un œil à l'intérieur de la chambre.

— On cherche une salle de contention, dit-il en progressant. C'est là que la femme aux cheveux noirs se trouve.

Ils se turent et poursuivirent leur progression. Au-dessus, les néons crépitaient sous leur fin maillage d'acier.

— À votre avis, Hadès avait-il prévu qu'on vienne jusqu'ici ? demanda Philoza.

Ilan désigna une caméra avec sa barre de fer. Elle était sur la partie droite du couloir.

— Je crois, oui... Il y a aussi une caméra dans la salle de contention où est enfermée la femme.

— Dans ce cas, cette fille que nous cherchons fait forcément partie du jeu.

Ilan se retourna et le fixa dans les yeux.

— Tu parles encore d'un jeu ?

— Il y a le jeu, et il y a Gygax. Je n'arrive pas à croire en ta théorie de la mémoire effacée ou je ne sais quoi. C'est dément.

— Quand tu verras à quoi cette pauvre femme ressemble, tu changeras d'avis. Elle n'est plus qu'un cadavre ambulant.

— Alors, comment tu expliques sa présence dans un hôpital fermé depuis des années ?

— Je ne l'explique pas. Comme je n'explique pas l'existence d'un tas de tombes qui datent de l'année dernière, au pied de l'établissement. Demande à Chloé.

La jeune femme confirma. Philoza eut un petit mouvement de tête vers l'avant.

— Ces tombes peuvent n'être qu'un décor.

— Et nous, nous sommes quoi ? Des personnages de bande dessinée ?

Devant la détermination d'Ilan, Philoza préféra laisser tomber.

— Nous verrons bien. Poursuivons.

Ilan observa chaque ouverture, sur des mètres et des mètres, quand, soudain :

— Elle est là.

Il se pencha vers le rectangle de Plexiglas. La femme était bien présente. Elle était allongée en chien de fusil sur son lit, piégée dans sa camisole de force, le visage tourné vers le mur. Ses deux pieds nus ressemblaient à des racines desséchées. Sur les parois en mousse, Ilan put deviner les inscriptions noires qu'il avait discernées grâce à la caméra. Il recula pour laisser voir Chloé, puis Philoza. Ce dernier grimaça.

— Merde…

La porte n'avait qu'une petite poignée. Ilan tira, en vain. Il ausculta la serrure et sortit toutes les clés de Gygax de ses poches.

— Espérons que ça fonctionne.

Il les essaya, les unes après les autres, lorgnant régulièrement par la fente. À l'intérieur, la patiente montra des signes d'activité. Elle se redressa avec mollesse, le regard rivé vers la porte. Ses yeux ressemblaient à des météorites brûlantes au milieu d'une face de Lune ravagée. Chloé observa ce curieux spécimen sans plus bouger.

— On va te sortir de là, murmura Ilan. On va te sortir de cet enfer.

Il s'escrimait sur les petits morceaux de métal, les jetait au sol au fur et à mesure de ses tentatives. Ses mains tremblaient devant la serrure. Chloé constata son trouble et le poussa un peu sur le côté.

— Tu n'es plus en état. Laisse-moi faire.

Elle le remplaça et, au bout de quelques minutes, il fallut se rendre à l'évidence : aucune des clés de Gygax ne permettait d'ouvrir la porte. Ilan ne voulait pas admettre l'échec. Hors de question de rebrousser chemin, d'abandonner.

— Gygax avait un trousseau de clés bien plus gros quand j'étais dans la salle de commandement, confia-t-il. Il doit le cacher quelque part, avec le tournevis et la combinaison orange.

— On ne le retrouvera jamais, admit Philoza en regardant à son tour par la fente. Il a réussi à nous duper pendant tout ce temps. Derrière ses faux airs d'attardé, il était bien plus malin qu'on ne le pensait.

Ilan prit sa barre de fer et essaya de cogner sur le bois, mais à cause du grillage, il n'arrivait pas à prendre de l'élan et à donner de la force à son arme. Ses coups étaient inefficaces. De l'autre côté de la porte, la femme s'était réfugiée dans un coin, genoux contre la poitrine, terrorisée. Les candidats tentèrent tout ce qu'ils purent pour ouvrir, sans y parvenir.

— Bientôt, les lumières vont s'éteindre. Qu'est-ce qu'on fait ? demanda Philoza.

Ilan plaqua ses deux mains sur le bois, le visage écrasé contre la vitre. Ses yeux croisèrent ceux de la prisonnière et il crut y voir, une fraction de seconde, une lueur de vie.

— On ne peut pas l'abandonner ici.

— On pourrait revenir et...

— Non. Il y a forcément une solution. Il y en a toujours.

Il allait et venait le long du grillage, comme un lion en cage, sa barre cognant bruyamment contre les mailles. À genoux, Chloé observait la serrure avec attention. Elle se redressa soudainement.

— Ilan, il faut qu'on essaie quelque chose.

— Si t'as une idée, je suis preneur.

— La clé, autour de ton cou...

Ilan s'immobilisa sur-le-champ. Il porta par réflexe une main sur sa poitrine et, après un silence, secoua la tête.

— Non. C'est impossible.

Chloé tendit la main.

— Ça ne coûte rien de tenter le coup. Donne-la-moi.

Le jeune homme obtempéra. Il ouvrit le fermoir de sa chaîne en argent puis dégagea la clé.

— Tu sais ce que ça signifie si la porte s'ouvre ? fit Chloé en récupérant la clé. Que Philoza a raison. Que cette personne n'est peut-être qu'une… actrice bien maquillée, maigre par nature, et qu'elle fait partie des dernières phases du jeu.

Elle glissa le petit morceau de métal dans la serrure. Ilan retint son souffle lorsque Chloé tourna. Il y eut un déclic.

Et la porte s'ouvrit.

Le jeune homme refusait d'y croire : il avait récupéré cette clé en plein Paris ! Le jeu était encore et toujours là. Il demanda à ses deux accompagnateurs de ne pas bouger et fut le premier à entrer dans la chambre capitonnée.

La température était plus glaciale encore que dans le couloir.

La patiente était prostrée, des croûtes avaient séché sur son visage. Les os de ses joues saillaient sous la peau tendue. Elle ne pouvait pas être une actrice, il y avait trop de souffrance dans son regard. Et puis ces odeurs d'urine, insupportables. Ilan ne pensait plus à *Paranoïa* ni à la suite d'événements qui l'avait amené jusqu'ici. Il s'approcha avec pour seule motivation celle d'aider cette malheureuse.

Et plus il avançait, plus il avait l'impression de la connaître. De lui avoir déjà parlé. De l'avoir déjà touchée…

— Je suis là pour vous aider, dit-il d'une voix douce. Nous allons vous sortir d'ici, d'accord ?

Elle ne réagit pas. Ses pupilles noires étaient dilatées, le blanc de l'œil injecté de sang. L'avait-on droguée ? Ilan voyait tous ces *Jacob* qui dansaient autour d'elle, sur les murs. Il imaginait cette pauvre femme en train d'écrire compulsivement ce même mot, à s'en rendre malade. Il l'aida à se lever. Elle avait le dos légèrement voûté et n'arrivait pas à se tenir droite. Le jeune homme fixa durement Philoza qui se tenait dans l'embrasure de la porte. Chloé était entrée dans la salle, subjuguée par les inscriptions et ces centaines de *Jacob* qui ornaient les murs.

— Un jeu, c'est ça ? dit Ilan en regardant Philoza avec un air de reproche.

L'autre ne répondit pas. Ilan entreprit d'ôter la camisole.

— Tu ne devrais peut-être pas, dit Chloé.

— Mais bon sang, elle tient à peine debout.

Il défit les grandes lanières croisées dans le dos, puis retira délicatement la contention. La femme se laissait faire, amorphe. De grandes taches sèches maculaient son pantalon. En plus de la camisole, on lui avait enroulé les mains avec du Scotch, de manière à ce qu'elle ne puisse pas desserrer les poings.

— C'est immonde, grimaça Ilan. Quel monstre faut-il être pour faire une chose pareille ?

Il s'appliqua à arracher délicatement le ruban adhésif. Les doigts meurtris se détendirent.

Il y eut alors un bruit, au sol, lorsque ses bras retombèrent le long de son corps.

La main droite de la patiente venait de lâcher une nouvelle clé.

Ilan la ramassa, abasourdi. Il n'en pouvait plus. Il regarda la femme dans les yeux, avec l'envie de la secouer.

— Mais qui es-tu donc ? D'où sort cette clé ? Qui te l'a donnée ? Hadès, c'est ça ? Quand ce maudit jeu s'arrêtera-t-il ?

Le visage ne traduisait aucune expression, les yeux restaient fixes. Ilan n'arrivait plus à penser rationnellement, c'était comme si *Paranoïa* était encore présent, au milieu de tant d'horreur.

Le jeune homme sentit alors une pression sur son épaule droite. Chloé l'attirait à elle, elle se tenait juste sous la caméra.

— Tu as le dessin de ton père sur toi ? demanda-t-elle.

Ilan sortit la feuille de sa poche. Chloé la prit et la déplia. Elle désigna les H, juste devant les chiffres qui représentaient des longueurs d'onde.

H

H

H

H

H

— Qu'est-ce qu'ils te suggèrent ? demanda-t-elle.

Ilan les observa encore une fois.

— J'y ai déjà réfléchi des jours et des nuits entiers. Je n'en sais rien.

Chloé pointa les mêmes *H*, écrits sur le mur et entourés de *Jacob*. Les lettres étaient disposées exactement de la même façon que sur la carte codée, sauf qu'elles étaient plus rapprochées. Leurs jambages se touchaient et formaient un dessin qui ne laissait aucune ambiguïté.

— Une échelle ! dit Ilan. Mince, ça représente une échelle, comment j'ai fait pour…

Il ne termina pas sa phrase et regarda de nouveau la carte de son père, en tenant compte de cette découverte.

Tout s'illumina soudain. La séquence :

$$H\ 470$$
$$H\ 485$$
$$H\ 490$$
$$H\ 580$$
$$H\ 600$$

se transformait en :

$$H\ J$$
$$H\ A$$
$$H\ C_2$$
$$H\ O$$
$$H\ B$$

— L'échelle de Jacob… ça me dit quelque chose.

— Évidemment, intervint Philoza. Ça un rapport avec le livre de la Genèse. Avec la Bible.

— Et une bible, tu en as justement trouvé une dans la chambre 27, compléta Chloé. La chambre de…

— Lucas Chardon. C'est insensé.

Chloé réfléchit et lâcha :

— J'ai le sentiment que depuis le prétendu accident de tes parents, on est dans le jeu, on est dans *Paranoïa*…

Ils n'eurent pas l'occasion de poursuivre leurs déductions. La femme aux longs cheveux noirs porta les mains à son visage et se mit à en creuser la chair en hurlant.

Philoza se précipita et lui planta sa seringue dans le dos. Il injecta la totalité du liquide.

Cinq secondes plus tard, la folle s'effondrait.

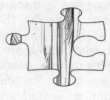

59

Ils avaient porté la femme endormie jusqu'à la chambre de Chloé.

Elle ne pesait pas bien lourd. D'après Chloé, ses constantes étaient stables. Son cœur battait normalement, sa respiration était régulière. De toute évidence, le produit qui lui avait été injecté était un puissant sédatif.

À présent, Chloé soignait le visage inerte avec un antiseptique et des bandages.

— Elle ne s'est pas ratée, dit-elle. J'ai déjà vu ce genre de blessures chez les schizophrènes ou les hystériques. Submergés par leurs hallucinations, ils finissent par s'en prendre à leur propre corps.

— Quel âge a-t-elle, à ton avis ? demanda Ilan.

— Je dirais une petite quarantaine d'années.

— Elle avait l'air extrêmement faible, dit Philoza. Demain, elle ne pourra pas marcher avec nous jusqu'à la ville.

— Nous la porterons s'il le faut, répliqua Ilan.

— Tu penses qu'on a une chance de s'en sortir avec toute cette neige ?

— On n'a pas le choix. Personne ne viendra nous chercher dans cet hôpital, pour la simple et bonne raison que personne ne sait que nous sommes ici.

— Ils finiront bien par s'interroger sur la disparition de Gygax et sûrement celle des flics qui l'accompagnaient.

— Certainement. Mais je n'ai pas envie d'attendre.

La funeste sonnerie retentit soudain. Les candidats se turent, comme hypnotisés. En dehors de leur lieu de vie, toutes les lumières s'éteignirent. Il y eut des déclics un peu partout.

Les trois candidats se regardèrent gravement : Jablowski n'était toujours pas revenu.

— Il s'est peut-être blessé quelque part, suggéra Ilan en fixant Philoza. Comment était-il quand tu l'as quitté ?

— Psychologiquement très mal, je dois l'avouer. Mais physiquement, il en avait encore sous le pied.

— Et moi, je suis sûre qu'il va bien, affirma Chloé d'une voix nerveuse. Mieux qu'elle, en tout cas. Ilan, tu peux me ramener mes gants fourrés ? On va les lui passer aux mains et scotcher les extrémités avec du sparadrap, pour éviter qu'elle ne se blesse de nouveau quand elle se réveillera. Je n'ai pas envie de lui remettre la camisole.

Ilan s'exécuta. Chloé s'appliqua à protéger ces mains dont les ongles étaient maculés de sang.

— Je vais rester auprès d'elle. Tout va bien se passer. Demain, nous serons en sécurité, sains et saufs.

Plus personne n'avait envie de parler de Jablowski, comme s'il s'agissait désormais d'un sujet tabou. Qu'avait-il bien pu lui arriver ? Pourquoi ne donnait-il pas signe de vie ? Ilan retourna dans sa chambre. Il s'assit sur son lit, la bible trouvée dans la chambre 27 entre les mains. Elle sentait la poussière et un peu le salpêtre. Au contact du livre, dans ce grand silence qui l'entourait, des images lui revinrent alors en tête, limpides. Il voyait distinctement son père lui lire des passages entiers de la Bible après l'avoir bordé, le soir. Quel âge Ilan avait-il ? Dix, onze ans ? Chaque fois, Joseph Dedisset posait le gros pavé à la couverture noire sur la table de nuit, l'embrassait sur la joue avant d'éteindre la lumière. Puis Ilan rallumait en cachette une petite lampe torche qu'il dissimulait sous son oreiller, se glissait sous les draps et en parcourait des passages entiers.

Tout cela avait bien existé. Et c'était quelque part, dans sa tête.

Ilan caressa le « Lucas Chardon » écrit à l'encre noire sur la couverture. Il imaginait Gygax enfermé dans sa chambre 27, il y a quelques années, réalisant ces mêmes gestes.

Il entreprit d'ouvrir le livre. Il trouva rapidement – comme s'il savait au fond de lui-même – le livre de la Genèse, et plus particulièrement le passage sur Jacob.

Philoza le rejoignit au bout de quelques minutes. Ilan releva les yeux.

— Alors… Toujours persuadé que cette pauvre femme fait partie du jeu ? dit-il amèrement.

— Je n'arrête pas d'y penser, de chercher une explication. Et j'en ai une.

Ilan soupira.

— Laquelle ?

— Imagine qu'elle ait effectivement fait partie du jeu au début. Et que, une fois Hadès éliminé par Gygax, elle se soit retrouvée piégée dans son rôle, incapable de sortir, pas alimentée ni hydratée. Forcée de se pisser dessus. Et commençant un peu à péter les plombs, si tu vois ce que je veux dire. Il y a de quoi, coincée si longtemps dans une camisole, à l'intérieur d'un hôpital abandonné.

Ilan dut admettre que son raisonnement tenait la route, même s'il n'y adhérait pas. Il sortit la clé de sa poche.

— Elle avait cette clé dans la main. Tout à l'heure, on a essayé d'ouvrir le coffre avec l'argent, ça ne fonctionne pas.

— Que pourrait-elle déverrouiller d'autre, à ton avis ?

— Je n'en sais strictement rien. Et je n'ai plus envie de le savoir. La priorité, c'est de se tirer d'ici.

Ilan se remit à tourner les fines pages de la bible. Le papier frissonnait entre ses doigts.

— À chaque jour passé entre ces murs, les souvenirs me reviennent un peu plus, confia-t-il. Je me rends compte que mes parents étaient très croyants et qu'ils m'aimaient beaucoup. On habitait une petite maison très modeste. Je le sens désormais, c'est au fond de moi. Jusqu'à présent, j'ai toujours eu d'eux l'image de chercheurs froids, qui ne pensaient qu'à leur carrière et à leurs voyages en mer avec leur maudit bateau. Mais je sais désormais que tout cela est faux. Mes vrais souvenirs ne sont pas perdus, je vais finir par les retrouver, j'en ai la certitude.

Philoza s'assit à ses côtés. Il considéra la carte codée dépliée sur le lit, avec la phrase notée en haut : *Ici-bas c'est le Chaos mais au sommet, tu trouveras l'équilibre. Là sont toutes les réponses.*

— Au sommet... ça parle du sommet de l'échelle, je présume, avança-t-il.

— J'ai toujours cru qu'il s'agissait du sommet d'une montagne, mais, désormais, ça tombe sous le sens, c'est bien du sommet de l'échelle de Jacob que mon père parle.

— Tu as pu lire le passage concernant cette échelle de Jacob ?

— J'y étais, justement. Jacob était le fils d'Isaac, petit-fils...

— D'Abraham, le coupa Philoza. Il était un patriarche hébreux qui a combattu et vaincu un ange. Ce combat a été perçu comme un acte de bravoure. Jacob a été courageux, triomphant, il a surmonté les obstacles.

Ilan essayait de trouver, dans les propos de Philoza, un écho à sa propre histoire et à celle de ses parents. Lui aussi avait surmonté les obstacles du jeu pour en arriver là. Pourquoi son père avait-il choisi cette symbolique biblique pour coder sa carte ?

— Parle-moi de l'échelle, dit-il.

— C'est au cours d'une visite dans la ville d'Haran que Jacob a fait le fameux rêve de l'échelle, avec ses sept barreaux. Tu sais, tout est question de décryptage dans la Bible. L'interprétation chrétienne de ce passage se base principalement sur les mots du Christ dans l'Évangile selon saint Jean. Dans le rêve de Jacob, si mes souvenirs sont bons, le Christ est vu comme l'échelle reliant le Ciel et la Terre, étant à la fois le Fils de Dieu et le Fils de l'Homme. En gravir les sept échelons revient à franchir tous les univers intermédiaires, passages obligés avant d'arriver au Ciel.

— Et avant le Ciel, il y a le purgatoire, c'est bien ça ?

— On pourrait l'interpréter de cette façon, oui. En bas de l'échelle, on trouve la vie sur Terre. Au milieu, le purgatoire. Et au sommet, l'enfer ou le paradis.

Ilan resta longtemps immobile suite aux propos de Philoza. Il repensait aux paroles de son père coupé en deux, dans son étrange rêve : « *Ce n'est pas qu'une morgue, c'est aussi un endroit de transition. Ta mère et moi, on attend le Jugement. L'enfer, le paradis... Tu vois ce que je veux dire ?* »

Qu'est-ce qui reliait toutes ces énigmes ?

Son interlocuteur lui pressa l'épaule.

— Ça va ?

— Oui, oui… Enfin, je crois. Tu sais, j'ai toujours eu une image particulière du purgatoire.

— Laquelle ?

— Un endroit glacial et inhospitalier, où chacun attend d'être jugé. Un peu à l'image de celui-ci…

Philoza se dirigea vers la porte.

— Tu devrais prendre une bonne douche, tu sais ? Te reposer un peu. Demain, la route sera longue.

— Tu as raison.

— En attendant, je fais un dernier tour dans le couloir, histoire d'essayer une ultime fois, pour Jablowski. Si je ne le trouve pas, on partira sans lui. On trouvera des secours ou la police, et on les enverra ici.

— Très bien. Dis… un truc me revient, un vieux souvenir scolaire, en rapport avec ces histoires d'enfer et de purgatoire. Est-ce que tu sais qui est Hadès dans la mythologie grecque ?

— Il a un rapport avec l'enfer, il me semble, répliqua Philoza.

— Il était le maître des Enfers, oui. Il empêchait les morts d'en sortir.

— Ah, OK… (Il eut un rire pincé.) On est tous au purgatoire, donc, direction l'enfer, et Hadès nous empêche d'en sortir ? C'est cool. Faut vraiment que tu te reposes.

Sur ce, Philoza quitta la chambre. Quelques minutes plus tard, Ilan était sous le jet brûlant de la douche. Il pensait désormais au grand vitrail ovale, dans le hall d'accueil. Les visages en souffrance – le Christ, les disciples. Pourquoi y avait-il des vitraux religieux à l'entrée d'un hôpital psychiatrique ? Pourquoi avait-on laissé des patients peindre des figures en rapport avec *L'Enfer* de Dante sur les murs de cet hôpital ? Pourquoi son père s'était-il inspiré de l'échelle de Jacob pour coder son énigme ? Que venaient faire ces références religieuses dans l'histoire ?

Le purgatoire…

Ilan resta longtemps sous la douche, en proie à ses interrogations.

Quand il sortit de sa cabine, il stoppa net, les mains devant la bouche.

Frédéric Jablowski gisait sur le carrelage, les yeux grands ouverts, recroquevillé en chien de fusil. Il était en tenue civile, chaussures de randonnée aux pieds.

Son pull à col roulé était maculé de sang au niveau de l'abdomen.

Et percé de petits trous.

60

Ilan resta figé, n'arrivant pas à réaliser ce qui se passait.

Frédéric Jablowski, tué à coups de tournevis.

Et son cadavre mis en scène en plein milieu de la salle d'eau, alors qu'Ilan prenait sa douche.

Tout tremblant, le jeune homme contourna le corps, retenant un hurlement. En panique, il se rua dans le couloir qui menait aux chambres. Il doubla la cuisine vide et vit le monde s'effondrer lorsqu'il découvrit la croix noire clouée sur la porte de la chambre de Chloé.

Cette fameuse croix privée de son christ qu'il avait ramassée dans la chambre 27.

Il se précipita dans la pièce. L'inconnue aux longs cheveux noirs dormait sur le lit, sa poitrine bougeait doucement. Mais Chloé avait disparu. Des bandages étaient déroulés sur le sol, des flacons étaient renversés.

À l'évidence, il y avait eu lutte.

Ilan ressortit dans le couloir, fouilla toutes les chambres en criant le prénom de Chloé. Il était à bout de souffle, à bout de forces.

Toutes les pièces étaient vides. Un peu plus loin, l'obscurité le défiait.

Il n'y avait qu'une seule solution : Philoza l'avait eu.

C'était lui le tueur au tournevis.

Philoza était Lucas Chardon.

Il avait entraîné une nouvelle proie dans les méandres de cet hôpital maudit.

Ilan se réfugia dans la chambre de Chloé et, avant de fermer à clé, décrocha la croix noire. Il avait les larmes aux yeux. Pourquoi avait-il laissé la jeune femme seule ? Pourquoi n'avait-il pas davantage veillé sur elle ?

Il avait été aveuglé par le comportement troublant de Gygax, ses manières, son dédoublement de personnalité, tandis que derrière, Philoza agissait dans l'ombre, tissant lentement sa toile. Il avait très bien pu tuer la candidate rousse et prendre sa place. Il s'était placé devant le casier numéro deux lors de l'assignation des premiers objectifs, dans le trio de tête. Il avait été le premier à annoncer la disparition de Ray Leprince et avait prétendu n'avoir rien entendu, alors que sa chambre était mitoyenne. Ilan se souvenait également de la question que Philoza avait posée lorsqu'il avait découvert le corps pendu de Gygax : *Gygax a-t-il parlé avant de tomber dans le vide ? A-t-il expliqué le sens de tout ceci ?*

Chloé avait toujours été méfiante à son égard. Elle l'avait senti.

Ilan se laissa choir le long du mur, pleurant en silence. Il manipulait le crucifix, désormais transformé en croix mortuaire. Philoza l'avait récupérée dans sa chambre pour l'accrocher ici. Il était donc au courant du harcèlement que Chloé avait subi à son appartement et de son passé psychiatrique. Ça renforçait la théorie que les candidats se connaissaient tous, qu'ils avaient tous été enfermés entre ces murs à un moment donné.

Ilan jeta la croix sur le côté. Moralement détruit, à bout de nerfs, il regarda sa montre : il était tout juste 22 heures. Il restait dix bonnes heures avant que le jour commence à se lever et qu'Ilan puisse fiche le camp de cet enfer pour prévenir la police.

Dix heures à essayer de survivre.

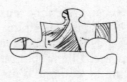

61

Dernier jour

Ilan était bien décidé à se battre jusqu'au bout.

Il avait récupéré son arme avec les tessons de verre, la carte de son père, les dessins, la bible, le jeu de tarot trouvé dans la chambre 27, comme autant de preuves de sa présence dans cet hôpital. Il s'était barricadé dans la chambre de Chloé. Il ne sortirait plus d'ici avant les premières lueurs du jour.

4 h 07. Le vent était tombé et un grand silence s'était installé. Assis contre le mur, Ilan luttait pour ne pas sombrer. La fatigue était dure à combattre, les nerfs lâchaient, mais Philoza devait être là, pas loin, Ilan le sentait. Prêt à le frapper avec son tournevis et à faire une huitième victime, si on comptait la candidate rousse du troisième étage.

Ilan ferma les yeux. Il n'arrêtait pas d'imaginer Chloé morte, la tête rejetée sur le côté, de petits trous sur sa poitrine. Il la distinguait aussi bien qu'un vrai souvenir.

Il rouvrit les yeux en criant.

Il n'avait plus aucun doute. Au fond de lui-même, il savait qu'elle était morte.

Il les savait tous morts.

Au fil des minutes, la femme aux longs cheveux noirs manifesta de plus en plus de signes de conscience. Ilan se positionna en silence face à elle et attendit qu'elle émerge. Elle n'était plus qu'une fragile brindille qu'un simple courant d'air pourrait briser. Pourquoi Philoza l'avait-il épargnée ?

Les iris sombres se dessinèrent enfin lorsque ses paupières se relevèrent doucement. Ses pupilles se rétractèrent, ses lèvres sèches s'écartèrent pour laisser passer l'air.

— Vous ne risquez plus rien, murmura Ilan en essuyant ses larmes. Nous sommes ici en sécurité, au rez-de-chaussée de l'hôpital. Dans quelques heures, nous sortirons et irons trouver des secours.

La femme se redressa avec difficulté. D'un air lointain, elle regarda les gants scotchés autour de ses mains, puis regroupa ses genoux contre son torse. Elle se mit à se balancer calmement d'avant en arrière, détaillant la pièce. Il y avait quelque chose de terrifiant dans son regard : une folie bouillonnante.

Ses yeux s'orientèrent finalement vers Ilan.

— Alors tu es revenu.

Elle avait parlé d'une voix douce qui ne collait pas vraiment avec son physique délabré. Ilan essaya de ne pas montrer son trouble, mais ces mots le bouleversèrent. Plus aucun doute désormais : il avait bien été enfermé dans cet hôpital psychiatrique.

— Oui, répliqua-t-il. Je suis revenu pour toi. Pour te chercher.

Il se rendit compte qu'il la tutoyait naturellement et qu'il lui avait parlé comme à quelqu'un qu'il connaissait. Il essaya de chasser Chloé de ses pensées, l'espace de quelques minutes, et de réfléchir rapidement. Il chercha le meilleur angle d'attaque pour ne pas la brusquer. Toutes ses réponses étaient là, à portée de main.

Mais ce fut elle qui brisa le silence la première. Elle tendit la main.

— J'ai besoin que tu m'enlèves ce gant. Je veux toucher tes doigts. Je veux percevoir la chaleur de ton corps. Les morts ont toujours les mains froides.

Encore plus troublé, il entra dans son jeu pour la mettre en confiance :

— Parce que tu peux toucher les morts ?

— Je peux les toucher, les voir, leur parler. Je veux m'assurer que tu n'es pas l'un d'eux.

Ilan serra la main gantée entre les siennes. La femme se laissa faire.

— Je ne suis pas l'un d'eux, je t'assure. Je vais te libérer de ces gants, mais il va falloir que tu répondes à mes questions. Elles sont si nombreuses.

Elle lorgna par-dessus l'épaule d'Ilan.

— C'est dangereux, ici. Elle est peut-être dans le couloir. Et si elle nous surprend ensemble ? Je ne veux plus aller sur la chaise. Je ne veux plus avoir mal.

— De qui tu parles ?

— La Harpie, bien sûr. Sandy Cléor. Elle dit que c'est pour notre bien, mais elle nous ment en permanence. Que se passe-t-il ? On dirait que tu es différent des autres jours.

— C'est que… j'ai des petits problèmes de mémoire. Avec toutes les saloperies qu'ils nous donnent. Et toi, comment tu te sens, C. J. ?

— C. J. ? Pourquoi tu m'appelles par mes initiales ? Tu es vraiment bizarre.

Ilan ne s'était donc pas trompé : il avait bien en face de lui C. J. Lorrain, internée depuis dix-huit ans dans cet hôpital psychiatrique.

Elle retira sa main et fronça les sourcils, méfiante.

— Tu n'es plus celui que j'ai connu. Tu es avec eux, c'est ça ? C'est encore l'une de leurs maudites expériences ?

Elle se mit à tordre un drap avec nervosité. Ilan secoua vivement la tête.

— Non, non, je ne suis pas avec eux. Je suis avec toi. Et, comme toi, victime de leurs expériences. Il faut que tu m'expliques ce qui se passe dans cet hôpital. Il est censé être fermé depuis des années, alors comment tu peux encore être ici ? Qui vient te voir ? Qui t'apporte à manger ?

Elle ne répondit pas. Il lui montra une clé.

— Qui a fourré cette clé dans tes mains scotchées ? Qu'ouvre-t-elle ?

Elle reprit sa position recroquevillée, fixant Ilan de ses yeux noirs et inquisiteurs. Ce dernier n'en finissait plus avec ses questions.

— Tu dois me parler du protocole Memnode. De *Paranoïa*. Ils m'ont fichu des cochonneries dans la tête, tu comprends ? Est-ce que tu as déjà vu mes parents entre ces murs ?

Il se précipita vers le coin de la chambre et revint avec la carte au trésor de son père, qu'il planta devant ses yeux.

— Parle-moi de Jacob, de l'échelle. Pourquoi tu as écrit ce prénom partout sur les murs de la salle de contention ? J'ai besoin de savoir, je t'en supplie.

Le dessin la fit réagir. Elle réussit à attraper la feuille avec ses gros gants, puis sonda le visage d'Ilan, les yeux mi-clos.

— Ça faisait si longtemps que je n'avais pas vu ce paysage...

— Parle-m'en.

Elle hocha le menton vers le jeu de tarot disposé à côté de la croix noire.

— C'est dans ce jeu de tarot que se trouve la clé finale de l'énigme. Ne me dis pas que tu ne t'en souviens plus ?

Ilan secoua la tête.

— Le trou noir.

— Ramène-moi le jeu de cartes.

Le jeune homme s'exécuta. Il posa le paquet devant son interlocutrice.

— Si tu veux tes réponses, il va falloir que tu ôtes mes gants, fit-elle en levant les mains.

Ilan hésita.

— Promets-moi que tu ne vas pas... t'arracher le visage.

Elle parvint à sourire. Ses dents étaient en mauvais état.

— Promis.

Sa promesse ne valait sans doute pas grand-chose, mais Ilan défit doucement le Scotch et lui ôta les gants. La femme agita les doigts, les fit craquer.

— Ça fait tellement de bien de... sentir.

Elle s'empara des mains d'Ilan et les serra dans les siennes. Elle ferma les yeux, sa bouche se contracta. Le jeune homme n'en pouvait plus d'attendre, mais il ne dit rien pour ne pas la brusquer.

Elle rouvrit les paupières, l'air grave, et désigna la petite clé.

— Je sais ce qu'elle est censée ouvrir.

— Quoi donc ? Dis-moi.

— Les portes de ton esprit. L'accès à la vérité.

Elle délirait encore, mais Ilan ne la contraria pas. Elle ramassa finalement le jeu de tarot et l'étala devant elle. Les sept, les huit, les arcanes de la Mort...

— De nombreuses cartes du tarot cachent des symboles bibliques, dit-elle. Tu le savais parfaitement avant tes problèmes de mémoire. Si tu en avais une à choisir, laquelle prendrais-tu ? Regarde bien. Tu sais. Au fond de toi-même, tu sais.

Ilan se concentra, il observa chaque carte avec attention. Soudain, son regard se bloqua sur l'une d'elles. Il la sortit du jeu.

— La lame du Pendu, annonça-t-il.

Celle que Lucas Chardon avait retournée dans son rêve. Celle qu'il « sentait » le mieux sans savoir pourquoi. À bien y regarder, le dessin représentait une espèce de bouffon au costume coloré, les mains dans le dos, pendu par le pied gauche à une branche d'arbre coupée. Cette dernière était placée horizontalement entre deux troncs verticaux. D'autres branches se trouvaient elles aussi placées horizontalement, régulièrement espacées entre les deux troncs.

— L'échelle ! s'exclama Ilan. L'échelle est là, sur la carte, constituée de morceaux de bois.

— Sept branches coupées et régulièrement espacées, compléta la femme au visage osseux. Comme les sept barreaux de l'échelle de Jacob. Les sept degrés de l'initiation, qui conduisent l'homme de la Terre au Ciel. Mais là n'est pas le plus intéressant.

Son index se promena sur la carte.

— Quand tu regardes les deux troncs verticaux, tu constates qu'il y a douze branches coupées permettant de soutenir les barreaux de l'échelle. Ces branches coupées symbolisent les douze constellations du zodiaque.

— Des constellations… L'échelle a donc un rapport avec les constellations.

— Les souvenirs te reviennent à présent, j'espère ?

Ilan ne voyait toujours pas. Jacob menait à l'échelle, qui menait à la carte du Pendu et à ses douze signes zodiacaux.

— Je ne comprends pas, fit-il. Quelle est la solution finale ?

— La solution finale ? Mais c'est toi qui la détiens, et personne d'autre.

— Tu veux dire que… tu n'en sais pas plus ?

— Je n'ai jamais été douée pour les énigmes. Ça, c'était plutôt ton truc. Moi le tarot, et toi les énigmes et le dessin. Tu es tellement doué en graphisme. Tu peux dessiner ou peindre n'importe quoi. Des cathédrales, des visages, la nature en colère, aussi…

Ilan pensait aux tableaux accrochés dans la maison de ses parents. Il ne laissa pas de temps mort et poursuivit avec ses questions :

— Comment as-tu été mise au courant pour l'énigme de mon père ?

Elle le regarda curieusement.

— L'énigme de ton père ? Il n'a jamais été question de ton père dans l'histoire.

Ilan n'était pas sûr de bien comprendre.

— Qui te l'a montrée, dans ce cas ? Qui t'a parlé de Jacob ?

— Mais… C'est toi.

— D'accord, d'accord, c'est moi. Dis-m'en davantage.

Ses pupilles parurent s'ouvrir sur le passé.

— Tu trouvais le paysage extérieur tellement beau. Ils te laissaient souvent monter au troisième pour voir le panorama ; sous surveillance, bien sûr. Partout ailleurs, ce fichu mur d'enceinte bouchait la vue. Ce paysage, tu l'as dessiné en regardant par l'une des fenêtres, à l'arrière de cet hôpital.

Ilan tituba, il posa une main sur le lit pour éviter de tomber.

— Non, c'est impossible.

Elle ricana.

— Tu n'as pas changé, fit-elle.

Elle mentait, Ilan en avait la certitude. Elle était là pour le détruire, comme les autres. Il essaya de réagir :

— C'est mon père qui a réalisé ce dessin. La résolution des codes mène vers d'importantes recherches, des découvertes qui peuvent...

— Changer le monde, c'est ça ? C'est le terme que tu employais : « Des recherches capables de changer le monde. » Je t'aurais bien cru si je ne t'avais pas vu faire ce dessin et élaborer toi-même cette énigme. La Harpie nous laissait souvent ensemble, sous haute surveillance évidemment, parce qu'elle estimait que nos rencontres, notre amitié étaient bénéfiques pour nous deux. Pour nos « problèmes ».

Elle promena ses doigts osseux sur le dessin.

— Je t'ai vu dissimuler l'échelle de Jacob derrière ces petits *H* et ces chiffres au bas de la carte. Puis, deux jours plus tard, tu es venu vers moi avec ce dessin terminé en me disant qu'il avait été fait par ton père, parce qu'il craignait pour sa vie. Qu'il y avait caché des recherches de la plus haute importance. Et qu'il était désormais de ton devoir de les protéger.

Elle haussa ses frêles épaules. Son regard changea, un sourire mauvais apparut sur ses lèvres.

— Tes parents n'ont jamais été chercheurs. Ton père était juste ouvrier dans une cristallerie, ta mère ne travaillait pas. Les médecins avaient beau te répéter que tout ça n'existait pas, que ce n'était que pure invention, tu n'y croyais pas. Moi, je suis restée de ton côté, je suis rentrée avec toi dans le jeu... Parce que le jeu, c'était ton seul moyen de fuir la terrible vérité. On a tous nos démons, hein, Ilan ?

Ilan était sonné. Elle ajouta, d'une voix désormais très grave :

— Cette vérité, personne ne peut te la dicter. Ton esprit doit la découvrir par lui-même. C'est le sens de tout ceci. Quant à moi... c'est fini maintenant, il est temps de sortir du jeu.

Sans prévenir, elle détendit les jambes et frappa Ilan en plein abdomen. Il s'effondra, le souffle coupé. La folle se leva, s'empara de l'arme hérissée de tessons et l'utilisa pour se labourer le visage.

— Tu as les mains si chaudes.

Ce furent ses derniers mots.

Deux secondes plus tard, elle se tranchait la gorge avec un morceau de verre.

62

Le temps sembla ne plus s'écouler de la même façon. Ilan se sentit piégé dans des secondes interminables, durant lesquelles il vit C. J. Lorrain se vider de son sang. Ses muscles refusaient de se contracter et son organisme de lui obéir.

Le flux pourpre vint lécher ses semelles. Ilan voulut se relever, glissa dans la flaque et s'étala de tout son long. À genoux, il partit se recroqueviller dans un coin de la pièce. Ses mains et ses vêtements étaient couverts de sang.

Cette femme avait-elle dit vrai ? Ilan avait-il lui-même inventé l'énigme de la carte et toute sa quête pour se couper de la réalité ? *Parce que le jeu, c'était ton seul moyen de fuir la terrible vérité*, avait-elle dit. Quelle terrible vérité ? Pourquoi l'avait-on enfermé dans un hôpital psychiatrique ?

Il fixa le dessin. Oui, il reconnaissait bien son trait, sa « patte », mais n'en avait-il pas hérité de son père ? Il eut beau chercher, il ne se rappela aucun dessin fait par Joseph Dedisset, hormis la carte.

La vue du cadavre souriant, avec sa gorge grande ouverte, lui était insupportable. Il tira le lit pour en masquer la vue, détourna la tête, ferma les yeux et essaya de réfléchir. Comment distinguer la réalité de la fiction ? Comment savoir si son propre cerveau lui mentait ?

Peut-être avait-il inventé une partie de l'histoire, peut-être, dans sa mémoire, le prétendu bateau de ses parents s'appelait *Hudson Reed* parce que Ilan lui avait inconsciemment donné un nom qu'il avait chaque jour sous les yeux, dans les douches de cet hôpital. Peut-être n'avait-il jamais été torturé dans le cabinet de dentiste. Peut-être avait-il vu un chien qui n'existait pas, dehors. Peut-être avait-il simplement caché la carte de son père – ou plutôt *sa* carte – dans sa poche de blouson, depuis le début, pour la ressortir dans la voiture en feu.

Mais la trace de seringue dans son bras, ce n'était pas de la fiction. Pas plus que ces cadavres autour de lui. Ni C. J. Lorrain, ni Hadès, ni *Paranoïa* n'étaient de la fiction.

S'il avait été enfermé ici par le passé, quand en était-il sorti ?

Qui était-il vraiment ?

La solution était toute proche. Il suffisait d'attendre que le jour se lève.

Et il saurait si cette folle avait dit vrai.

Il se frotta les mains l'une contre l'autre, observa ses paumes empourprées : *Tu as les mains si chaudes.* L'ultime phrase prononcée par Lorrain bourdonnait encore dans ses oreilles. C'était curieux, cette histoire de mains. Parce que Ilan avait remarqué à quel point Chloé avait les mains froides, même lorsqu'il avait pris sa douche avec elle sous l'eau brûlante.

Comme Jablowski. Comme Mocky... Et tous les candidats. Des morts, selon la folle. Des silhouettes dénuées de chaleur, qui erraient dans cet hôpital en quête de repos. Le mot, le même mot revenait toujours à son esprit : purgatoire.

Il fixa la croix noire en frissonnant, se cala la tête entre ses genoux regroupés contre son torse et ne bougea plus.

Dès les premières lueurs, il enjamba le cadavre et sortit avec prudence de la chambre, son bâton dans une main, la carte au trésor dans l'autre. Il fallait vérifier si le paysage qu'il avait dessiné existait vraiment.

Lorsqu'il tourna la tête vers la salle de douches, il se rendit compte que le corps de Jablowski avait disparu. Ne restaient plus que quelques gouttes de sang. Où Chardon l'avait-il traîné ? Où cachait-il tous les corps et qu'en faisait-il ?

Ilan atteignit le grand hall rapidement. Pour la première fois depuis son arrivée ici, une belle couleur se reflétait à travers le grand vitrail ovale. Des triangles de lumière dansaient sur le carrelage comme de petites fées pressées. Dans des teintes éclatantes, le visage du Christ rayonnait.

Le jeune homme plongea quelques secondes son visage dans ce bain de clarté, les paupières closes, avant de se diriger vers les étages. Les grilles étaient restées ouvertes, le silence était infini. Ilan brandissait son arme à chaque intersection. Philoza se cachait forcément dans les environs, prêt à terminer son sinistre ouvrage.

Le jeune homme bifurqua dans le couloir du troisième étage, longea les grilles, passa sous les réseaux de câbles. Il avançait tant qu'il pouvait, essayant d'ouvrir les portes qui donnaient vers l'arrière de l'hôpital, sans succès. Il dépassa la cellule où avait été enfermée C. J. Lorrain, poursuivit sa progression mais jamais il ne parvint à déverrouiller ces fichues portes.

Il n'y avait que des chambres et la grille du fond, fermée, interdisait l'accès aux bureaux. Il retourna au deuxième, récupéra une vieille chaise et l'emporta avec lui dans la salle de contention du troisième. Il la positionna sous la fenêtre située en hauteur et grimpa dessus.

Ilan n'en crut pas ses yeux. Le paysage dessiné sur sa carte se dévoilait en contrebas, au-delà des hautes enceintes de l'hôpital. Les montagnes couvertes de neige avaient la même forme que sur le dessin, la forêt se déployait d'une façon identique sur les pentes, le lac sortait progressivement de l'ombre, à mesure que le soleil s'arrachait de la vallée. Le ciel était d'un bleu pur, sans aucun nuage.

Le dessin et la réalité étaient identiques, si on faisait abstraction de la neige.

C. J. Lorrain avait dit la vérité.

Une vie qui vole en éclats en une fraction de seconde : Ilan eut l'impression d'exploser. Il n'y avait jamais eu de recherches secrètes, d'assassins traquant ses parents, de morts dans une tempête. Ces souvenirs, on ne les lui avait pas incrustés de force dans la tête. Ces souvenirs, il se les était créés lui-même.

C'était juste la vaste illusion d'un malade mental, dont il avait à présent parfaitement conscience.

Il s'apprêtait à déchirer le dessin lorsque son regard buta sur la phrase du haut : *Ici-bas c'est le Chaos mais au sommet, tu trouveras l'équilibre. Là sont toutes les réponses. L'équilibre...* Il pensa à une balance... Il sortit de sa poche la carte de tarot du Pendu. Le sommet de l'échelle, c'était le septième barreau. Ilan compta alors sur ses doigts : Bélier, Taureau, Gémeaux, Cancer, Lion, Vierge, et... Balance.

Au sommet, il y avait donc la Balance. La Balance et l'équilibre.

Ilan regarda de nouveau par la fenêtre. Ses yeux se dirigèrent alors sur l'île en forme de balance. Elle se trouvait également sur son dessin.

Il venait enfin de trouver la dernière clé de la carte au trésor.

Peut-être n'y avait-il rien derrière l'ultime porte, juste le néant. Mais Ilan voulait aller jusqu'au bout de son histoire.

Il n'était pas revenu dans cet hôpital désaffecté par hasard.

Quelle que fût la vérité, elle l'attendait là-bas, sur l'île.

63

L'échelle dépassait d'à peine quelques centimètres le haut du mur d'enceinte, à l'arrière de l'hôpital.

Vêtu de son blouson, sa tenue civile et ses gants, Ilan grimpa les barreaux avec prudence, atteignit le faîte, tira l'échelle à lui et la bascula de l'autre côté. Il regarda une dernière fois l'hôpital en forme de chauve-souris : ses hauts murs sombres, ses petites fenêtres grillagées. Dire qu'il avait vécu quatre jours à l'intérieur. Quatre jours, piégé par une tempête effroyable, manipulé, traqué. Vu de l'extérieur, sous ce magnifique soleil qui jaillissait entre les montagnes, toute cette histoire ressemblait juste au scénario d'un film d'horreur. Il s'imaginait déjà raconter son calvaire aux policiers. Il ne savait même pas par où commencer.

Il entama sa descente. Il atterrit sur une couche de neige qui lui montait quasiment jusqu'aux genoux et se mit en route vers le lac. L'étendue d'eau était située dans un creux quatre ou cinq cents mètres plus loin, et le dénivelé pour l'atteindre devait faire une cinquantaine de mètres.

Le trajet fut pénible, Ilan dut s'accrocher aux arbres, chuta à plusieurs reprises, glissa sur les fesses, mais il finit par atteindre les rives du lac en un seul morceau.

Il était grand et large, ses eaux étaient d'un bleu presque translucide, et le soleil y rayonnait de toute sa force.

L'île en forme de balance se trouvait sur la gauche, loin de tout rivage. La dense forêt de pins qui la recouvrait interdisait d'y voir quoi que ce soit. Elle mesurait une soixantaine de mètres. Était-ce vraiment là qu'avait vécu le tout premier directeur de l'hôpital, comme l'avait signalé Hadès ? Était-ce de cet endroit que l'on pouvait entendre les patients hurler ?

Ilan entreprit de s'en approcher en longeant le rivage. Les perspectives changeaient au fil de son déplacement, si bien que, à l'opposé de l'endroit où il se trouvait, se dessina un long ponton qui permettait de rejoindre l'île. Ilan se le répéta encore une fois : ses recherches n'étaient pas vaines, un trésor existait et il l'attendait au bout du chemin.

Ce fut à bout de souffle qu'il s'engagea sur le ponton glissant. Le soleil rayonnait sur la neige et l'aveuglait. Le bois craquait, l'eau clapotait avec mollesse sur les piliers de bois. Très vite, Ilan disparut d'un côté de l'île, dans l'ombre des pins, pour réapparaître de l'autre côté. D'ici, il avait une vue directe sur le complexe psychiatrique, accroché à flanc de montagne. Quel décor sinistre... Il se contracta sous son blouson et repartit vers la forêt. Plus loin, la clarté réapparut, des rayons puissants traversaient les branches et venaient mourir sur le sol d'une clairière.

Au milieu trônait une habitation de bois et de pierre. Elle ressemblait à un refuge de montagne, avec très peu de fenêtres, des murs massifs, une porte gigantesque. Ilan s'en approcha avec appréhension, la gorge serrée : il avait déjà vu cette habitation, elle se trouvait quelque part au fond de sa mémoire. Il leva les yeux et aperçut un hélicoptère de la gendarmerie qui s'approchait.

Il sut dès lors que les forces de l'ordre venaient pour lui. Pour le chercher.

Il se présenta devant la porte, respira un bon coup et la poussa.

Ça puait la mort là-dedans.

Les cadavres gisaient au sol ou dans des lits super-posés. Habillés et portant leurs chaussures de randon-née. Tous tués à coups de tournevis.

Ilan reconnut immédiatement le gros Mocky, au beau milieu de l'unique pièce. Il était nu. À ses côtés, Jablowski, recroquevillé comme un fœtus. Puis Naomie Fée, Ray Leprince, Vincent Gygax, que le tueur avait décroché de ses câbles pour le ramener ici. Un autre corps se trouvait sous des draps, au fond sur le lit du haut. Il voulut voir de qui il s'agissait. Il s'effondra en découvrant d'abord Chloé, sur la droite, frappée en pleine poitrine et traînée dans un coin. Elle avait la tête légèrement inclinée, les bras en croix, et son visage n'exprimait plus que la souffrance.

Il lui caressa les joues en hurlant.

Ils étaient tous là. Les candidats de *Paranoïa*. Tous morts.

Ilan se traîna au sol et découvrit, contre les plinthes, le tournevis au manche orange. Il le prit et le serra dans sa main, comme une arme. Il avait l'impression de se trouver en enfer.

Restait un corps à découvrir. Qui le tueur avait-il ramené pour le placer sur le lit du haut ? Cette candi-date rousse, Valérie Gerbois ? Virgile Hadès ?

Il s'apprêtait à soulever le drap quand une voix étouffée par du tissu résonna derrière lui.

— Alors, tu n'as toujours pas compris ?

Ilan se retourna en sursautant. Le tueur au tournevis se tenait dans l'embrasure de la porte, vêtu de sa combinaison orange, sac de toile sur la tête. Ilan braqua son tournevis devant lui.

— Pourquoi ? fit-il. Pourquoi tout ça ?

— Parce qu'il fallait rétablir la vérité. Et que tu te rendes compte par toi-même. Tu cherchais un coupable depuis le début, mais c'est toi qui as tué tous ces gens, les uns après les autres. Toi, et toi seul. Et quand on y réfléchit, c'est logique.

Ilan renforça l'étreinte sur le manche de son tournevis.

— Tu es fou, Philoza, Chardon, ou quel que soit ton nom.

— Est-ce moi qui tiens ce tournevis ? Est-ce moi qui suis couvert de sang ? Tu connais cet endroit parce que tu y es déjà venu, avec Chloé Sanders, Vincent Gygax et les autres. Ces vieilles pierres ne te parlent pas ? Il y avait autant de neige, dehors, et le soleil brillait de la même façon. Le refuge où tout le monde a été massacré, c'est celui-ci. Et c'était l'année dernière.

Les mots résonnèrent dans la tête d'Ilan. Il se revit soudain marcher avec Chloé dans la neige, avançant dans une pente avec un groupe d'individus derrière eux. Il fronça les sourcils et essaya de se concentrer sur les suiveurs. Il ne distinguait pas clairement les visages, mais l'un d'eux effaçait les autres silhouettes avec son énorme carrure. Pouvait-il s'agir de Mocky ?

Les rayons du soleil pénétraient de plus en plus dans la pièce, dégageant une lumière vive. L'homme à la combinaison orange poursuivit :

— Ouvre les yeux. Pourquoi ont-ils tous des cicatrices, sauf toi ? Pourquoi des stèles indiquent-elles la même date de décès, l'année dernière ? Tu les as tous tués !

— Nous avons tous été enfermés dans l'hôpital, nous avons subi des expériences et...

— Ces cicatrices, ce sont les coups de tournevis que tu leur as infligés. Ces stèles sont là parce qu'ils sont tous morts. Tu les as surpris en pleine nuit alors qu'ils dormaient paisiblement, épuisés de leur journée de chasse au trésor. Regarde autour de toi, c'est exactement dans cette position que tu as laissé les corps. Vous étiez tous ensemble la veille. Le lendemain, il ne restait plus que toi, assis dans la neige, la mémoire vidée. C'était il y a un an. Huit cadavres, enterrés six pieds sous terre par ta faute.

Ilan secoua la tête. Il revoyait les petites stèles à l'arrière de l'hôpital psychiatrique. Ses yeux s'emplirent de larmes.

— Ça n'a aucun sens. C'est toi qui les as tués. Tu as traîné les corps ici. Tu as...

L'homme tendit un index vers le lit situé derrière Ilan.

— Tu devrais jeter un œil.

Le jeune homme se tourna légèrement et tira sur le drap.

Couché sur le flanc, Maxime Philoza le fixait, les yeux grands ouverts. Son pull était percé de trous au niveau de la poitrine.

Ilan resta pétrifié. Si Philoza était mort, alors...

— Qui es-tu ? demanda-t-il d'une voix tremblante.

— Je crois que tu es prêt, à présent.

L'homme baignait dans une lumière vive, rayonnante, qui formait une grande ellipse blanchâtre dans son dos. Il porta une main au niveau de sa gorge et ôta le sac en toile qui lui couvrait la tête.

— Tu as bien deviné : je suis Lucas Chardon, fit-il.

Ilan regarda ce visage aussi longtemps qu'il le put, avant qu'il disparaisse dans la lumière éblouissante.

Ce visage, c'était le sien.

64

L'histoire était terminée.

Sur le mur de la chambre d'hôpital, l'horloge indiquait presque 1 heure du matin.

Sandy Cléor coupa son Dictaphone. Son patient, Lucas Chardon, avait parlé plus de six heures depuis son arrivée dans la pièce. Si, en plus, on ajoutait les examens qu'il avait subis en milieu de soirée...

Exténuée, elle se leva et s'approcha de lui.

— Vous oubliez le morceau de drap sur votre chaise, dit Chardon. Ne le perdez pas, il est important pour moi. Son inscription, c'est la dernière chose à laquelle j'ai pensé avant de tomber dans le coma.

Cléor alla récupérer le bout de tissu et le disposa à plat sur la table de nuit, l'inscription « Il AN 2-10-7 » bien visible.

— C'est désormais tout ce qu'il reste de toi, « Ilan 2-10-7 », fit Lucas Chardon en fixant le petit ruban blanc. Un vulgaire morceau de drap.

Il orienta son regard vers son interlocutrice.

— Ilan Dedisset... Ilan deux-dix-sept. Comment vous expliquez ça ? C'est bluffant, non ?

La psychiatre restait soufflée par le récit. Elle mit du temps à répondre.

— *J'avais remarqué que les noms de péniches, de timbres ou de laboratoires que vous avez prononcés dans votre histoire faisaient référence à des objets de votre univers. L'Abilify est utilisé pour le traitement de la schizophrénie. L'Havlane, nom que vous avez donné à un timbre, est une benzodiazépine, l'Effexor est un...*

— *Antidépresseur...*

Ilan regarda la perfusion qui lui entrait dans le bras.

— *Alors, elle venait de là, la trace violacée sur mon bras.*

— *C'est juste incroyable. Votre histoire est pleine de ce genre de petits détails. Votre esprit s'est servi de votre environnement pour... bâtir cet incroyable scénario. Il a utilisé des marques de médicaments, des noms faisant allusion à l'univers des jeux vidéo, comme Sony, Mario, ou un tas de références à* L'Enfer de Dante, *entre autres, afin de faire vivre des lieux, des identités...*

Lucas Chardon fixa sa psychiatre dans les yeux.

— *Cette histoire n'était pas qu'un scénario élaboré, elle m'a surtout livré la vérité, docteur. J'ai tué tous ces gens, y compris mon ex-petite amie Chloé. Je les ai massacrés dans le refuge de montagne alors qu'ils récupéraient d'une dure journée de chasse au trésor. J'en ai désormais le souvenir précis. C'est bien la vérité ?*

Sandy Cléor acquiesça.

— *Oui. Vous rappelez-vous exactement les circonstances ?*

— *On s'est disputés ce soir-là, avec Chloé, je voulais rentrer chez moi.*

— *Pourquoi ?*

— Je me sentais mal dehors, la tête me tournait. La lumière, l'altitude, tous ces joueurs... Je voulais retourner dans ma chambre, m'y enfermer, je ne voulais personne autour de moi. Mais Chloé m'a contraint à rester. Il neigeait, il s'est mis à faire noir, c'était impossible de rentrer ce soir-là. Alors, je me suis recroquevillé dans un coin du chalet et je n'ai plus bougé. Mais... ça battait dans ma tête. J'entendais des cris, je...

Il se tut quelques secondes, avant de poursuivre.

— Puis il y avait cette caisse à outils ouverte à côté de moi. Avec ce tournevis, cette couleur orange... Je ne sais pas ce qui m'a pris. En pleine nuit, je l'ai serré dans ma main jusqu'à en avoir mal. Et...

Il ferma les yeux. Son visage se tordit, ses muscles se crispèrent sous les sangles.

— J'ai frappé... Je les ai tous tués... Je...

Il pleurait à présent.

— Pourquoi ? Pourquoi j'ai fait ça ? Je ne suis pas un meurtrier.

— C'est pour cette raison que vous avez été jugé irresponsable.

La psychiatre avait du mal à garder l'esprit clair. L'incroyable récit que lui avait délivré son patient pendant plusieurs heures défiait l'entendement.

— Vous rendez-vous compte que ce que vous avez vécu durant votre coma ouvre d'incroyables perspectives pour la psychiatrie ? Vous... vous avez accédé à la vérité alors qu'on vous croyait presque mort, immobile dans ce lit ! Alors que nous avions tout essayé sur vous, de l'électrothérapie aux traitements les plus lourds, sans succès ! Vous avez combattu et peut-être vaincu en partie la maladie qui vous aveuglait !

Lucas se raidit.

— *Je me fiche de tout ça ! Je veux comprendre, docteur !*

Cléor avait du mal à garder son calme.

— *Ce sera la prochaine étape de notre travail : ne plus laisser de zones d'ombre et comprendre en profondeur ce qui a pu vous conduire à un tel geste. Il est évident que la mort de vos parents dans un accident de voiture a accéléré votre descente et développé la psychose. Vous jouiez déjà beaucoup, et ce depuis tout petit. Les jeux vidéo, puis les jeux de rôle, parfois plus de seize heures par jour... Le virtuel prenait une place énorme dans votre vie mais, après leur accident, vous vous êtes complètement déconnecté de notre monde... Enfermé dans votre petite chambre, vous ne viviez plus que devant votre écran, au cœur des jeux et avec vos personnages imaginaires. La fiction était un moyen de fuir la réalité du monde et la souffrance qui vous entourait.*

Lucas s'était calmé, il l'écoutait avec attention, respirant à un rythme régulier. Il neigeait toujours autant par la petite fenêtre.

— *Mon père était donc bien ouvrier chez Krystom, ma mère ne travaillait pas, nous habitions cette petite maison de banlieue... Comment j'en suis venu à croire que mes parents étaient chercheurs ? Que j'habitais avec eux une grande maison à Montmirail ? Comment j'ai pu en arriver à me tromper moi-même ?*

— *La maladie, Lucas. Il y a quelques années, une forme de paranoïa s'est installée chez vous, amplifiée par votre isolement. Votre travail à la station-service n'arrangeait pas les choses : la nuit, la solitude, le manque de contacts... Vous vous êtes progressivement isolé, désocialisé. Votre ex-petite amie a essayé de vous sortir de votre univers clos, à plusieurs reprises.*

Cette chasse au trésor en pleine montagne à laquelle elle vous a contraint de participer, l'année dernière, a été fatale. À l'époque, vous étiez une bombe sur le point d'exploser. Vous avez eu ce qu'on appelle, en termes psychiatriques, une bouffée délirante. Un coup de tonnerre dans un ciel bleu, si vous voulez, où tout contrôle vous échappe et où vous êtes capable du pire.

Elle lui proposa un verre d'eau et l'aida à boire, avant de se rafraîchir à son tour et de poursuivre :

— Après cet acte terrible, votre esprit a occulté la vérité. Des mécanismes de défense se sont mis en place pour vous protéger. Les souvenirs liés à cette chasse au trésor et à ce qui s'est passé dans le refuge ont été solidement cloisonnés au fond de votre cerveau et rendus inaccessibles à votre conscience. Lorsque les gendarmes vous ont découvert derrière le refuge, vous aviez tout oublié. La maladie psychique s'est aggravée, créant une dure coquille autour de vous. Vous vous êtes mis à croire à une conspiration contre vos parents et vous-mêmes. Dans votre tête, ils étaient devenus de brillants chercheurs qui cachaient un très grand secret. Vous connaissez la suite. Après quatre mois de thérapie infructueuse dans mon hôpital, vous essayez de vous pendre dans votre chambre. Les secours arrivent à temps pour éviter la mort par asphyxie, mais un poil trop tard pour empêcher le coma. Et à cet instant précis, au moment où vous oscillez entre la vie et la mort, votre cerveau se met à inventer une histoire de toutes pièces. Celle d'Ilan Dedisset qui part à la recherche de la vérité.

Lucas gardait le silence, écoutant avec attention les propos de sa psychiatre.

— Il vous fallait une véritable enquête, des enjeux, pour que vous creusiez au fond de votre propre psy-

chisme et pour que vous vous orientiez dans son laby-
rinthe complexe. D'où l'invention de ce jeu : Paranoïa.
Vous étiez dans un coma profond, mais l'activité de
votre cerveau a souvent été très intense. On ignore
encore précisément – si on omet votre cas – ce qui se
passe durant cette période particulière où l'organisme
humain se trouve à la frontière entre la vie et la mort.
Durant ces cinq semaines, vous n'avez jamais mani-
festé le moindre mouvement physique, vos pupilles ne
se rétractaient plus lors d'une stimulation lumineuse,
mais votre cerveau était bien vivant. Les médecins ont
constaté tout de même des réactions épidermiques du
type chair de poule, et ce à plusieurs reprises. Ils
n'avaient jamais vu une chose pareille.

— J'ai eu tellement froid dans mon histoire. Tout le
temps...

Il frissonna.

— Donc, la lumière dans la figure, ces gens qui par-
laient à mes oreilles, ces trucs qu'on me plantait dans
le bras ou le cuir chevelu pour faire des mesures... Ils
auraient agi comme des interférences dans mon his-
toire ?

— Oui. Ilan Dedisset s'est mis à entendre des voix,
à avoir des maux de tête atroces, à halluciner, à voir
des ombres sous ses paupières, juste parce que le
monde réel était là, autour de votre corps inerte, et que
votre cerveau plongé dans sa propre histoire ne pou-
vait pas en faire abstraction... Vous preniez aussi sou-
vent des douches dans votre scénario, c'était pour
vous un moment de répit et que vous aimiez, sûrement
lié à ces toilettes que les aides-soignantes vous fai-
saient régulièrement ici, dans votre chambre. Vous les
sentiez à travers votre coma, et votre cerveau les inter-
prétait en temps réel.

— J'ai eu cinq semaines de coma... L'histoire semble pourtant si condensée, entre le réveil d'Ilan Dedisset dans sa chambre et l'épilogue sur l'île en forme de balance...

— Ce qui prouve bien que le temps ne s'écoule pas de la même façon lorsque nous ne sommes pas conscients. Il suffit de penser aux rêves qui ne durent parfois que quelques secondes, alors qu'ils nous semblent une éternité. Votre cerveau devait probablement se mettre en veille à certaines périodes, avant de reprendre l'histoire là où il l'avait laissée. On doit pouvoir en lire les différentes phases sur les électro-encéphalogrammes. Nous allons décrypter cela de long en large, je vous le garantis.

Lucas sentait de plus en plus la fatigue l'envelopper, mais il ne voulait pas dormir. Le sommeil l'effrayait. Peur de ne plus se réveiller. De revivre un autre cauchemar.

— Vous savez, juste après ma pendaison, je crois que j'ai eu le choix, dit-il.

— Quel choix ?

— Celui de vivre ou de mourir. J'ai vécu l'expérience de la lumière blanche dont parlent ceux qui voient la mort en face... Je me suis vu dans une chambre, une lumière vive m'attirait par la fenêtre. Je m'en suis approché, j'ai senti sa forte chaleur sur mon visage. J'étais bien.

Cléor ne releva pas. Elle savait qu'il y avait sans doute une explication scientifique à cela, comme le manque d'oxygène et de sang au niveau des yeux, ou la libération d'endorphines par le cerveau. Ilan baissa les paupières et sourit doucement, comme si la lumière était encore là, autour de lui.

—Mais quelque chose m'a retenu, sans doute cette force qui a fait que je ne pouvais quitter notre monde sans connaître la vérité. Le coup de téléphone de Chloé m'a ramené dans cette espèce d'entre-deux qu'est le coma profond. La vive lumière a disparu. Ilan Dedisset venait de se réveiller dans une maison qui n'existait que dans mon imagination et mes scénarios.

— Alors, dans ce coma, a démarré une lutte contre la maladie psychique.

Cléor ne pouvait calmer son excitation. Tout, dans ce que lui avait raconté Lucas Chardon, se tenait et démontrait à quel point les mécanismes psychiques étaient complexes et d'une force extraordinaire. Durant le coma, son propre esprit s'était fait croire à lui-même que ce qu'il traversait était la réalité. La maladie veillait, comme un gardien, et il fallait la duper d'une façon brillante. Répéter à Lucas Chardon qu'il était malade et qu'il avait tué huit personnes ne servait à rien. Il fallait aller au cœur de son cerveau, le confronter à une forme de réalité qui interdisait tout déni. À sa connaissance, jamais un cas pareil n'avait été signalé.

— Vous souriez toute seule, lui dit Lucas.

Sandy Cléor releva la tête de ses notes.

— Oui, oui. Je pensais à la tempête de neige qui vous a accompagné tout au long de votre histoire. Elle n'était qu'un artefact. Des luttes puissantes ont dû s'engager en vous. La maladie psychique cherchait peut-être à vous arracher de l'histoire, mais cette tempête empêchait qu'elle ne se termine avant que vous soyez prêt à accepter la vérité. Quand ce fut le cas, le beau temps est arrivé, vous permettant de sortir et de rejoindre l'île. C'est purement prodigieux.

Lucas tourna la tête vers la petite fenêtre où tournoyaient des flocons. Son regard se ternit.

— *Elle avait vos yeux, votre coupe de cheveux, votre visage...*

— *Pardon ?*

— *Au départ, quand Chloé est revenue pour me parler de* Paranoïa, *elle vous ressemblait. Au fil du temps, elle est redevenue elle-même.*

Lucas parlait avec de la tristesse au fond des yeux. La psychiatre referma son carnet.

— *La Chloé psy était là pour vous prendre par la main, vous tirer vers le jeu, vous forcer à creuser au fond de vous-même. L'autre Chloé représentait les souvenirs, la joie ou la douleur. Votre histoire n'était que la somme de vos influences, de votre passé, de ce que vous avez vécu à l'hôpital, le tout mis en scène et interprété par votre imagination. L'hôpital dans lequel vous étiez enfermé est devenu un lieu cauchemardesque et purement imaginaire, Swanessong, parce que c'est l'image que vous avez, au fond de vous, de mon établissement. L'épisode de la chaise électrique n'était que la matérialisation de vos craintes envers l'électrothérapie. Dans la vraie vie, vous avez écrit des scénarios de jeu, l'histoire qu'a vécue Ilan Dedisset, c'est vous, Lucas Chardon, qui l'avez écrite dans votre tête.*

Lucas se surprit à sourire.

— *Et elle était loin d'être parfaite, cette histoire. Comme dans un bon jeu vidéo, il y a eu quelques bugs, non ? J'ai le souvenir de ces chaussures de randonnée. Je les portais sur la péniche par exemple, et tous les candidats en avaient à leurs pieds à Swanessong.*

— *Dans ce cas précis, ce n'étaient pas des bugs mais des messages qui vous rattachaient à ce qui* s'était passé dans le refuge, un moyen de vous préparer progressivement à la vérité. Cette vérité était tellement intolérable que vous n'avez compris ces messages qu'à la toute fin. Pourtant, certains d'entre eux étaient très forts, comme le tournevis orange, ou alors les croix mortuaires sur la porte de Chloé. Sans oublier ses cicatrices, son appartement vide depuis un an, ses mains froides en permanence.

Les doigts de Lucas se crispèrent sur les draps. Son visage se contracta.

— Un moyen de me dire, de me répéter sans cesse qu'elle était morte, c'est ça ?

— Oui.

— Morte, tout comme les autres candidats. Ils avaient tous les mains froides...

Lucas Chardon resta pensif, tandis que Sandy Cléor se levait pour enfiler son blouson. Le jeune homme songea à Gaël Mocky, Ray Leprince, Naomie Fée, Maxime Philoza, Vincent Gygax, Frédéric Jablowski, Valérie Gerbois et Chloé. À part cette dernière, il ne les connaissait pas vraiment. Juste des visages anonymes, des participants à une chasse au trésor qui avaient eu le malheur de passer la nuit dans le même refuge que lui.

— Vous me parlerez des victimes, bientôt ? demanda Lucas. J'ai besoin de savoir qui ils étaient vraiment, comment ils ont vécu. Ils devaient être si différents de l'image que j'ai d'eux à présent.

— Bien sûr, Lucas. Et nous réécouterons, ensemble, l'enregistrement du Dictaphone. Maintenant que je connais l'histoire, je sais qu'il y a encore tant et tant de choses à y décrypter. Tant de signaux cachés, de références, de « bugs », comme vous dites.

La jeune femme fit tinter les clés de sa voiture et se dirigea vers la fenêtre. Elle resta face à la vitre sans bouger pendant une poignée de secondes, puis se retourna finalement vers Lucas.

— Ce serait de la folie de prendre le volant. Les routes sont complètement verglacées. Je crois bien que je suis piégée ici avec vous.

Lucas Chardon plissa les yeux. Son visage se crispa.

— Peut-être n'en sommes-nous pas encore sortis.

— De quoi parlez-vous ?

— De mon histoire...

Composition et mise en pages
Nord Compo à Villeneuve-d'Ascq

Imprimé en Espagne par
Liberdúplex
à Barcelone
en mars 2015

POCKET – 12, avenue d'Italie – 75627 Paris cedex 13

Dépôt légal : octobre 2014
S24644/04